dtv

1935 reist Tom Stewart, ein junger Engländer auf der Suche nach Abenteuern, nach Hongkong. Aus der Zufallsbekanntschaft mit einer jungen chinesischen Nonne, die ihm auf dem Schiff Sprachunterricht gibt, wird eine lebenslange Freundschaft. Tom fängt ganz unten an und steigt auf zum erfolgreichen Hotelbesitzer. Schwester Maria wird immer Missionarin bleiben, doch ihre Lebensläufe bleiben miteinander verflochten. Als der Zweite Weltkrieg ausbricht, hat das idyllische Leben in der Kronkolonie ein Ende, und nach dem Krieg wird Hongkong zu einem Laboratorium des Kapitalismus in seiner brutalsten Form. Hier sucht die ehrgeizige Journalistin Dawn ihr Glück und taucht ein in die schillernde, bunte Gesellschaft der Stadt ...

»Ein intelligentes, leises und doch fesselndes Werk über den Aufbruch und das Leben in einer fremden Welt, über die Stadt Hongkong natürlich und nicht zuletzt auch ein Roman über die Liebe ... unbedingt lesenswert.« (Joachim Deggerich, dpa)

John Lanchester wurde 1962 in Hamburg geboren, wuchs im Fernen Osten auf und studierte in Oxford. Er war Restaurantkritiker des ›Observer‹ und stellvertretender Chefredakteur der ›London Review of Books‹. Auf deutsch ist außerdem von ihm erschienen: ›Die Lust und ihr Preis‹ (1996) und ›Mr. Phillips von 6 bis 7‹ (2002).

John Lanchester

Hotel Empire, Hongkong

Roman

Deutsch von
Matthias Fienbork

Deutscher Taschenbuch Verlag

Von John Lanchester
sind im Deutschen Taschenbuch Verlag erschienen:
Die Lust und ihr Preis (12503)
Mr. Phillips von 6 bis 7 (13200)

Alle in diesem Roman geschilderten Figuren
und Ereignisse sind frei erfunden.

Die Schreibweise chinesischer Namen hat sich im Laufe
des zwanzigsten Jahrhunderts geändert. Kanton heißt
heute Guangzhou, Peking Beijing, Fukien Fujian und
so weiter. Meine Romanfiguren verwenden die zu
ihrer Zeit üblichen Ortsbezeichnungen.

Ungekürzte Ausgabe
September 2006
Deutscher Taschenbuch Verlag GmbH & Co. KG,
München
www.dtv.de
Lizenzausgabe mit Genehmigung
des Paul Zsolnay Verlags

Titel der englischen Originalausgabe:
›Fragrant Harbour‹ (Faber and Faber, London 2002)

Das Zitat auf S. 105f. ist entnommen aus:
William Shakespeare, ›Die Sonette‹
(dt. von Christa Schuenke, dtv 12491)
Umschlagkonzept: Balk & Brumshagen
Umschlaggestaltung: Bettina Wengenmeier unter Verwendung
eines Fotos von gettyimages/Joanna McCarthy
Satz: Satz für Satz. Barbara Reischmann, Leutkirch
Druck und Bindung: Druckerei C. H. Beck, Nördlingen
Gedruckt auf säurefreiem, chlorfrei gebleichtem Papier
Printed in Germany
ISBN-13: 978-3-423-20920-5
ISBN-10: 3-423-20920-8

In Erinnerung an meine Mutter

Prolog

Tom Stewart

Lange zu leben kann ein Ausdruck von Trotz sein. Ich bin inzwischen selbst ein alter Mann, ich erkenne die Symptome.

Heute morgen auf dem Weg hinunter ins Dorf begegnete ich meinem Nachbarn Ming Tsin-Ho. Ming wohnt ein Stück weiter unterhalb in einem Haus mit einem häßlichen Gartentor in Form eines roten Mondes. Auf dem Tor sitzt ein purpurroter Drache mit grünen Augen und gelber Zunge. Ming hat dieses Monstrum in den New Territories gekauft, herübertransportieren und von Kulis heraufschleppen lassen.

Drachen sind sehr beliebt bei Chinesen. Sie gelten als gutmütig. Chinesische Drachen besitzen viele magische Eigenschaften, beispielsweise können sie entscheiden, ob sie sichtbar oder lieber unsichtbar sein wollen.

Mir gefällt, daß sich das Südchinesische Meer von so vielen Seiten zeigt. Manchmal ist das Wasser blau und klar, manchmal schmutzigbraun und aufgewühlt. Heute war es graugrün und kabbelig. Der Blick nach Hongkong hinüber war ein wenig dunstverschleiert. Für hiesige Verhältnisse war es ein kühler Morgen. Ming stand vor seinem Tor und betrachtete es. Er trug eine schwarze weite Hose und eine weiße Jacke, und seine Glatze schimmerte. Sein Gesichtsausdruck erschien mir ungewöhnlich, seine Augen hatten etwas Glasiges, so daß ich für einen Moment glaubte, er sei betrunken, doch aus der Nähe sah ich, daß es ein Lächeln war, ein Grinsen, das er nicht unterdrücken konnte. Ich hatte das Gefühl, als wollte er unbedingt etwas loswerden. Ich sagte: »Guten Morgen, Mr. Ming.«

»Mr. Stewart – ein trauriger Tag heute. Ich habe soeben vom Tod meines armen Bruders gehört«, sagte er auf kantonesisch und strahlte dabei.

Das also war es. Mings Bruder war ein Star der Kanton-Oper, eine richtige Berühmtheit in ihrer abstoßenden Form. Einmal hatte mich mein Enkel sogar tatsächlich in einen Film geschleppt, in dem dieser Bruder mitspielte, eine slapstickhafte, derb-humorvolle Komödie. Fast ein halbes Jahrhundert hatte Ming kein Wort mit seinem berühmten jüngeren Bruder gesprochen. Das war ein beliebtes Gesprächsthema auf Cheung Chau, der Insel, auf der wir wohnen. Als Ming eines der hiesigen Fischrestaurants verklagte, weil er über einen Stuhl auf dem Bürgersteig gestolpert war, hatten die sich gerächt, indem sie Poster seines Bruders ins Fenster gehängt hatten, bis man sich schließlich außergerichtlich geeinigt hatte. Ming war jetzt eindeutig und sichtlich froh, daß sein Bruder tot war. Er hielt eine Ausgabe des *Today* in der Hand, eine der noch halbwegs lesbaren chinesischen Zeitungen.

»Hier steht noch nichts drin. Die Abendzeitungen werden es bringen«, sagte er, noch immer strahlend.

ERSTER TEIL

Dawn Stone

Erstes Kapitel

Als Teenager habe ich »Lügenzählen« gespielt. Das ging ganz einfach: Jede mir unwahr erscheinende Behauptung, die ich im Laufe eines Tages hörte, merkte ich mir und trug sie auf einer Art inneren Strichliste ein. Es war ein Spiel für eine Person, wie Patience. An manchen Tagen fing ich in der Schule damit an – nach einem besonders krassen Fall von Heuchelei oder einer nichtssagenden Phrase, manchmal wurde es ausgelöst von etwas, was ich im Fernsehen sah oder im Radio hörte oder in einer Zeitung, einer Zeitschrift oder in einem Buch las. Meistens waren es jedoch meine Eltern, die das Spiel in Gang setzten. Nicht daß sie etwas Besonderes sagten, es war eher die ganze Atmosphäre im Haus. Es war die Luft, die wir atmeten – und auch dieses »Wir« empfand ich als gelogen. An manchen Tagen begann meine Liste mit dem »Guten Morgen« (Wieso? Was ist daran gut?) und reichte über das »Ich möchte, daß du um halb zwölf wieder zu Hause bist« (Von wegen! Am liebsten wär dir, ich käme überhaupt nicht mehr nach Hause) bis zu der »Guten Nacht« (hier: als wenn dich das interessierte).

Wenn ich in einem Satz erklären müßte, warum ich nach Hongkong gegangen bin und warum ich jetzt tue, was ich tue, würde ich sagen: Geld lügt nicht.

Geld kann gar nicht lügen. Die Menschen lügen, wenn es um Geld geht, aber das ist etwas anderes.

Ich kenne, was meine Fähigkeiten angeht, keine falsche Bescheidenheit (falls Sie diesen Eindruck haben sollten, stelle ich hiermit fest: ich finde mich ziemlich toll), gebe aber freimütig zu, daß ich nicht die geworden wäre, die ich heute bin, wenn ich nicht viermal einfach Glück gehabt hätte. Der erste Glücksfall war mein Job bei der mittelgroßen, mittelenglischen Boulevardzeitung *Toxic* (den Namen habe ich verändert). Vorher hatte mein Leben so ausgesehen: Elternhaus, Schule, Studium in Durham, Journalistenkurs in Cardiff, Job bei einer Lokalzeitung in Blackpool. Ich sollte vielleicht erklären, daß ich in einer Zeit aufwuchs, als noch erwartet wurde, daß man das journalistische Handwerk bei einer Regionalzeitung erlernte, bevor man nach London zu einer der großen überregionalen Zeitungen ging. Das war in der Steinzeit, bevor Eddie Shah sich mit den Gewerkschaften anlegte und Murdoch sie zerschlug. An den Ufern der Themse trieben Dinosaurier ihr Unwesen. Einige Stämme hatten noch nicht das Geheimnis des Feuers entdeckt. Männer waren Männer, Frauen waren Frauen, kleine pelzige Tiere lebten in begründeter Furcht, und den A3-Fotokopierer in der Ecke durften ausschließlich Mitglieder der Typographengewerkschaft benutzen. Sagen Sie über Mrs. Thatcher, was Sie wollen.

Heutzutage würden junge Leute, die so aufgeweckt, ehrgeizig und frech sind, wie ich mich damals fand, schon während des Studiums alles daransetzen, ihre Stücke bei Zeitschriften und Zeitungen unterzubringen, unter Umgehung des öden Lokalreporterdaseins, um möglichst schnell die saubere, strahlend helle Hochebene von Kommentaren, Meinungen und Kolumnen mit dem zweitschmeichelhaftesten Autorenfoto zu erreichen. (Zweitschmeichelhaft, weil man bei dem besten a, von den Kollegen wegen Eitelkeit fertiggemacht würde und b, Leute, mit denen man zusammenkommt, denken würden, oh, sieht ja ganz nett aus auf dem Foto, aber in Wahrheit ist sie potthäßlich.) Doch damals war alles anders. Ich verbrachte anderthalb Jahre beim *Argus* in Blackpool, schrieb das übliche Zeug, Volksfeste und Sportereignisse und lokale Nachrichten (»Rentnerin überlebt Sturz von Steilküste«), bald auch interessantere Gerichtsreportagen, Hintergrundberichte und am Ende sogar – wirklich! – eine Kolumne. Da die Fotos von Eric, dem Redaktionsfotografen, gemacht wurden, war das schmeichelhafte Foto etwas Relatives. Eher ging es darum, eines auszusuchen, auf dem ich nicht wie Mussolini aussah.

Und außerdem legte ich mir einen anderen Namen zu. Getauft bin ich auf den Namen Doris. Doris! Heutzutage könnte ich meine Eltern wahrscheinlich auf Schadenersatz verklagen. Das Dumme ist nur, daß Leute, die so bescheuert sind, ihre Tochter Doris zu nennen, selten ein Vermögen haben, um das zu prozessieren sich lohnen würde. Dawn Stone als Autorenzeile, das klang doch schon viel besser.

Es gab viele Lokalzeitungen. Blackpool hatte ich mir nicht umsonst ausgeguckt. Dort finden regelmäßig die Parteitage statt, und ich dachte, wenn es mir in dieser Zeit nicht gelingt, Kontakte zu den überregionalen Zeitungen zu knüpfen, sollte ich besser Jura studieren (das war Plan B). Ich hoffe, es klingt so zielstrebig, wie ich damals war. Ich wollte einfach bei einer der großen Londoner Zeitungen unterkommen. Wenn ich in Oxford oder Cambridge studiert hätte, wäre ich natürlich mit mindestens einem halben Dutzend Leute befreundet gewesen, die mühelos in einflußreiche Positionen bei der Sorte Zeitung gelangt wären, für die ich arbeiten wollte. Doch das war nicht der Fall, und ich wußte, daß ich diese Kontakte selbst herstellen mußte. Anderes wäre für mich auch nicht in die Tüte gekommen – mir das sagen zu können war ein Trost.

Den ersten Kontakt mit einer überregionalen Zeitung hatte ich mit Vierundzwanzig, etwa zwei Monate vor meiner ersten Parteitagssaison, bei einem Fall um ein vermißtes Kind, der sich zur Suche nach einer Leiche entwickelte und schließlich, sechs Monate später, als Mordfall endete. (Es war der Stiefvater. Stellen Sie sich die allgemeine Überraschung vor!) Normalerweise hätte sich jemand anderes um diese Geschichte gekümmert, nicht gerade ein Neuling wie ich, doch ich hatte den allerersten Artikel (»Wo ist der kleine Jimmy?«) geschrieben, also blieb ich dabei und verfolgte die Sache bis ganz zuletzt. Die Londoner hatten sich von Anfang an auf den Fall gestürzt, reicher und selbstbewußter und ruppiger, als ich erwartet hatte, auch wenn der Mann, den ich kennenlernte und mit dem ich mich anfreundete, Bob Berkowitz, das alles nicht war. Eines Tages erschien er im Büro, auf der Suche nach Ken, einem alten Kumpel vom *Brighton Courier*, inzwischen Chefreporter des *Argus*. Ich blickte von meiner Schreibmaschine auf, noch so ein Steinzeitrelikt, und sah einen kleinen, schüchternen Mann mit dunklen Locken und Brille. Er trug einen Mantel und hatte diesen taktisch hilflosen Blick – wie die Leute eben schauen, wenn man sie bemerken und ihnen helfen soll.

»Kann ich Ihnen helfen?« fragte ich, höchstwahrscheinlich nicht sehr hilfsbereit, eher unwillig.

»Ist Ken da?«

»Unterwegs für eine Story.«

Der Mann blickte stirnrunzelnd auf seine Uhr. »Aber die Kneipen sind doch noch zu«, sagte er. Ich lachte, wie man eben lacht, wenn man einem Witzbold zeigen will, daß man ihn nur mäßig komisch findet, und wir kamen ins Gespräch.

Berkowitz schien nicht in die übliche Kategorie Reptil zu gehören – jedenfalls signalisierte er das. Er schrieb Reportagen für den *Toxic* und war jemand, der aus seinem Schwulsein kein Geheimnis machte (nur seine Mutter wußte offiziell natürlich von nichts). Eines Abends, in seiner Wohnung in der Nähe der Tower Bridge, bezeichnete er sich mir gegenüber als »Intellektuellen«. Er war der einzige Journalist, den ich diese Selbstbeschreibung verwenden hörte. Wir kamen von Anfang an super miteinander aus.

»Es geht mir nicht um das Verschwinden dieses Jungen an sich«, erklärte er mir später, in einem Pub, den wir »The Dead Brian« nannten (tatsächlich hieß er »The Red Lion«). »Mich interessiert, welche Auswirkungen solche Verbrechen auf die Menschen haben. Die Folgen. Was passiert, wenn über die Sache nicht mehr berichtet wird. Wie geht das Leben der Menschen weiter?«

Ich konnte ihm ein paar Informationen geben und Kontakte vermitteln, und er war auch viel netter als die anderen Jungs von den Überregionalen. Wenn die ankamen, weil sie Hilfe brauchten, wanzten sie sich an einen ran und machten auf kumpelhaft, ansonsten behandelten sie einen, als wäre man der letzte Dreck. Das konnte ich gut bei Kinnocks zweitem Parteitag als Labour-Chef beobachten, nachdem er beim ersten ausgerutscht und ins Wasser gefallen war, als er auf einem Strandspaziergang versucht hatte, gute Figur zu machen und ganz visionär auszusehen. Ich erinnere mich gern an diesen Parteitag, weil dies der Zeitpunkt meines ersten Durchbruchs war. Am vorletzten Abend traf ich mich mit Berkowitz und zwei Londoner Freunden von ihm. Der eine arbeitete bei einer Zeitschrift, der andere war Wasserträger von irgendeinem Tory-Bonzen, der sich ein bißchen umhören und dann ein Hintergrundstück für eine der rechten Zeitungen schreiben sollte.

Berkowitz ging bald, weil er noch einen Text abschicken mußte, und wir drei landeten bei mir zu Hause, wo wir uns unglaublich betranken. Wie der Abend endete, weiß ich nicht mehr, außer daß mir schlecht war und ich so gegen fünf Uhr ins Bett wankte, es vorher aber noch geschafft hatte, dem Tory-Jüngelchen ein Taxi zu rufen. Der Schreiberling war schon auf der Couch eingepennt.

Nach dieser Zeit sehne ich mich echt nicht zurück, weiß Gott. Am nächsten Tag mußte ich zur Arbeit. Es war die Hölle. Ich verschwand andauernd aufs Klo, so elend war mir. Mittags teilte mir der Empfang mit, daß mich jemand sprechen wollte. Es war das Tory-Jüngelchen. Er trug eine Sonnenbrille und sah unglaublich verkatert aus. Aus der Nähe stellte ich fest, daß er leicht zitterte. Er hatte sich umgezogen, roch aber noch immer nach Alkohol.

»Können wir irgendwo hingehen?«

Ich überlegte kurz, ob in der Nacht irgendwas zwischen uns gewesen war. Nein, die Einzelheiten waren mir nicht mehr alle präsent, aber daran würde ich mich erinnern, da war ich mir völlig sicher.

In der Nähe gab es ein schäbiges Hotel mit einer schäbigen Bar. Wir gingen hinein und bestellten zwei Bloody Mary. Inzwischen erinnerte ich mich auch wieder an seinen Namen: Trevor.

»Bin ein bißchen daneben«, sagte er und spielte mit dem Rührstäbchen. Als er seine Sonnenbrille absetzte, sah ich, daß seine Augen ganz rot waren. Wir nahmen einen Schluck von unseren Drinks.

»War ein bißchen unvorsichtig gestern abend«, sagte er. »Hab ein paar Sachen erzählt, die ich besser für mich behalten hätte. Sie wissen schon, vertrauliches Zeugs. Ich muß Sie bitten, das nicht, ähm, weiterzuerzählen. Sonst verlier ich meinen Job.«

Der Mann hatte Probleme mit seiner Stimme. Die letzte Bemerkung konnte eine Drohung oder auch eine Bitte sein, es war nicht ganz klar. Ich legte meine Hand kurz auf seine.

»Ich werd schweigen wie ein Grab.«

»Wirklich?«

»Ja.«

»Ich kann Ihnen gar nicht sagen, wie dankbar ich bin.«

»Keine Ursache.«

»Das werd ich Ihnen nie vergessen.«

Er trank aus und schaute auf seine Uhr.

»Tja ...«

»Ich will Sie nicht aufhalten. Danke für den Drink.«

»Ich muß mich bei Ihnen bedanken.«

Er zog los.

Ich hatte keine Ahnung, welche vertraulichen Dinge er gemeint hatte. Aber sechs Wochen später bekam ich einen Anruf vom Diary-Redakteur des *Toxic*, der mit unserem Trev studiert hatte. Ob ich ihm nicht eine Arbeitsmappe zuschicken und kurz in London vorbeischauen könne, er würde gern mit mir plaudern. Das war der erste Glücksfall.

Robin Robbins, besagter Diary-Redakteur, war der erste kultiviert-trendbewußte Mensch, den ich näher kennenlernte. Er hatte die in seinen Kreisen verbreitete Neigung, eine Sprache zu benutzen, in der alles entweder leicht über- oder untertrieben wurde. In seiner Welt »schlenderte« man ins East End, um von der Beerdigung eines Ganoven zu berichten, und man »stürzte« zum Büroschrank, um sich ein neues Farbband für die Schreibmaschine zu holen. »Kurz vorbeischauen« hieß, sich insgesamt sechs Stunden in den Zug setzen und nach London fahren, und »miteinander plaudern« hieß, ein Bewerbungsgespräch führen.

Er führte mich zum Lunch aus. Das Restaurant war schick, laut und trendy. Die Kellner trugen blauweißgestreifte Schürzen, die so geschnitten waren, daß man den Hintern sah. Ein Kellner flirtete mit mir, so daß ich mir, wenn auch nur für einen kurzen Moment, ganz erfahren vorkam. Robin plauderte eine Weile und fragte, woher ich Berkowitz kannte, der, wie er sagte, »etwas furchtbar New Yorkerisches« an sich hatte. (Also Jude war.) Robin wollte wissen, wie ich Prinzessin Dianas Garderobe fand. Als ich von Lady Diana sprach, verbesserte er mich beiläufig. Zum erstenmal in meinem Leben hatte ich das Gefühl, jemandem zu begegnen, der unter den entsprechenden Umständen buchstäblich seine Großmutter verkaufen würde. Das war sehr aufregend.

»Was ist das Allerwichtigste für einen Diary-Journalisten?« fragte Robin.

Ich dachte: Selbsthaß. Ich sagte: »Kontakte!«

Beim Kaffee sprach er schon über den Job.

»Das Diary ist unsere Abteilung für neue Talente, unser Kindergarten, unsere Lehrlingswerkstatt. Die meisten von uns haben dort angefangen, meine Wenigkeit eingeschlossen. Wie ich schon am Telefon gesagt habe, handelt es sich nicht um eine feste Stelle. Wenn alles gutgeht, aus unserer und Ihrer Sicht, findet sich nach drei Monaten vielleicht etwas anderes. Und am Ende sind Sie wahrscheinlich meine Chefin oder Chefredakteurin bei der Konkurrenz.«

Und wenn nicht, hast du eben Pech gehabt. Meinen Abschied von Blackpool begossen wir im Dead Brian, und anschließend fuhren wir Autoscooter.

Das Diary war eine Klatschkolumne, und die Seite – offiziell »Dexter Williams' Diary«, nach seinem fiktiven Schöpfer – war der übliche Mix aus Andeutungen und Unterstellungen und Halbwahrheiten aus der Welt der Medien, des Showbusiness und der Politik und dem immer größer werdenden Bereich derer, die berühmt waren dafür, daß sie berühmt waren. Na und, werden Sie sagen, genau das wollen die Leute doch lesen – und aus Marktuntersuchungen des *Toxic* ging hervor, daß das Diary vom sensationshungrigen Publikum zuallererst verschlungen wurde. Das Dumme war nur, daß es mir überhaupt keinen Spaß machte. Um an Storys zu kommen, brauchte man Kontakte, und die hatte ich nicht. Außerdem stellte ich fest, unerfahren, wie ich war, daß es mir schwerfiel, lauter verstreute Schnipsel zusammenzufügen und im Prinzip aus nichts eine Geschichte zusammenzubauen. Anfänger beim Diary behalfen sich meistens damit, daß sie Freunde und Bekannte anbaggerten und das, was ihnen diese Freunde im Vertrauen erzählten, weiterverarbeiteten. Wer aus besseren Kreisen kam und Kontakte in London hatte, war im Vorteil.

Schlimmer war noch, daß ich in »meinem« Job nicht allein war. Beim *Toxic* sah die normale Praxis der Geschäftsleitung so aus: zwei Leute bekamen denselben Job, dann beobachtete man, wer sich als der bessere Kandidat erwies, und servierte den anderen ab, meist indem man ihn auf eine schlechtere Stelle abschob, die der Betreffende unmöglich akzeptieren konnte. Als Management-Methode war das reichlich brutal. Jedenfalls mußte ich meinen Job mit einem pummeligen Eliteschüler namens Rory Waters teilen.

An meinem ersten Arbeitstag kam ich genau kalkulierte drei Minuten zu früh, aber Rory saß schon an seinem Schreibtisch und tippte irgend etwas (was? was bloß?).

»Ähm, ich bin Dawn«, sagte ich.

»Guten Tag«, sagte Rory steif.

»Das ist Rory«, sagte Robin, der aus dem Nichts auftauchte und wie gewohnt dreinschaute wie der Hauptverdächtige in einem Agatha-Christie-Film. »Er hat gerade bei uns angefangen, wird uns auch ein bißchen aushelfen. Ich bin sicher« – das klang jetzt ein wenig drohend –, »ihr werdet euch prächtig verstehen.«

Rory kam aus besseren Kreisen, war dick und ehrgeizig. Er hatte ein rundes blasses Gesicht, die Halspartie über dem Kragen seines gestreiften Hemds war ständig gerötet und fleckig, und wie alle männlichen Wesen in der Abteilung lief er ständig im Anzug herum. Das Schlimmste war, daß er im ganzen Haus beliebt war, was wohl daran lag, daß es ihm nichts ausmachte, als Witzfigur angesehen und gehänselt zu werden. Man lachte nicht über ihn, sondern mit ihm und konnte daher auch gut mit ihm zusammenarbeiten. Die Art und Weise, wie er und die anderen Diary-Kollegen – insgesamt waren es Robin, vier Männer und ich; ich war übrigens die einzige, die nicht auf eine Public School gegangen war – sich sofort als Männer miteinander verständigten, fand ich ziemlich nervend. Ich war angespannt und in der Defensive, mir ständig bewußt, daß ich mich in einem neuen Job, in einer neuen Stadt zu bewähren hatte. Ich verachtete meine Kollegen und wollte gleichzeitig zu ihnen gehören, machte eine Arbeit, die überhaupt nicht dem entsprach, was ich erwartet hatte, und für die ich nicht geeignet war. Jeden Morgen wachte ich auf mit dem Gefühl, als hätte ich etwas geschluckt, das in meinem Magen herumfuhrwerkte.

Am Ende meines dritten Tages, nachdem ich eine weltbewegende Story über irgendeinen bekifften viertklassigen Schauspieler geschrieben hatte, der vor dem San Lorenzo einen Paparazzo angebrüllt hatte, lud mich Berkowitz zu einem Drink in der »Paranoia Factory« ein, wie wir die Redaktionskneipe nannten. Er erzählte mir, daß er beim *Toxic* aufhören und für eine Zeitschrift arbeiten wolle, die ich hier *Sensible* nennen werde.

»Ich soll längere Hintergrundartikel schreiben«, sagte er und fügte, stolz und auch ein wenig schüchtern, hinzu: »Anscheinend hat ihnen gefallen, was ich über den kleinen Jimmy in Blackpool geschrieben habe.«

Ich war nicht gerade den Tränen nahe, aber es war schade. Ich kannte nur einen Menschen beim *Toxic*, und der wollte gehen.

»Toll«, sagte ich. »Wirklich toll! Ich freu mich für Sie.«

Es mag Menschen geben, die besonders produktiv in einer Umgebung sind, in der sie sich einsam, allein gelassen, vernachlässigt, hintergangen und ausgenutzt fühlen. Von mir kann ich das nicht behaupten. Die Einzelheiten der nächsten drei Monate werde ich Ihnen ersparen. In Blackpool hatte ich in einer schönen geräumigen Wohnung mit Meerblick gewohnt, ich konnte kommen und gehen, ohne jemandem zu begegnen, und wenn abends ein Viertelliter Milch im Kühlschrank stand, konnte ich mit der Gewißheit zu Bett gehen, diesen Viertelliter auch noch am nächsten Morgen im Kühlschrank vorzufinden. Ich mußte mir nicht anderer Leute Musik anhören, ihre Telefonanrufe entgegennehmen, andere Leute trösten, wenn sie Probleme hatten, oder anderer Leute Schamhaare aus dem Badewannenabfluß fischen. In dem Haus, das ich jetzt in Stockwell gemeinsam mit einer befreundeten Juristin und ihren drei neuen Londoner Kumpels bewohnte, war alles anders. Die Stadt war laut, und immer hörte man die anderen Hausbewohner: beim Sex, im Badezimmer, bei Streitigkeiten (»Mußt du immer alles dramatisieren?«). Wenn ich von der Arbeit nach Hause kam und mich einfach in meine Höhle verkriechen und die Tür hinter mir zumachen wollte, wurde ich sofort in unsere tägliche Seifenoper hineingezogen. Es kam mir vor wie ein großer Rückschritt. Und obwohl ich auf dem Papier besser verdiente, war London dermaßen teuer, daß ich im Endeffekt weniger Geld hatte. Auch das stank mir.

Dazu kam, daß mein Liebesleben nicht sonderlich aufregend war. In Blackpool war ich mit einem Fotografen namens Michael Middleton ausgegangen. Beziehungsweise, er hätte sich als Fotograf bezeichnet, wenn er Amerikaner gewesen wäre; da er aber Engländer war, erklärte er anderen Leute, daß er in einer Buchhandlung arbeite, und deutete nur ganz vorsichtig an, daß die Fotografie seine wahre Leidenschaft sei und das einzige, was ihn wirklich interessiere und immer interessieren werde. (Für Engländer ist das ein Ausdruck von Bescheidenheit, für Amerikaner, Ausländer überhaupt, eine besonders unangenehme Form von Angeberei und Zeichen eines Überlegenheitskomplexes. Heute sehe ich das auch so.) Von seinem Buchhändlergehalt finanzierte er seine modisch-desolaten Fotos von Urlaubern in Blackpool, vom Pier und den Buden, von angespülten Präservativen am Strand, weggeworfenen Frittentüten, verrammelten Läden, toten Möwen und so weiter.

Michael arbeitete in der einzigen halbwegs anständigen Buchhandlung Blackpools. Ich stand vor dem Regal mit den von Mitarbeitern empfohlenen Titeln und wollte gerade Angela Carters *Nights at the Circus* in die Hand nehmen – ein mit »MM« signierter Zettel darunter verhieß: »Ihr bislang bestes Buch!« Die beiden anderen Bücher waren der *Good Food Guide 1985* mit der Empfehlung: »Das wird Ihnen Appetit machen! Kevin« und Martin Amis' Roman *Money* mit dem Hinweis: »Amy sagt: Fabelhafte Prosa.« Ich stand da und dachte, irgendwann werde ich es ohnehin lesen, also kann ich es gleich mitnehmen. Aber 8 Pfund 95 für ein Buch? Andererseits sah ich mich nicht ungern als vierundzwanzigjährige *femme sérieuse*, die Neuerscheinungen im Hardcover kaufte.

»Ist wirklich gut«, sagte eine gebildete, leicht nordenglisch klingende Stimme hinter mir. Ich drehte mich um: ein Mann meines Alters, schlank, gutaussehend, schwarze Jeans und T-Shirt, etwas ungepflegt, was die Stimme allerdings wettmachte. »Meine Empfehlung«, sagte er mit einer freundlich-sympathischen Wir-sind-doch-alle-Angela-Carter-Fans-nicht-wahr?-Miene.

»Sie sind MM?«

»Michael.«

»Es ist also besser als *The Bloody Chamber*?«

»Wenn es Ihnen nicht gefällt«, sagte er, »und wenn Sie dem Chef nichts verraten, können Sie es mir zurückbringen, dann kriegen Sie Ihr Geld wieder.«

Ich kaufte das Buch, las es, mochte es, kam eine Woche später zurück, wir unterhielten uns, trafen uns auf einen Drink und so weiter. Wir freundeten uns an.

In der ersten Zeit lief es supergut, wie das so ist, wenn überhaupt was läuft, dann hatten wir die üblichen Wir-müssen-uns-kennenlernen-Auseinandersetzungen und richteten uns schließlich in einer Beziehung ein, die im Grunde ganz in Ordnung war. Allerdings machte ich keinen Hehl daraus, daß ich nach London gehen und bei einer der großen Zeitungen arbeiten wollte, während Michael es in seinem Norden schöner fand und von einem Umzug nichts wissen wollte. Eigentlich hatten wir keine Zukunft. Dieser Satz ging mir immer durch den Kopf, wenn ich über Michael nachdachte und merkte, wie sehr ich ihn mochte: keine Zukunft.

Nur wenigen Beziehungen tut es gut, wenn die Partner

vierhundert Kilometer entfernt voneinander leben. Als ich nach London zog, fing alles an, nicht mehr ganz so zu funktionieren, zum erstenmal auch der Sex. Ich fand es schön, Michael ungefähr jedes zweite Wochenende zu sehen, war aber nicht so erpicht darauf, die beiden Tage ausschließlich im Bett zu verbringen, während er genau das wollte. Ich freute mich, daß er so scharf darauf war, auch wenn mein Bedürfnis danach nicht ganz so ausgeprägt war. Und ich gestehe, daß ich mich fragte, was er während meiner Abwesenheit trieb, denn er sah gut aus, und Blackpool ist ja sozusagen eine Amüsiermeile. Was die Lage zusätzlich kompliziert machte, war die Tatsache, daß bei einem Scheitern meinerseits eines der Haupthindernisse für ein Zusammenleben beseitigt wäre – ich würde nach Blackpool zurückkehren und Michael würde bei mir einziehen, was sein großer Wunsch war. Irgendwie hatte ich also den Verdacht, daß er sich insgeheim wünschte, ich möge keinen Erfolg haben. Ich beschloß daher, mich weniger skeptisch und generell frustriert über den *Toxic* zu äußern, weil es ihn freute oder tröstete, solche Dinge zu hören. Kurzum: schwierig.

Am Vortag meines Umzugs nach London erzählte er mir, daß die Buchhändlerempfehlungen ein Spiel gewesen seien. Er und Amy hatten die Bücher einfach ausgetauscht und sich irgendeinen Kurzkommentar ausgedacht, um mit Kunden, die ihnen gefielen, wie zufällig ins Gespräch kommen zu können. Amy konnte Martin Amis nicht ausstehen, und Michael hatte noch nie eine Zeile von Angela Carter gelesen. Die einzig aufrichtige Empfehlung stammte von Kevin, einem asexuellen Fettkloß.

Zweites Kapitel

In der letzten Woche meiner dreimonatigen Probezeit, genauer gesagt waren es noch vier Werktage, hatte ich zum zweitenmal Glück. Es war ziemlich klar, daß sie mich nicht behalten würden. Babyface Rory kam so blendend mit allen Leuten aus, daß sogar der Chefredakteur (Spitzname: Spleenie) ihm einmal auf dem Flur zugelächelt haben soll, was jemand anderes als Einladung zu sich nach Hause verstanden hätte, wo seine Frau es ihm dann besorgen würde. Doch für mich wurde es allmählich eng, und die höfliche, aber distanzierte Art, mit der mich alle behandelten, von unserem schmierigen Robin bis zur Redaktionssekretärin Davina, signalisierte mir, daß niemand mit einem Verbleiben meinerseits rechnete. Auch deswegen arbeitete ich in meiner – wie sich herausstellen sollte – letzten Woche am Sonntag statt am Montag. In den Redaktionen von Tageszeitungen herrscht sonntags immer eine besondere Atmosphäre. Es kommen vor allem Leute, die es zu Hause nicht aushalten, die besser arbeiten können, wenn nicht so viel Gewusel um sie herum ist, Leute, die den englischen Sonntag nicht ertragen (oder ertrugen, denn da hat sich inzwischen einiges geändert), und Leute wie ich, die an diesem Tag nicht die ganzen blöden Kollegen um sich hatten. Für das Schreiben von Diary-Texten sind Sonntage allerdings eher ungünstig. Ich saß an zwei Storys – eine Buchpräsentation am Montag abend, bei der zwei Autoren, die sich einmal mit Weingläsern beworfen hatten, wieder zusammenkommen würden, und eine Story über einen Sproß aus guter Familie, der trotz offensichtlicher Nichteignung einen Job bei der BBC bekommen hatte. Ich kam mir in diesem Moment nicht furchtbar Martha-Gellhorn-mäßig vor.

Das Telefon klingelte. Eine männliche Stimme mit einem starken Cockney-Akzent sagte: »Ist dort Dexter Williams?«

Elf Wochen früher hätte ich gelächelt.

»Richtig. Dawn Stone, was kann ich für Sie tun?«

Es entstand eine längere Pause. Im Hintergrund war Straßenlärm zu hören. Der Mann rief von einer Telefonzelle aus an.

»Ich hab was für Sie.«

Das war nichts Ungewöhnliches. Neben den regulären Kontakten und Lieferanten von Informationen – »Leckerbissen«, wie Robin sagte – kam es immer wieder vor, daß Leute anriefen, die etwas anzubieten hatten und außerdem ein paar Kröten verdienen wollten. Auf diese Weise erhielten wir manchmal ganz brauchbares Zeug, doch diese irregulären Informanten konnten einem auch auf den Keks gehen.

»Darf ich fragen, worum es sich handelt?«

»Sie dürfen, aber ich werd Ihnen nix verraten.«

Sechs von sieben solcher Anrufe kann man vergessen, und die Hälfte der Leute sind Fälle für die Klapsmühle. Überwiegend Männer, aber es gibt durchaus einen geschlechtsspezifischen Unterschied bei diesen Spinnern: Frauen erzählen einfach ihr Zeug, während Männer tendenziell paranoid (im klinischen Sinn) wirken.

»Aber eine kleine Andeutung müssen Sie schon machen«, sagte ich und dachte: Er lehnt ab, daraufhin sage ich, bedaure, dann wird er irgend etwas Ordinäres sagen, ich lege auf, er wird Nigel Dempster von der *Mail* anrufen, und ich werde mich wieder meinen weinglasschmeißenden Autoren zuwenden. Doch es kam ganz anders.

»Es geht um Fancy Nancy«, sagte mein neuer Freund. Ich horchte auf. »Fancy Nancy«, ein Mitglied des Hauses Windsor, schauspielerisch ambitioniert (ein Grund für den Spitznamen) und angeblich homosexuell (der zweite Grund), hatte sich ein halbes Jahr zuvor mit der Tochter eines Herzogs, einer Krankenhausärztin, verlobt. Die beiden hatten sich während eines Wochenendes auf dem Land kennengelernt, wo sie, laut Robin, der mit solchen Dingen offenbar vertraut war, die Hälfte der Zeit Fasane gejagt, die andere Hälfte es miteinander getrieben hatten.

»Aha«, sagte ich, schwang auf meinem Drehstuhl herum und warf einen Blick in die weitgehend verwaiste Redaktion. Weiter hinten stand eine Kollegin, den Telefonhörer zwischen Kopf und Schulter geklemmt, und goß eine Pflanze auf ihrem Schreibtisch. »Wann und wo können wir uns treffen?«

Eine Coffee Bar in der Gloucester Road, in einer Dreiviertelstunde. Ich nannte ihm als Erkennungszeichen meinen gelben Mantel und die Sonntagsausgabe des *Toxic.*

Duncan – wie der Mann hieß, für mich wird er immer Saint Duncan bleiben – war baumlang und fit, kurze Haare, gepflegte Erscheinung, etwa fünfundzwanzig, und er hatte etwas Militärisches und zugleich Unmilitärisches an sich. Er hatte drei Jahre in der Household Cavalry gedient und war wegen Atemwegsbeschwerden (während eines Manövers in Kanada wäre er fast zusammengebrochen) vorzeitig entlassen worden. Er war kein Spinner, sondern nur erregt. Er hatte gerade den Job verloren, den er seit seiner Entlassung aus der Armee gehabt hatte, nämlich – St. Duncan war jetzt des Lobes voll – Diener in Buckingham Palace.

Nach einer Meinungsverschiedenheit hatte man ihn gefeuert, und nun war Revanche angesagt.

St. Duncan hatte einen Krach zwischen Fancy Nancy und dessen Verlobter mitbekommen, der damit geendet hatte, daß die Dame nun seine Exverlobte war. Später hatte er noch ein anderes hochrangiges Mitglied der königlichen Familie darüber reden hören, den Namen wollte er aber nicht preisgeben.

»Die Sache ist hundert Prozent koscher«, sagte er. Ich entgegnete, daß ich erst mit meinem Chef darüber sprechen und alles checken müsse, daß wir ihm aber zehntausend Pfund in bar zahlen würden, wenn die Story gedruckt würde. Und dann machte ich etwas ganz Geschicktes. Ich fuhr ins Büro, zog den Mantel aus, stellte meine Handtasche ab, spannte einen Bogen Papier in die Schreibmaschine und erzählte niemandem ein Wort. Das war einerseits die übliche raffinierte journalistische Taktik, aber andererseits mußte ich alles erst einmal überdenken, bevor ich Robin oder Derek (seinen Stellvertreter, der an diesem Sonntag Dienst hatte) einweihte. Ich schrieb also meine Weinglaswerfergeschichte und die Story über den BBC-Heini und fuhr nach Hause.

Das große Ereignis bei jeder Zeitung ist die tägliche Redaktionskonferenz. Die verantwortlichen Redakteure der verschiedenen Ressorts – Innenpolitik, Außenpolitik, Hintergrund, Feuilleton und so weiter – versammeln sich an einem Tisch und besprechen mit dem Chefredakteur und dessen Stellvertreter, was am nächsten Tag im Blatt stehen soll. Für alle Beteiligten ist diese Konferenz außerordentlich wichtig. Es gibt reichlich Gelegenheiten, andere Leute fertigzumachen und selbst fertiggemacht zu werden, besonders für diejenigen, die über eine breite Palette von Techniken verfügen, die Ideen anderer Leute lächerlich zu machen.

Beim *Toxic* fand die Konferenz um 11 Uhr statt. Um halb elf hielt Robin eine kleine Vorbesprechung der Diary-Redaktion ab, »um nicht nackt in die Konferenz gehen zu müssen«. (Dabei war Robin einer dieser englischen Männer, die man sich nackt einfach nicht vorstellen kann.) An diesem Montag hatte ich mein dunkelrotes Chanel-Kostüm angezogen (das teuerste, was ich mir je an Klamotten geleistet hatte – heutzutage viel zu knallig-powermäßig und viel zu sehr achtziger Jahre – paßt aber noch immer) und mich sorgfältig geschminkt. Und als Robin »Irgendwelche Leckerbissen?« fragte, meldete ich mich zu Wort, diesmal als erste. In unserer Abteilung wurde Wert auf Understatement gelegt. Je heißer eine Story war, desto gelangweilter hatte man sie zu präsentieren.

»Kleine Geschichte über Fancy Nancy«, sagte ich. »Soundsovielter in der Thronfolge. Die Hochzeit ist offenbar abgeblasen.«

Einige Augenbrauen gingen in die Höhe, und eine gewisse Unruhe machte sich bemerkbar, aber Robin sah natürlich aus, als würde er sofort einschlafen.

»Quelle?«

»Bedaure.«

»Cash?«

»Zehn.«

»Qualität?«

Ich zuckte mit den Schultern und schaute bescheiden. Das bedeutete: gut bis sehr gut.

»Details?«

»Krach. Letzten Donnerstag flippte die Dame aus und erklärte, sie macht Schluß. Am Freitag wußten es alle anderen Mitglieder der Firma.«

»Hmm. Sonst noch was?«

Ich schüttelte den Kopf. Wir wandten uns anderen Themen zu, aber ich sah Robin an, daß er neugierig war und sich vermutlich überlegte, von wem ich meine Story hatte und ob mir soweit zu trauen war, daß er die Sache in der Konferenz vorschlagen konnte. Meine Isolation und das Desinteresse meiner Kollegen sprach eher für mich: da sie nicht wußten, woher ich die Story hatte, blieb ihnen nichts anderes übrig, als sie meinem journalistischen Geschick zuzuschreiben.

Anderthalb Stunden später kam Robin direkt von der Konferenz an meinen Schreibtisch.

»Habe David und Peter Ihre Geschichte vorgetragen«, sagte er. David war der Chefredakteur – Robin verwendete nie den Spitznamen Spleenie. Peter war Peter Stow, Hofberichterstatter des *Toxic*, nach allgemeinem Urteil der widerwärtigste Journalist im ganzen Land, der aber beträchtlich viel Einfluß im Haus hatte. »Peter hält es für Quatsch. Aber keine Sorge, es heißt nur, daß er noch nichts davon gehört hat.« Und damit rauschte er wieder in sein Büro zurück. Niemand redete mit mir. Ich ging früh nach Hause, nahm den nächsten Tag frei (für den Sonntag), besuchte meine Freundin Jenny, ging zur Massage, kaufte bei Joseph ein Kleid, das ich drei Tage später wieder zurückbrachte, und heulte zwischendurch immer mal, aber voller Überzeugung. Am Mittwoch, auf dem Weg zur Arbeit, sprang mir die Schlagzeile des *Toxic* ins Auge. »Verlobung gelöst«, stand da, in Sechs-Cicero-Schrift, und darunter: »Von Peter Stow, unserem Hofberichterstatter«.

Neben dem Namen war ein idotisches kleines Wappen, so als sollte dies dem unbedarften Leser signalisieren, daß Peter dem Königshaus angehörte. Als ich das Zeitungsgebäude betrat, ging ich sofort aufs Klo und heulte eine Viertelstunde lang. Ich schaffte es, meinen Schreibtisch zu erreichen, ohne Blickkontakt mit den Kollegen aufzunehmen. Kaum saß ich, spürte ich jemanden hinter mir. Ich drehte mich um. Es war Spleenie.

»Sie sind spät dran«, sagte er. Er hatte beide Hände in die Hosentaschen versenkt und wippte auf und ab. Dann erklärte er, als spräche er zu einem größeren Publikum, aber ohne aufzublicken: »Die Autorenzeile gehört Peter, aber die Story gehört Ihnen, es ist Ihr Job.«

Das war mein zweiter großer Glücksfall.

Als ich zwei Tage später von der Arbeit nach Hause kam, saß Michael im Regen vor der Haustür, mit einer großen Tasche und einem Koffer mit seiner ganzen Fotoausrüstung. Er sagte: »Ich glaube, es gibt auch in London Buchhandlungen.«

Der Witz war, daß meine Entlassung sich zehn Jahre später als der dritte große Glücksfall herausstellen sollte.

In der Zwischenzeit passierte einiges. Spleenie hatte einen Zusammenbruch; er war sechs Monate in der Klapsmühle und stieg aus dem Journalismus aus. Peter Stow starb. Robin übernahm seinen Posten und wurde gefeuert, als der *Toxic* seinen unzufriedenen Kollegen vom *Express* anheuerte. Berkowitz war kurzfristig Chefredakteur des *Sensible*, ehe er ein Opfer der berüchtigten Personalpolitik des Hauses wurde und zu der in Hongkong erscheinenden Zeitschrift *Asia* ging. Der dicke Rory ist nun für das Diary verantwortlich; wenn wir uns auf einer Party sehen, fallen wir uns mit dem Ruf »Babycakes!« um den Hals.

Ich selbst wurde in die Nachrichtenredaktion abgeschoben, gewann einen Preis für einen Beitrag über den Untergang der *Herold of Free Enterprise*, arbeitete dann in der Hintergrundredaktion, wurde von der *Times* abgeworben, ging drei Monate später zum *Sensible*, wo ich zwei Jahre blieb, machte dann den gleichen Job bei der Sonntagsausgabe des *Sensible* (mehr Gehalt, mehr Status, weniger Arbeit – Sonntagszeitungen sind einfach fabelhaft, finden Sie nicht?) und ging schließlich als leitende Redakteurin zum *Sentinel*, da mein Vorgänger, der ein Buch schreiben wollte und zu diesem Zweck erfolglos ein Sabbatjahr beantragt hatte, gekündigt hatte. Als leitende Redakteurin bekam ich mehr Geld, hatte einen Dienstwagen und mußte mich mit all diesen Management-Dingen wie Budget, Konferenzen, Strategien, Marktforschung und so weiter herumschlagen. Dann ging unser Chefredakteur zum *Guardian*, ein gewisser William Pinker kam und übernahm seine Stelle, und zwei Tage später war ich entlassen. In diesem Moment rief Berkowitz an und bot mir einen Job in Hongkong an – ich sollte doppelt soviel verdienen wie bisher.

Mit Vierunddreißig weiß man ein paar Dinge über sich, von denen man mit Zwanzig nichts weiß. Ich bin, wie ich zu meiner Überraschung feststellte, eine Frau, die gut mit Männern kann. Ich habe den Eindruck, daß das nicht meine Schuld ist. Männer mögen mich und vertrauen mir, Frauen eher nicht beziehungsweise nicht in der gleichen Weise. So etwas beruht meist auf Gegenseitigkeit. Ich habe nur eine richtige Freundin: Jenny. Wir haben zusammen in Durham studiert. Sie sieht noch genauso aus wie damals, klein, dunkelhaarig, klug. Heute ist sie Theateragentin. Als ich einmal ihren Kühlschrank aufmachte, fand ich nur eine Portion kalorienreduziertes Lemon Chicken, einen Monat über dem Verfallsdatum, eine angegammelte Tüte Milch und eine offene, halbleere Flasche Rosemount Chardonnay, der sich längst in Essig verwandelt hatte. Ich erzählte ihr am nächsten Tag bei einem Thai-Lunch von Berkowitz' Angebot.

»Und Michael?« fragte sie.

Ich hatte ihr erklärt, warum ich Berkowitz' Angebot so faszinierend fand. Es waren, der Reihe nach, die folgenden Gründe: der Tapetenwechsel, der Job an sich, das Gehalt und die Aussichten für meine weitere berufliche Entwicklung – insbesondere das Buch, das ich in jedem Fall über meine Erfahrungen schreiben würde. Ich würde als bescheidene, nicht ganz unbekannte Journalistin nach Hongkong gehen und anderthalb Jahre später als *femme sérieuse* mit einem aufsehenerregenden Buch über Asien im Ärmel zurückkehren. Dieses Buch würde so leicht zu schreiben sein, daß fast nicht einzusehen war, warum ich überhaupt dorthin mußte. *In den Fängen des Tigers – Asien aus der Sicht einer jungen Frau. Das Jahrhundert der Tiger. Wenn der Tiger erwacht. Meine Zeit mit dem Tiger.* Wie viele fotogene junge Asienexpertinnen konnte es schon geben?

»Und Michael?« fragte Jenny wieder.

Ich sagte: »Ich weiß, ich weiß.«

Doch ich wußte überhaupt nichts. Michael und ich befanden uns in dem Stadium jener Unentschlossenheit, das alle jungen Paare erwischt, die nicht relativ früh heiraten, sondern in eine mehr oder weniger unverbindliche Beziehung hineinschlittern und nicht den Wunsch haben, Kinder zu bekommen.

»Vielleicht ist es ein Anstoß für ihn«, sagte ich. »Es ist ja nicht so, daß es nicht auch in Hongkong ganz viele Sachen zu fotografieren gäbe. Er muß sich entscheiden. Wir können nicht ewig so vor uns hin machen und zusammenbleiben, weil uns aus Trägheit nichts Besseres einfällt. Entweder er will bei mir bleiben, oder nicht.«

In einer anderen Stimmung hätte ich das mit der »Trägheit« auf der Lügen-Strichliste vermerkt. Natürlich kann man aus Trägheit zusammenbleiben. Die meisten Paare bleiben genau aus diesem Grund zusammen.

»Möchtest du denn, daß er nachkommt? Was fändest du besser – wenn er kommt oder wenn er hierbleibt?«

»Weiß nicht, Jen.«

Jenny stieß den Rauch ihrer schätzungsweise zwanzigsten Lunch-Zigarette aus. Es war schon nach drei, und der einzig verbliebene Kellner guckte bereits reichlich ungeduldig. Jenny gab ihm ein Zeichen, woraufhin er strahlend davonwatschelte, um die Rechnung zu holen.

»Du sagst also: es ist interessanter, es ist eine Herausforderung, du verdienst mehr, es ist die Chance, im Ausland zu leben, was du schon immer wolltest, wenn es nicht klappt, hat es keine konkreten Konsequenzen, und außerdem gibt es Mike den dringend benötigten Ansporn.« Jenny drückte entschlossen ihre Zigarette aus. »Ich würde sagen, mach's.«

Und genau das tat ich.

Wenn man England verläßt und nicht weiß, wann und unter welchen Umständen man zurückkehren wird, sieht der Flughafen Heathrow völlig anders aus, als wenn man für vierzehn Tage nach Ibiza fliegt.

Michael brachte mich. Er hatte meine Entscheidung ganz gut aufgenommen, mit gerade so viel Betroffenheit, daß ich über mangelnde Betroffenheit nicht betroffen sein mußte. Offiziell sah unser Plan so aus, daß er mich innerhalb des nächsten halben Jahres besuchen würde, sobald klar war, wie seine große Ausstellung gelaufen war, und er seine Aufträge abgearbeitet hatte und so weiter. Wir wollten einfach sehen, wie sich alles entwickeln würde. Michael dachte vermutlich, daß ich mit Berkowitz und/oder Hongkong nicht klarkommen und bald wieder in das alte Leben zurückkehren würde – was ein großer moralischer Sieg für ihn wäre. Ich dagegen war fest entschlossen, es nicht so weit kommen zu lassen. Ich schickte einen Schiffscontainer mit Klamotten auf den Weg – voraussichtliche Transportdauer sieben Wochen – und reiste, wenn nicht mit leichtem, so doch mit nicht sonderlich schwerem Gepäck: Kleidung, das Nötigste zum Überleben, Laptop, ein paar Bücher und CDs. Ich hatte mir vorgenommen, mich in der Shopping-Metropole der Welt neu einzukleiden. Berkowitz hatte mich irgendwo in Mid Levels untergebracht, was und wo immer das war.

Michael und ich verabschiedeten uns, wie vereinbart, im Auto und nicht im Terminal.

Drittes Kapitel

An diesem Tag verlor ich meine Unschuld. Ich flog zum erstenmal Business Class.

»Sie werden natürlich nach links gehen«, hatte Berkowitz gesagt und eine Kiste Harrods-Champagner in meine Wohnung liefern lassen, als ich ihm erklärte, daß ich sein Angebot annahm.

»Natürlich«, hatte ich gesagt, ohne zu ahnen, was gemeint war. Doch jetzt stand ich mit meiner Cathay Pacific Business Class Boarding Card vor der chinesischen Stewardess, die mich anstrahlte und nach links zeigte, in den vorderen Teil der 747. Natürlich – nach links! Das war Neuland für mich. Ich stopfte meine alte Reisetasche in das Handgepäckfach und ließ mich in einen Sessel fallen. Mein Nachbar, ein chinesischer Geschäftsmann, nickte mir höflich zu. Eine zweite Stewardess überreichte mir ein Täschchen mit diversen nützlichen Dingen (Socken, Schlafbrille, Gesichtsspray aus destilliertem Wasser, Kamm, Zahnpasta und Zahnbürste, Kompaktspiegel, Minifallschirm – in bezug auf den letzten Gegenstand irre ich mich vielleicht) und anschließend ein Glas Champagner. *There is no other way to fly*. Ich wußte nicht, daß das buchstäblich die Wahrheit ist. Nur ein paar Schritte weiter war die First Class mit ihrem unvorstellbaren Luxus. Wie mochte es dort aussehen? Kollegen, die von den Presse-Abteilungen der Airlines mehr oder weniger zufällig in den Genuß eines Upgrade gebracht worden waren, berichteten uns mit Tränen in den Augen von dieser Erfahrung. Für die Terroristenklasse im hinteren Flugzeugteil waren sie nun ein für allemal verdorben.

»Das verstehst du nicht«, hatte Rory gesagt, nachdem BA ihm für den Flug zur Oscar-Verleihung einen Upgrade gewährt hatte. (Er hatte einen Hintergrundartikel mit antisemitischer Tendenz über die Filmindustrie geschrieben. Spleenie jubelte.) »Ich bin ruiniert.« Und ich hatte gedacht, er macht einen Witz.

Sobald wir in der Luft waren, machte der Chinese die Augen wieder auf, die er während des Starts geschlossen hatten, sah herüber zu mir und lächelte.

»Das ist der schönste Teil«, sagte er in makellosem Englisch und wandte sich wieder seiner *Business Week* zu. Ich machte es mir bequem und schaute *Legends of the Fall*. Es war ziemlicher Kitsch. Dann aß ich etwas und trank Wein und versuchte zu schlafen. Im Flugzeug schlafen ist so eine Sache, finde ich. Es gelingt einem nie richtig. Man sackt nur für einen kurzen Moment weg. Und dann schreckt man hoch und weiß nicht genau, ob sechs Stunden oder nur fünfzehn Minuten vergangen sind. Diesmal hatte ich ziemliches Glück. Als ich aufwachte, hatten wir die Hälfte der Flugzeit schon hinter uns. Der Chinese spielte auf seinem Laptop irgendein Spiel. Als er merkte, daß ich ihn beobachtete, schaltete er das Ding aus.

»Hoffentlich habe ich Sie nicht geweckt.«

»Ach wo.«

Wir plauderten eine Weile – was, wie ich inzwischen weiß, in der Business Class nicht oft passiert. Ich bin seitdem viele tausend Meilen geflogen, ohne ein Wort mit meinen Nachbarn gewechselt zu haben. Dieser hatte ein sympathisches, lebhaftes Gesicht und sprach perfekt Englisch. Er hieß Matthew Ho und hatte eine Firma, die in Hongkong und Guangzhou Klimaanlagen herstellte, er wollte nach China expandieren und ganz allgemein die Welt erobern. Die Dachgesellschaft war in deutschen Händen, aber die Abteilung, mit der er hauptsächlich zu tun hatte, saß in Luton.

»Sie verbringen bestimmt viel Zeit in Flugzeugen.«

»Es gibt sogar einen Namen dafür: Astronautensyndrom. Man ist so viel in der Luft, als wäre man ein Astronaut.« Er fischte eine schmale Lederbrieftasche aus der Tasche und nahm das Foto eines dicken Babys heraus. »Meine Tochter Mei-Lin«, sagte er. Er fragte nicht, ob ich Kinder hatte.

Für mich sehen alle Babys gleich aus.

»Wie süß!« sagte ich.

Von dem Anflug auf Kai Tak hatte ich zwar schon gehört, dennoch war es unglaublich. Wir überflogen den Inselarchipel (laut meinem Reiseführer bestand Hongkong aus 235 solcher kleinen Inseln), gingen immer tiefer, bald konnte man das Kielwasser der vielen Schiffe sehen, das an Kondensstreifen erinnerte, und dann die Schiffe selbst.

»Dort bauen sie den neuen Airport«, sagte Matthew, als wir über Lantau hinwegflogen. »Ihr Premierminister ist eigens zur Vertragsunterzeichnung nach Peking geflogen, der erste westliche Politiker, der China nach Tiananmen besucht hat.«

Seine Stimme klang erregt, doch seinem Gesicht war nichts anzumerken.

»Sehen Sie nicht mich an, sehen Sie hinaus!« sagte er. »Das ist der Hafen.«

In niedriger Höhe überflogen wir nun den geschäftigsten Hafen, den ich je gesehen hatte. Die Maschine legte sich mitten über der Stadt in eine steile Kurve und sank immer weiter. Man sah die Wäsche auf den Balkonen, man roch förmlich den Verkehr, und man konnte den Leuten praktisch ins Wohnzimmer schauen. Die Luft vibrierte. Es war, als flögen wir direkt in die Stadt hinein, und der Pilot versuchte, in einer der Straßenschluchten zwischen den unglaublich überfüllten Wohnsiedlungen zu landen.

»Mein Gott!« sagte ich.

»Gut, was?« sagte Matthew.

Und auf einmal waren wir über der Landebahn und setzten auf. Die Triebwerke heulten auf, und wir schossen immer weiter auf das Wasser zu. Schließlich kamen wir zum Stehen, die Maschine wendete und rollte zurück in Richtung Terminal. Jetzt erst konnte ich wieder sprechen.

»Kommt es manchmal vor, daß ein Flugzeug im Hafen landet?«

»Klar«, sagte Matthew und lächelte. »Ständig.«

Später fand ich heraus, daß dem nicht so war. Er überreichte mir seine Visitenkarte, die ich – nach gehörig gebüffelter asiatischer Etikette – mit beiden Händen in Empfang nahm. Man weiß nie, wann einem solche Kontakte einmal nützen können. Tatsächlich wandte ich mich an Matthew, als ich ein paar Monate später einen Artikel über das Astronautensyndrom schrieb.

Wir verließen in aller Ruhe das Flugzeug, noch vor den Prolls im hinteren Teil der 747. Die Luft war stickig. Es war heiß und unangenehm schwül und drückend. Mein ganzer Körper schien wie in warmes, feuchtes Musselin eingewickelt. Kai Tak war nicht nur älter und heruntergekommener, als ich erwartet hatte, sondern auch chinesischer – 98 Prozent der Menschen dort waren Chinesen, außerdem die Schriftzeichen überall und die Sprache –, und zugleich war es, in dieser typisch kolonialen Art, britischer, was sich etwa in der khakifarbenen Safarianzug-Uniform der Polizisten zeigte. Berkowitz sollte mich abholen, und wenn ich mich am Telefon ganz cool gegeben hatte (»Nur wenn Sie unbedingt darauf bestehen«), so war ich nun doch sehr froh, daß ich mich nicht allein durchschlagen mußte. Es war nicht so sehr der Kulturschock, eher ein Was-tue-ich-hier-Gefühl.

Damals, im Sommer 1995, brauchten britische Staatsangehörige kein Visum für Hongkong und konnten so lange bleiben, wie sie wollten. (Was umgekehrt selbstverständlich nicht galt.) Anderthalb Minuten nachdem mein Gepäck auf dem Förderband aufgetaucht war, betrat ich die Ankunftshalle, vorbei an einer Wand chinesischer Gesichter, die mich anstarrten. Dieses Spießrutenlaufen nach der Landung finde ich immer etwas unangenehm. Dann sah ich Berkowitz, der mit verschränkten Armen ganz hinten in der wartenden Menge stand, etwas dicker und kahler, aber im Prinzip unverändert. Neben ihm stand ein Chinese in Uniform und Schirmmütze. Die Leute waren durchweg erstaunlich proper angezogen. Sehr viel mehr Anzüge und Krawatten, als man unter vergleichbaren Umständen in Heathrow sehen würde. Ich war plötzlich froh, daß ich an Bord noch rasch einen Blick in den Spiegel geworfen hatte. Meine Schuhe waren nach dem Zwölfeinhalbstundenflug viel zu eng für meine geschwollenen Hufe. Mein Gepäckwagen hatte einen starken Linksdrall.

Berkowitz kam mir entgegen und begrüßte mich unerwarteterweise mit einer Umarmung statt mit einer der üblichen Floskeln.

»Dawn«, sagte er.

»Glaub schon. Jedenfalls war ich das noch beim Abflug. Wie schön, Sie zu sehen, Bob!«

»Überlassen Sie Ronnie Ihr Gepäck. Das hier ist Ronnie Lee, mein Chauffeur und Dolmetscher und Mann für alles. Ronnie, das ist Dawn Stone.« Aus der Nähe sah ich, daß das, was ich für eine Uniform gehalten hatte, in Wahrheit ein außerordentlich eleganter, hochgeknöpfter italienischer Anzug war (oder zumindest eine erstklassige Kopie). Ronnie war ungefähr eins siebzig und hatte ein intelligentes Gesicht und das tiefschwarze Haar der Kantonesen. Er nickte mir zu, hob die beiden Taschen vom Wägelchen und ging in Richtung Lift.

Berkowitz machte unterwegs den Stadtführer.

»Sehen Sie die Mauer dort hinter dem Flughafenzaun? Gehört zur Altstadt von Kowloon. Die Japaner haben die Mauer während des Krieges eingerissen, und Kriegsgefangene mußten das Rollfeld anlegen. Die Stadt selbst blieb unverändert. Wegen eines alten Rechtsstreits zwischen Chinesen und Engländern läßt sich dort kein Polizist blicken. Ein einziges Nest von Triaden, Drogensüchtigen, Sweatshops, Bordellen und so weiter. Wenn Sie durchs Rückfenster schauen, sehen Sie die Berge hinter Kowloon. Die liegen schon in den New Territories, das letzte Stückchen Festland vor der chinesischen Grenze. Für die Chinesen waren diese Berge Drachen. Acht an der Zahl. Im dreizehnten Jahrhundert kam dann der letzte Sung-Kaiser hierher, auf der Flucht vor den Mongolen, darunter Kubla Khan, der mit dem prunkvollen Freudenpalast, wo Alph, der heilige Fluß, zum Meer floß. Ich weiß noch, als ich zum erstenmal davon hörte, dachte ich, Alf ist aber ein komischer Name für einen Fluß. Na jedenfalls, der junge Kaiser schaute hinauf zu den Bergen und rief, seht, da sind acht Drachen. Seine Höflinge antworteten, aber Ihr, Herr, seid doch auch ein Drache – was der Kaiser traditionsgemäß ja war. Er genoß den Status eines Drachen. Also sagte er, okay, nennen wir diesen Ort neun Drachen – *gau lung* –, und daraus wurde Kowloon. Nicht daß es dem Knaben groß geholfen hätte, die Mongolen kamen nämlich und töteten ihn und herrschten ein paar Jahrhunderte über China. Fällt Ihnen bei den Leuchtreklamen etwas auf?«

Inzwischen wurde es dunkel, und überall gingen Lichter an. Die Neonlichter waren das einzig Bunte in diesem Teil der Stadt. Die Häuser wirkten aggressiv trostlos – braun, grau, undefinierbar. Die Straßen waren belebt, laut und sehr, sehr asiatisch. Und der Verkehr – was mir in London als Gipfel des Unerträglichen vorgekommen war, erwies sich im Vergleich mit Hongkong als geradezu harmlos. Das hier war die Hölle.

»Sie meinen, außer daß es chinesische Schriftzeichen sind?«

»Wie drollig. Nein – sie blinken nicht. In Hongkong sind blinkende Neonlichter wegen des Flughafens verboten, der mitten in der Stadt liegt. Man befürchtet, daß eine Maschine bei blinkenden Lichtern eine falsche Kurve fliegt und in Wanchai in einer Girlie-Bar landet, was natürlich schrecklich teuer käme und schlechte PR wäre. Ich will damit nur sagen, daß dieses Getümmel zwar nach hemmungslosem Kapitalismus aussieht, nach ›freier Marktwirtschaft in Reinkultur‹, wie die Heritage Foundation in Washington meint – ›Reinkultur‹, ist das nicht wunderbar? Tatsächlich aber gibt es hier eine Unmenge von Vorschriften und gesetzlichen Bestimmungen. Die Bauvorschriften sind außerordentlich streng. Permanent wird hier von freier Marktwirtschaft geredet und davon, daß Hongkong die kapitalistische Erfolgsstory schlechthin ist, nicht zuletzt dank des Spitzensteuersatzes von fünfzehn Prozent, den zu erwähnen ich wohl schon Anlaß hatte – aber niemand weist darauf hin, daß Hongkong auch den weltweit größten Anteil an Sozialwohnungen hat, mehr als die Hälfte der Bevölkerung wohnt in solchen Hochhäusern, die seit den Fünfzigern gebaut wurden. Die

Engländer hatten ja ein so schlechtes Image, daß ihnen gar nichts anderes übrigblieb, als die ganzen Slumviertel abzureißen. Eigentlich ist Hongkong das genaue Gegenteil seines Klischees, man könnte es als einen Triumph von Gesetzgebung, Planung und sozialistischer Politik bezeichnen – ich bin überhaupt der einzig wahre Sozialist im Umkreis von fünftausend Meilen, stimmt's, Ronnie?«

»Wie Sie meinen, Mr. B.«

Inzwischen standen wir an der Mautstelle vor dem Hafentunnel. Oberhalb der Einfahrt, jenseits des Wassers, konnte ich Hongkong Island sehen, eine dichtbebaute, moderne Hochhaus-City, die sich an einen Hügel schmiegte. Meistens fährt man nach der Landung auf einem Flughafen erst einmal durch unbebautes, flaches Land oder wenigstens durch Vororte, bevor man die große Stadt erreicht, das eigentliche Reiseziel. Hier war alles ganz anders. Man befand sich sofort in der City.

»Übrigens, lassen Sie sich nicht von dem Erscheinungsbild der Gebäude täuschen – sie sehen aus wie Wohnhäuser, aber oft sind Fabriken darin untergebracht, kleine Restaurants, Bordelle, Spielhöllen. Alles mögliche. Sweatshops natürlich auch. Vor allem Sweatshops.«

Wir fuhren jetzt durch den Tunnel.

»Sprechen Sie schon Chinesisch?« fragte ich.

»Natürlich nicht. Diese Sprache kann man praktisch nicht lernen. Hier wird übrigens Kantonesisch gesprochen. Die offizielle Sprache auf dem Festland ist Mandarin, heutzutage heißt das Putonghua, die chinesische Regierung will, daß man diese Bezeichnung verwendet. Die Hongkong-Chinesen sprechen Kantonesisch, das ist der Dialekt der Provinz Guangdong. Der Unterschied ist leicht zu erkennen: Mandarin klingt, als spräche jemand mit einer Handvoll Wespen im Mund, während Kantonesisch sich nach Streit anhört. In der Schriftsprache gibt es diese Unterschiede aber nicht. Sie werden schon zurechtkommen.«

Wir verließen den Tunnel auf der Inselseite und fuhren jetzt auf einer erhöhten Stadtautobahn, vorbei an Wolkenkratzern und Bürogebäuden, einige nagelneu, andere noch unfertig. Berkowitz zeigte auf ein Stück neugewonnenes Land, das in den Hafen hineinragte.

»Dort wird das neue Kongreßzentrum gebaut, in dem 1997 die Übergabe an die sogenannten Kommunisten stattfinden wird. Das Bauwerk auf der anderen Seite des Hafens, das mit der blinden Fassade, ist das neue Kulturzentrum, das der Prinz und die Prinzessin von Wales eingeweiht haben. Sie werden bemerken, daß es keine Fenster hat, obwohl der Ausblick von dort drüben zu den zehn schönsten der Welt gehört. Manche von uns finden das charakteristisch für das kulturelle Leben hier im Territorium. Das ist übrigens der vorgeschriebene Euphemismus – ›Kolonie‹ ist streng verboten. Die Bezeichnung ›Territorium‹ ändert nichts daran, daß unser hochverehrter Gouverneur Patten – ›Fat Pang‹, wie er bei den Einheimischen heißt – tun und lassen kann, was ihm gefällt, aber der Ausdruck ist für die Chinesen akzeptabler und hat den unschätzbaren Vorteil, daß er nichts bedeutet.«

Nach einer Kurve ging es nun bergauf.

»Das Gebäude dort rechts ist die Bank of China, Peis Meisterstück. Von Pei stammt ja auch die Pyramide im Louvre. Bei den Einheimischen ist das Bauwerk nicht sehr beliebt, weil ihm ein aggressives *feng shui* nachgesagt wird. Eine Ecke zeigt in Richtung Government House, das ist, Sie werden staunen, der Wohnsitz des Gouverneurs. Die Japaner haben ein scheußliches Türmchen daraufgesetzt, als sie hier die Herren waren. Niemand weiß, was nach 1997 daraus wird. Bestimmt ein Museum für Kolonialverbrechen. Das da ist die Peak Tram, die Kabelbahn, die den Peak hinauffährt. Und gleich sind wir in der Robinson Road, da haben wir etwas für Sie gefunden.«

Mein neues Zuhause war eine Apartmentanlage namens Harbour Vista mit einem winzigen, engen und wenig vertrauenerweckenden Lift. Doch die Wohnung selbst war wunderbar – Schlafzimmer mit Doppelbett, ein Arbeitszimmer und ein Wohnzimmer, in dem auch ein Eßtisch stand. Hinter dem Tisch war eine große Vitrine mit einem blauweißem Service; in dem anderen Teil des Raumes standen ein kleines Bücherregal mit Bildbänden und Bestsellern in Taschenbuchausgabe, eine Hi-Fi-Anlage, ein Fernseher und zwei Sofas. Der Parkettboden gab der Wohnung etwas Unweibliches, Eckiges, Strenges. Vom Balkon aus hatte man verrückterweise keinen Blick auf den Hafen, abgesehen von dem bißchen Wasser, das zwischen dem runden Wolkenkratzer unmittelbar vor mir (dem sogenannten Phallus Palace, wie ich später erfuhr) und dem wuchtigeren, aber ebenso hohen Gebäude schräg dahinter hervorschaute.

»Hier haben Sie gutes *feng shui*«, sagte Berkowitz. »Sie sehen das Meer und die Berge, zugegeben nicht viel davon, aber so viel ist ja auch gar nicht notwendig. Wenn Sie sich ein bißchen erholt haben, muß ich Ihnen ein paar *feng-shui*-Horrorgeschichten erzählen. Immer kommt ein Paar darin vor, das sich trennt, der Mann stürzt sich in die Tiefe, dann ziehen neue Leute ein, sie konsultieren den *feng-shui*-Spezialisten, der sagt, das *chi* ist verbraucht, er rückt das Aquarium eine Idee nach rechts und bringt einen Spiegel an – bei *feng shui* werden immer irgendwelche Spiegel strategisch plaziert –, und alle sind glücklich und zufrieden. Der Botanische Garten ist dort drüben. Wird Ihnen gefallen. Und das dort ist der Hongkong Park. Gibt ein Vogelhaus. Ich stehe im Sold der Rotarier. So, und jetzt werde ich Sie allein lassen.«

Viertes Kapitel

In den nächsten Monaten wurde ich immer wieder von wohlmeinenden Leuten gefragt, ob ich mich »schon eingelebt« hätte. Das war eine dumme Frage, selbst für hiesige Small-talk-Verhältnisse. Wie sollte sich ein Ausländer in Hongkong einleben? Hongkong ist keine Stadt, in der man sich einlebt. Ich empfand fast ununterbrochen eine Mischung aus Begeisterung, Panik, Kulturschock und Fremdheit und dazu noch ein anderes, vielleicht tieferes Gefühl, endlich angekommen zu sein. Es zählte nur das Geld. In den zehn Jahren, in denen ich in England als Journalistin gearbeitet hatte, wurde viel von Materialismus geredet – alle regten sich furchtbar über Thatcher auf, die gesagt hatte, daß es so etwas wie eine Gesellschaft nicht gibt. Nun ja, ich bin erst seit ein paar Jahren in Hongkong, aber ich sage Ihnen, daß von Materialismus in England nicht die Rede sein kann. Das Land ist ein Franziskanerkloster, verglichen mit Hongkong. Es hat große Ähnlichkeit mit einem rückständigen Familienbetrieb, dessen Chef schon vor Jahren gestorben ist und in dem alles im selben Trott weitergeht, eben so, wie man es schon immer gemacht hat, außer daß seit kurzem eine Registrierkasse von 1924 herumsteht, und nun finden alle, daß es ganz modern zugeht. Geld ist ein Wirbelsturm, und England hat bislang nur einen ersten leisen Hauch abbekommen.

Mein erster Eindruck vom praktischen Alltag war, daß niemand Englisch sprach. Gut, das ist ein bißchen übertrieben. Etliche Leute sprachen tatsächlich Englisch – beispielsweise jeder bei der Zeitschrift, in dem High-Tech-Büro in einem häßlichen Wolkenkratzer in Admiralty. Dreiviertel der Mitarbeiter waren *gwailos*. Außerdem manche Kellner in manchen Restaurants, Polizisten, wenn sie eine rote Nummer an der Uniform trugen, die Angestellten in teuren und/oder zentral gelegenen Geschäften. (Mein Plan, mich in Hongkong von Kopf bis Fuß mit nagelneuen, unsagbar preisgünstigen Klamotten einzudekken – beispielsweise in diesem zufällig entdeckten, atemberaubend billigen Prada-Outlet –, scheiterte leider daran, daß Hongkong mittlerweile eine der teuersten Städte der Welt ist. Auch dies eine Frage der Immobilienpreise: wenn in Central höhere Ladenmieten verlangt werden als auf der Fifth Avenue, den Champs-Élysées oder der Bond Street, ist kaum anzunehmen, daß man furchtbar preisgünstige Sachen bekommt. Kopien von Designerklamotten allerdings – das stand natürlich auf einem ganz anderen Blatt.) Aber davon mal abgesehen, war ich doch erstaunt, wie wenig sich das Englische in Hongkong durchgesetzt hatte – wenn man bedenkt, daß wir seit hundertfünfzig Jahren hier die Herren sind. Andere Gruppen, bei denen man normalerweise Englischkenntnisse erwartet hätte, zeichneten sich in der Regel dadurch aus, daß sie ausschließlich Kantonesisch sprachen: Taxifahrer brauchten, wenn man nicht gerade zur Star Ferry oder zum Mandarin oder einem anderen weithin bekannten Wahrzeichen wollte, einen Zettel, auf dem das Ziel in chinesischen Zeichen notiert war. Das zeigte, wie wenig wir das Alltagsleben der Kolonie geprägt hatten. Ein Teil von mir hatte sich Hongkong wahrscheinlich als typisch britischen Ort vorgestellt, allerdings mit vielen Chinesen bevölkert – von wegen Lokalkolorit.

Doch all das brauchte einen nicht groß zu interessieren,

wenn man zu den rund hunderttausend Ausländer gehörte (vierzigtausend Briten und Euros, fünfzigtausend vorwiegend chinesischstämmige Amis, zehntausend diverse andere. Die vierzig- oder fünfzigtausend philippinischen Hausangestellten zähle ich hier nicht mit). Man konnte in einer Seifenblase leben, und die meisten *expats*, also die meisten von uns, verdienten sich dumm und dämlich, arbeiteten hart und amüsierten sich nach Kräften und dachten ausschließlich ans Geldverdienen – das einzige, was wirklich alle Leute in Hongkong miteinander verband.

Als *gwailo* lebte man sozusagen im windstillen, geschützten Zentrum des Geldtaifuns. Die meisten von uns hatten Dienstpersonal, was im Hinblick auf ein sorgenfreies Leben ein nicht zu unterschätzender Faktor ist. Meine Conchita war mit ein paar tausend Hongkong-Dollar im Monat sehr viel billiger als das Apartment. Ich teilte sie mir mit einem hageren britischen Banker, der zwei Etagen über mir wohnte und die Onanistenblässe eines Mannes hatte, der achtzig Stunden in der Woche arbeitet (ich war ihm nur einmal im Lift begegnet). Conchita war eine permanent gutgelaunte Filipina ungefähr in meinem Alter (sie zu fragen, wäre mir zu aufdringlich erschienen), die gewöhnlich in Jeans und kanariengelbem T-Shirt herumlief. Sie wohnte mit ein paar anderen Dienstmädchen irgendwo in Mongkok. Berkowitz klärte mich über die Filipinas auf.

»Die meisten von ihnen haben einen Studienabschluß oder eine richtige Berufsausbildung, sind verheiratet und haben Kinder«, sagte er. »Sie kommen hierher, weil sie zu Hause keine Arbeit finden und der Schwiegermutter gehorchen müssen, die meist bei ihnen wohnt und alles daransetzt, der Schwiegertochter das Leben zur Hölle zu machen. Sie schicken ihr ganzes Geld nach Hause, sie ernähren also die Familie, was ihnen Ansehen verschafft, und außerdem müssen sie sich so nicht die ganze Zeit die dummen Sprüche der Schwiegermutter anhören.«

Conchitas Anwesenheit und Einsatz hatten etwas wunderbar Einlullendes. Sie machte sauber, wusch Wäsche und bügelte, kochte dreimal die Woche und sorgte ganz allgemein dafür, daß mir die triste Realität von schmutziger Unterwäsche und ungemachtem Bett erspart blieb. Ihre Allzweck- und Allwetterfreundlichkeit war schwer zu durchschauen, aber ich vermutete, beziehungsweise hoffte, daß sie sich bei mir wohler fühlte als bei ihrem früheren Arbeitgeber, weil sie bei mir nicht so viel ackern mußte. Und das Schönste war, daß Jenny total neidisch wurde, wenn ich ihr von Conchita erzählte.

Besonders typisch für das Leben in der Seifenblase waren die Jachtausflüge, zu denen sich *gwailos* (und manchmal ein paar handverlesene Einheimische) trafen, um bei dem einen oder anderen Drink zu plaudern, zu tratschen und sich wichtig zu machen. Es war toll. Es lenkte einen ab vom Alltag, von dem ganzen Streß, der in Hongkong besonders groß ist. Das einzig Blöde bei diesen Touren war nur, daß jedesmal irgendwer die beliebte Geschichte von dem *expat* erzählte, der sturzbesoffen von einem Schiff ins Wasser fiel und von einem anderen Schiff, das in einem Abstand von einer Viertelmeile folgte, aufgefischt wurde und auf Cheung Chau wieder zu seinen Spezis stieß, die natürlich nichts bemerkt hatten.

Daß ich es schaffen würde in Hongkong, wurde mir klar, als ich zu einer Fahrt auf der *Tai Pan* eingeladen wurde, dem Boot einer einflußreichen Persönlichkeit namens Philip Oss. Ich war seit etwa einem halben Jahr in Hongkong und hatte, ich muß schon sagen, für einiges Aufsehen gesorgt. In Asien wimmelt es von superattraktiven Themen, man muß nur zugreifen. Die besten allerdings waren nicht in Hongkong angesiedelt, da im Territorium derart strenge presserechtliche Bestimmungen galten, daß sich London wie ein Hort der uneingeschränkten Meinungsfreiheit ausnahm. Einige Promis schalteten einfach ihren Anwalt ein, wann immer ihr Name in der Presse erwähnt wurde. Einer meiner ersten Artikel war vordergründig ein Bericht über Nick Leeson und wie gut es dem jungen Mann in seiner Gefängniszelle in Singapur ging – aber eigentlich wollte ich zeigen, wie entsetzlich es dort war. Die Taxis waren mit einem Signal ausgestattet, das bei Überschreiten der Höchstgeschwindigkeit ertönte, die Straßen waren blitzsauber, die Familie stand über allem, und die Stadt war absolut tot. Singapur war eine gutfunktionierende Friedhofsstadt. Obwohl die dortigen *gwailos* selbst nach Hongkonger Maßstäben ein unglaublich dummes, amoralisches Volk waren, würde auch jeder andere in seiner Freizeit Autoscheiben einschmeißen oder fünfzig Bier kippen und Passanten anmachen – jedenfalls wenn er in Singapur lebte. Dieser Artikel führte zu einem anderen, diesmal über das große Erdbeben in Japan. (Es war das Erdbeben in Kobe, das einen Kursverfall auf dem japanischen Aktienmarkt auslöste, und zwar genau in dem Moment, da Leeson auf einen Kursanstieg gesetzt hatte.) Ich verbrachte zwei verrückte Wochen in Japan, hauptsächlich in Tokio, aber auch in Kobe, Osaka, Kyoto, in kleinen sauberen Hotelzimmern. Männer in dunkelblauen Anzügen drehten mir gönnerhaft ihre Geschichten an. Alles lief darauf hinaus, daß Japan den besten Erdbebenschutz der Welt praktiziert. Im Grunde wollten sie damit sagen: »Wir sind die Nummer eins.« Der Tenor meines Artikels lautete dagegen: wenn das alles stimmt, warum waren dann bei einem

Erdbeben der Stärke sechs Komma vier – bei dem »gerade mal ein Martini geschüttelt wird«, wie mir ein wunderbarer Architekt aus San Francisco erklärt hatte – mehrere tausend Menschen gestorben? Das kam gut an. Japanische Arroganz war überhaupt ein Thema, das in Südostasien und der anglophonen Welt meist gut ankam.

Die Einladung zur Fahrt auf der *Tai Pan*, dem Boot von Philip Oss, wurde mir telefonisch von Berkowitz übermittelt, der gar nicht oft genug betonen konnte, was für eine tolle Sache das sei.

»Ich selbst hab nur drei-, viermal mit ihm gesprochen. Er ist der Chef meines Chefs. Der einzige *gwailo* in Wos Entourage. In einem Mafiafilm wäre er der *consigliere*. Er hat irgendeinen militärischen Hintergrund. Redet nicht darüber. Na, Sie wissen ja, welche Fragen verboten sind.«

»Jaja, großes Ereignis, beste Manieren, kein Wort über den Krieg. Ich werd mich benehmen.«

Was die Reichen in Hongkong anging, so vertrat Berkowitz die Ansicht, daß »die erste, vielleicht auch die zweite Million immer ein bißchen dubios« sei. »Manche dieser Burschen tauchen über Nacht auf, das Geld ist natürlich von den Triaden oder den Kommunisten. Dann gehen sie in die Immobilienbranche, da wird in Hongkong nämlich das ganz große Geld gemacht, und fangen an, richtig reich zu werden.« Unser aller Chef, T. K. Wo, stand an der Spitze einer weitverzweigten und geschickt aufgebauten Unternehmensgruppe, die ihrerseits diverse Unternehmen auf der ganzen Welt kontrollierte, darunter auch den Medienkonzern, zu dem *Asia* gehörte. Wo war berühmt für sein *guanxi* (gute Kontakte und Beziehungen) mit Beijing. Sein Vater war in den Sechzigern nach Taiwan geflohen, um sich einem Gerichtsverfahren wegen Rauschgifthandels zu entziehen. Es gab Gerüchte, woher das Vermögen Wos kam. Auf dieses Thema war ich nur ein einziges Mal bei meiner Arbeit gestoßen, und zwar während eines Interviews mit Matthew Ho, der damals im Flugzeug neben mir gesessen hatte und den ich in einer Serie über Jungunternehmer porträtieren wollte. Beiläufig hatte er erwähnt, daß sein Großvater sich weigere, Produkte des Wo-Medienkonzerns in die Hand zu nehmen. In meinem Artikel ließ ich das natürlich unerwähnt.

Meine Meinung zu den Gerüchten über Wo ließ sich in einem schlichten »Na und?« zusammenfassen. Verglichen mit anderen einflußreichen Leuten – etwa dem offiziellen Vertreter des burmesischen Opium-Warlords Khun Sa oder einem Typ, der Gewinne aus Macauer Spielcasinos zwecks Geldwäsche in großangelegte europäische Immobiliengeschäfte steckte –, war Wo nichts Besonderes. Keiner von ihnen konnte es freilich mit den Opiumhandelsgesellschaften (etwa Jardines) aufnehmen, die Hongkong gegründet hatten. Nicht umsonst war der Unternehmenssitz von Jardines, ein Wolkenkratzer mit Hunderten bullaugenartiger Fenster, unter dem Namen »Palast der tausend Arschlöcher« bekannt. Wer für Wo arbeitete, mußte auf Partys mit anzüglichen Bemerkungen rechnen, bis klar war, daß es einen kaltließ.

An dem besagten Samstag ging ich, wie vereinbart, um kurz vor elf zum Queen's Pier hinunter. Ein paar Boote schaukelten im dreckigen Wasser, auf dem leere Dosen, Flaschen und Gott weiß was herumschwamm. Am Heck eines Bootes, das gerade abgelegt hatte, wehte die Flagge der Hong Kong Bank, und an Deck war die übliche Quote von sonnengeröteten Offizieren, Ehefrauen, Bekannten, Kindern. Der Hafen roch wie immer. Ein schlanker Engländer, Ende Vierzig, in einer teuer aussehenden Windjacke stand am Kai neben einer Jacht, auf der Berkowitz und ein Dutzend andere Leute sich den ersten schwerverdienten Drink des Tages genehmigten.

»Miss Stone«, sagte der Mann mit einem freundlichen, warm-kühlen Lächeln. »Schön, daß Sie gekommen sind! Philip Oss. Bob hat mir schon viel von Ihnen erzählt. Und Ihre Artikel in *Asia* habe ich mit großem Vergnügen gelesen!«

Die Gelassenheit, die ich gegenüber Berkowitz am Telefon gezeigt hatte, als er mir die Einladung überbracht hatte, war vorgetäuscht gewesen. Ich war ausgesprochen neugierig auf Oss. Er war T.K. Wos Allzweck-Faktotum und rechte Hand, und schon das war ungewöhnlich. Kantonesen neigten nämlich dazu, die Briten für dumm zu halten, und nur ganz wenige chinesische Großunternehmer hatten einen engen britischen Mitarbeiter. Anfangs, so hieß es, habe Oss überall dort geholfen, wo perfekte englische Sprachkenntnisse vonnöten waren, und nun war er für das gesamte Wo-Imperium unverzichtbar. Es mußte auch eine Mrs. Oss geben, eine elegante Deutsche, die aber noch niemand zu Gesicht bekommen hatte. Ich sah, daß er supereasy war – nicht einfach glatt, sondern absolut reibungsfrei.

»Vielen Dank für die Einladung auf Ihre ...« Eigentlich wollte ich »Dschunke« sagen, was mir auf einmal aber lächerlich erschien, da dieser luxuriöse schwimmende Vergnügungspalast, dessen Radarantenne sich vertrauenerweckend in der schwülen Luft drehte, alles andere als ein altes klappriges Holzschiff war. Oss kam mir zu Hilfe.

»Schaluppe«, sagte er. Das war natürlich einer seiner Standardwitze, der immer ankam. Auch diesmal. Oss reichte mich an einen seiner Matrosen weiter, einen etwas älteren Kantonesen in blauweißem Marine-Outfit, der mich freundlich in den hinteren Teil des Schiffs bugsierte.

Abgesehen von meinem neuen Freund, Mr. Oss, kannte ich nur einen Menschen an Bord – Berkowitz. Ich gesellte mich zu ihm.

»Bob«, sagte ich. Ihn mit Berkowitz anzusprechen, wie es alle bei der Zeitschrift taten, wäre mir zu vertraulich erschienen. Wir standen eine Weile da und machten Small talk, während sich das Schiff allmählich füllte. Ein paar Neuankömmlinge plauderten mit uns. Ricky Tang, Vertreter der Rechtsanwaltskammer im Legislative Council und ehemals Kolumnist der *South China Morning Post*, auch er ein aalglatter Bursche, der kultiviertes Englisch sprach; ein mittelkluger Journalist namens Mat Soundso, Fernost-Korrespondent einer Zeitung in Seattle, von der ich noch nie gehört hatte; Susan Lee, eine aufgebrezelte Chinesin meines Alters, die für Oss in irgendeiner Funktion gearbeitet hatte; Sammy Wong, ein chinesisch-amerikanischer Geschäftsmann und, für einen Kapitalisten sehr ungewöhnlich, fanatischer Antikommunist mit guten Beziehungen zu den hirnrissigen Bombardieren-wir-China-in-die-Steinzeit-zurück-Typen am rechten Rand der Republikanischen Partei; seine Ehefrau und dann noch eine Dame namens Lily Zhang, eine etwas halbseidene Drachenlady (die offenbar vor langer Zeit mal ein Buch gelesen hatte). Mir war schon aufgefallen, daß man in Hongkong generell einen Tick förmlicher erscheinen mußte als bei vergleichbaren Anlässen in England. Dies galt nicht nur für Männer, die selbst in der permanenten Sommersauna Hongkongs Jackett und Krawatte tragen mußten, sondern auch bei Partys und Schiffsausflügen. Ein solcher Tag in England wäre ein Alptraum – jede Menge gerötete, fleckige, pickelige Haut und, falls schon einige Tage schönes Wetter gewesen wäre, noch der eine oder andere Sonnenbrand als Gratiszugabe. Hier dagegen war ich umgeben von weißen

Leinenhosen, dunkelvioletten Hosen von agnès b., John-Smedley-Polohemden. Ich selbst trug eine superleichte lange Hose (von Joseph, in einem extrem empfindlichen Beige) und eine dunkelblaue Marc-Jacobs-Seidenbluse (billig, also bestimmt nicht echt) aus einem neuen Geschäft in Tsim Sha Tsui – und das war gerade noch akzeptabel. Meine Geheimwaffe war mein neuer schwarzer Badeanzug, ein Einteiler von Gucci. Berkowitz' Kompliment (»Sie sehen zum Anbeißen aus«) beruhigte mich ein wenig.

Susan Lee und ich führten gerade das übliche Kennenlerngeplauder – sie erzählte, daß ihre Fendi-Tasche zweieinhalbtausend Hongkong-Dollar gekostet hatte, was für europäische Begriffe spottbillig war, wie ich ihr versicherte –, als Philip Oss zu uns kam. Unser Boot hatte inzwischen abgelegt und pflügte durch das von den vielen Schiffen aufgewühlte Wasser. Vier junge Frauen – zwei Sekretärinnen, zwei Töchter – lagen schon im vorderen Teil des Boots auf Sonnenliegen; es war einer der in Hongkong seltenen wolkenlosen Tage, was sie sofort ausnutzten. Die übrigen Gäste standen oder saßen in Grüppchen herum und plauderten.

»Bob erzählt, daß es Ihnen hier gefällt«, sagte Oss. Susan verzog sich mit hochgehaltenem Glas, um sich nachschenken zu lassen, oder auch nur so.

»Schwer zu sagen, aber ich glaube schon«, antwortete ich. »Tolles Schiff, übrigens!«

»Sie sind gern auf dem Wasser?«

»Da mir noch nicht schlecht geworden ist, lautet die Antwort vermutlich: Ja.«

Er lachte, ein sattes, übertriebenes Unternehmerlachen, und in diesem Moment wurde mir klar: der Mann hatte es auf mich abgesehen. Daraufhin nahm ich eine neuerliche

Einschätzung vor. Schlank, Mitte, Ende Vierzig, energisch, von sich eingenommen, im Bett vermutlich egoistisch, auch wenn ich ihn noch nicht beim Essen beobachtet hatte (immer aufschlußreich, finde ich) – kurzum: denkbar, aber im Grunde unmöglich. Und er war sonnengebräunt, wie man das nicht mehr oft sieht, seitdem alle Leute Angst vor Hautkrebs haben. Bei Millionären hatte ich aber noch nie nein gesagt. In einer emotionalen Aufwallung dachte ich an Michael, der sich, ständig schwankend, immer unentschlossen, einfach nicht entscheiden konnte, ob er nach Hongkong kommen sollte. Einerseits war seine Ausstellung ganz gut gelaufen, und das sprach dafür, in England zu bleiben und möglichst viele Aufträge an Land zu ziehen, solange er gefragt war; andererseits hatte er jetzt, bei seiner wachsenden Bekanntheit, sehr viel eher die Möglichkeit, in der Welt herumzureisen, konnte also auch nach Hongkong kommen, ohne befürchten zu müssen, daß er von der Landkarte verschwand. Einerseits vermißte er mich, andererseits fand er, daß die räumliche Trennung unserer Beziehung guttat, blablabla.

»Ist Mrs. Oss an Bord?« fragte ich.

Er zuckte nicht eine Sekunde mit der Wimper, alle Achtung.

»Im Unterschied zu Ihnen wird Daphne seekrank. Dabei ist es ganz einfach«, sagte er und beugte sich zu mir herüber. »Man darf sich nicht verspannen. Gilt für viele Situationen.«

Dann unterzog er mich einem halbstündigen Verhör über meinen journalistischen Background in England – wo ich gearbeitet hatte, wen ich bei Zeitungen und bei der BBC kannte und so weiter, wie ich die wirtschaftliche Lage und die Chancen der Torys beurteilte – alles ganz lockerflockig, aber es war die gnadenloseste Prüfung, die ich je erlebt hatte. Es war diese typisch britische Art, Fragen zu stellen, bei der man Intelligenz und Insiderkenntnisse beweisen muß, um überhaupt ernst genommen zu werden. Und ständig flirtete er dabei – eine merkwürdige Mischung. Schließlich beendete er die Prüfung.

»Wenn Sie mich kurz entschuldigen wollen, ich muß noch etwas Geschäftliches erledigen.«

Er ging nach hinten zu einer Gruppe von Männern, die wie jüngere und nicht ganz so erfolgreiche Versionen seiner selbst aussahen. Ich schlenderte hinüber zu Berkowitz, der hofhielt.

»Genug Smalltalk für heute«, sagte er, ein Champagnerglas in der Hand, offensichtlich schon das dritte oder vierte. »Dawn, Sie sind lange genug hier, Sie haben sich eine Meinung gebildet – also, erzählen Sie mal, welche der Patten-Töchter ist Ihre Nummer eins?«

Wir umfuhren Cheung Chau bis zu einem Sandstrand auf der rückwärtigen Seite, vor dem wir in einiger Entfernung ankerten. Ich plauderte mit Oss und Berkowitz und mit der Frau eines Mr. Mitchell, die Sonia oder Sonja hieß und eine Kunstgalerie eröffnen wollte, spezialisiert auf Kopien von französischem Design, und mit einer Katy, die mir erklärte, daß sie »für die Londoner Blätter« schreibt, und sich dann verkrümelte, als ich anfing, Fragen zu stellen, und mir die übrige Zeit aus dem Weg ging, und mit einer Peta, der Tochter eines Bekannten von Oss, die fünfundzwanzig war und gerade eine dreimonatige Weltreise machte und anschließend am St. Martin's College Fotografie studieren wollte. Einige von uns gingen vor dem Lunch schwimmen, andere blieben bei Drinks und Small talk. Man verglich die Vorzüge der Club Class von Cathay Pacific und British Airways, man sprach von der guten alten Zeit, als Flüge nach Hongkong einundzwanzig Stunden dauerten, weil China oder Vietnam nicht überflogen wurden, man plauderte über die Chinesen, die in bestimmten Gegenden Londons Immobilien kaufen, und über die Londoner Immobilieninserate in den Hongkonger Zeitungen. Wir sprachen über das »Lusophonia«, ein neues Restaurant in Macau, das von einem Lissabonner Designer ausgestattet worden war und dessen Oberkellner aus Kowloon und dessen Chefkoch aus Mosambik via Rio kam; wir sprachen über den neuen Terminal der Peak Tram, über Swimmingpools und darüber, welche der Londoner Zeitungen gerade in Schwierigkeiten steckte; man diskutierte darüber, ob Südaustralien ein ebenso lohnendes Reiseziel wie die Toskana sei, nur eben vierzehn Flugstunden näher; jemand erklärte, das Akronym FILTH (Failed In London, Try Hong Kong) werde nur von Touristen und Neulingen verwendet, die nicht mal zehn Minuten im Territorium überleben würden; man sprach über den neuen Direktor des Jockey Clubs (Urteil: Amerikaner, aber egal) und darüber, wann jemand der Anwesenden zum letztenmal etwas von Lane Crawfords gekauft hatte und ob es im China Club nicht etwas langweilig geworden sei und ob das nur unsereiner fand oder ob das ganz allgemein galt. Wir sprachen über David Tang, über die Wassertemperatur als Indikator für die Vorhersage von Taifunen und darüber, wie man sich später einmal in Frankreich niederlassen könnte, ohne dort Steuern zahlen zu müssen. Zu essen gab es Chicken à la King und kaltes Roastbeef, Tomatensalat mit Mozzarella und thailändischen Nudelsalat mit Erdnüssen und gekühlte, scharfe Tomatensuppe und Pont-l'Évêque (per Luftfracht eingeflogen), Obstsalat und Chunky Monkey von Ben and Jerry oder Häagen-Dazs' Zartbitter-Schokoladeneis. Wir tranken Gin Tonic und Virgin Marys mit

Worcestershiresauce und Selleriesalz, Veuve Clicquot mit oder ohne frisch gepreßten Orangensaft, Rothbury Estate Show Reserve Chardonnay und Guigal Côtes du Rhône und Hennessey-XO-Cognac und Lagavulin, Ty Nant Mineralwasser und Kaffee, Pfefferminztee und Tsingtao-Bier, weil San Miguel, wie Oss erklärte, nicht mehr so gut schmeckte, seit die Brauerei nicht mehr den Marcos gehörte. Wir schwammen und fuhren Wasserski und nahmen ein Sonnenbad, ein paar Leute entschieden sich für Windsurfen, und wieder andere zogen sich unter Deck zurück. Mein Badeanzug bekam einige gute Besprechungen. Gegen Abend legte sich der Wind, wir hörten das Gelächter und die Stimmen von anderen Bootspartys, und die Schiffe schienen wegen der unzähligen Lämpchen am ganzen Aufbau viel näher zu sein. Und als die Sterne herauskamen, lichteten wir den Anker und fuhren zurück nach Queen's Pier. Das Leben in der Seifenblase.

Fünftes Kapitel

Etwa drei Monate später kam Michael. Es paßte mir überhaupt nicht, weil ich irrsinnig viel zu tun hatte, aber für das schlechte Timing konnte ich Michael kaum verantwortlich machen. Er hatte den Zeitpunkt ja nicht absichtsvoll gewählt: es war Ostern. Ich selbst war seit dem Umzug nach Hongkong erst einmal in England gewesen, und Michael war eben nicht früher dazu gekommen, mich zu besuchen. Nach seiner Ausstellung hatte die Arbeit nicht nur nicht nachgelassen, sondern sich so regelmäßig fortgesetzt, daß er nun zuversichtlich war (nicht daß Optimismus in praktischen Dingen zu Michaels Stärken gehörte, aber Sie wissen, was ich meine), sich ein paar Wochen Urlaub leisten zu können, ohne befürchten zu müssen, in den Augen der Welt plötzlich nichts mehr zu taugen. Ich freute mich auf seinen Besuch und fürchtete mich zugleich. Der weniger optimistische Teil von mir war sauer, auch wütend, schuldbewußt und verärgert, daß Michael – um einen Ausdruck zu gebrauchen, der oft auftaucht, wenn Engländerinnen über englische Männer reden – ein Schlappschwanz war. Gemeint war damit unter anderem, daß er in seine Selbstzweifel und Probleme verliebt war, in praktischen Dingen unfähig, eitel und unerfahren war. Hongkong hatte mir das starke Gefühl vermittelt, daß Menschen sich weiterentwickeln, Erfolg haben, Ziele verwirklichen. Diese Sichtweise wirkt sich natürlich auf bestehende Beziehungen aus.

Doch zuerst war es gar nicht übel. Man könnte sogar sagen, es war gut. Kaum hatte ich ihn in der Ankunftshalle von Kai Tak erspäht, mit seinem Koffer, einer Duty-Free-Tüte und einem völlig deplazierten Aranpullover über der Schulter, stieg eine Welle von Freude und Lust in mir auf, die mir bewußtmachte, a) wie scharf ich war und b) wie sehr ich die Sehnsucht nach ihm unterdrückt hatte. Wenn man einen Menschen erblickt, auf den man gewartet hat, der einen aber noch nicht bemerkt hat, passiert es manchmal, daß man ihn sozusagen mit neuen Augen sieht, und so ging es mir auch mit Michael, als er sich in der Ankunftshalle umschaute, dabei das Haar aus der Stirn strich und in seinen Jeans, schlank wie eh und je, wie ein Fünfunddreißigjähriger aussah, der auf die Vierzehn zugeht.

»Michael!« rief ich. »Hier!«

»Baby!« rief er und kam auf mich zugelaufen, über das ganze Gesicht strahlend, vielleicht ebenso überrascht wie ich über seine unkomplizierte Freude. »Darling!«

Und ich dachte, pah, es wird alles gut.

Doch ganz so einfach war es dann doch nicht. Verrückt war, wie sehr das Körperliche und der ganze Rest auseinanderklafften. Noch nie hatte ich so deutlich erlebt, daß mein Körper sein eigenes Ding machte, und ich zusehen konnte, wo ich blieb. Mein Körper genoß den Sex: Ja, das war gut, danke, bitte mehr davon – und laß mich in Ruhe (die letzte Bemerkung richtete sich an meinen Kopf). Am ersten Abend und in der Nacht beispielsweise haben wir es viermal gemacht – wobei Michael, zugegeben, wegen Jetlag und Acht-Stunden-Zeitunterschied ein bißchen neben der Rolle war. So oft hintereinander hatten wir es, glaube ich, überhaupt noch nie geschafft. Es war phantastisch. Aus Sicht meines Körpers würden es die besten zwei Wochen aller Zeiten sein. Aber mein Kopf wollte anscheinend nicht mitspielen. Nach anderthalb Tagen – bekifft von Sex und, ja, ich gebe es zu, der simplen Freude darüber, ständig jemanden um mich zu haben – spürte ich, wie sich allmählich eine Gereiztheit, eine Unduldsamkeit in mir aufbaute wie Magma unter einer Erdbebenzone.

Michael war Freitag angekommen, und bis Sonntag wurde mir überhaupt nicht bewußt, was sich da unterirdisch zusammenbraute. Als er sagte, er wolle spazierengehen, schloß ich mich an. Wir gingen hinunter zum Statue Square, wo sonntags eines der merkwürdigsten Spektakel Hongkongs stattfindet, das Treffen der philippinischen Dienstmädchen – eine unübersehbar große Menge, bis zum Legco, zum Park und zur Börse. Man hört es schon von weitem, ein hohes Schwirren, halb Dröhnen, halb Zwitschern, wie Tausende Vögel, ein Geräusch von Menschen, wie man es noch nie gehört hat. Der Lärm von Zehntausenden Filipinas, die alle auf einmal plappern, ist anders als der von üblichen Großveranstaltungen, Demonstrationen oder Sportereignissen, da sich die Menge nicht auf etwas Drittes, sondern völlig auf sich selbst konzentriert – beim gemeinsamen Picknick Neuigkeiten austauschen und Briefe aus der Heimat lesen, Musik hören, an improvisierten Ständen billige Faltkoffer, superbillige Handtücher und T-Shirts einkaufen, Fotos tauschen und dabei die ganze Zeit plaudern. In Hongkong gewöhnt man sich sehr schnell daran, daß überall Kantonesisch gesprochen wird, das sich anhört, als würden sich die Leute ständig streiten, während man auf dem sonntäglichen Statue Square auf einmal von Menschen umgeben ist, die Tagalog sprechen, das so exotisch zwitschernd klingt. Michael sagte nicht sehr viel, hatte nur diesen schweigsamen, aufmerksamen Blick.

Dann fuhren wir mit der Tram hinauf zum Peak Café, einem aufgestylten Schuppen aus den Dreißigern, von wo aus man einen herrlichen Blick über die Inselwelt hat. Es ist ganz hübsch dort oben, und auch der Trip in der grünen Bergbahn mit dem permanent schlechtgelaunten chinesischen Fahrer ist toll, knapp vierhundert Meter in ein paar Minuten, stellenweise ist es so steil, daß man glaubt, man steigt senkrecht hoch. Michael tat, als hätte ich ihn zu Madame Tussaud oder in ein Nur-für-Touristen-Bumslokal geschleppt.

»Wie dumm, daß ich meine Kamera nicht dabeihabe«, sagte er, und einen Moment dachte ich, er meint tatsächlich die spektakuläre Aussicht – bis mir klar wurde, daß es ironisch gemeint war.

»Für einen seriösen Künstler wie dich ist ein solcher Ansichtskartenblick natürlich völlig indiskutabel«, sagte ich.

Das platzte aus mir heraus, einfach so, unbeabsichtigt. In England hätte ich mir wahrscheinlich die Zunge abgebissen (vielleicht auch nicht) und gelächelt und mir vorgenommen, in Zukunft unbeeindruckt zu sein, wenn Michael mir etwas zeigte. Er sah mich verblüfft an.

»Wo kam das denn her?« sagte er. Erst während der Vorspeise sprachen wir wieder miteinander.

So ging es jeden Tag. Beim Ausflug nach Lamma Island, im Kino, wo der neue Film mit Ricky Lam lief, am Strand von Shek-O, wo wir einen ganzen Tag verbrachten, bei einer Schiffstour mit ein paar Leuten von der Zeitschrift, an dem Tag, an dem wir mit der Tram von Kennedy Town nach North Point fuhren und von dort aus wieder zurückliefen, vorbei an Boutiquen, Kamerageschäften und einem Dim-Sum-Restaurant, an dem Tag, an dem wir mit öffentlichen Verkehrsmitteln kreuz und quer durch die New Territories fuhren, nicht zu vergessen die ganze Zeit, die wir in meiner Wohnung verbrachten, wenn wir nicht gerade Sex hatten, was weiterhin super war – immer und überall das gleiche. Diese Gereiztheit, die mich überkam. Und die unübersehbaren Zeichen eines möglicherweise anderen Einflusses in Michaels Leben. Er trug etwas teurere Sachen, ganz abgesehen von der Calvin-Klein-Unterwäsche, und einmal, bei einem Abendessen bei Berkowitz, geschah etwas Unerhörtes: als sich das Tischgespräch dem Steuersystem von Hongkong zuwandte, vertrat Michael eine politische Meinung. Am nächsten Tag machten wir einen katastrophalen Ausflug in die Volksrepublik, in Form eines Kurztrips nach Shenzen. Dort verliefen wir uns, und da uns niemand verstand und weiterhelfen konnte, irrten wir einfach umher, bis wir endlich einen Orientierungspunkt entdeckten, den wir beim Verlassen unseres Hotels gesehen hatten – eine blinkende Neonreklame für Versace-Jeans. Wir schliefen in einem Bett, aber meilenweit auseinander.

Der große Streit war wohl unausweichlich. Ich hielt bis zur zweiten Woche durch, beglückwünschte mich, daß ich Michael nicht schon längst den Kopf abgebissen hatte. Körperliche Bedürfnisse vermischte ich mit gelegentlicher Unduldsamkeit und Nörgelei – sehr attraktiv, nicht wahr? Ich spürte aber, daß eine mittlere Explosion bevorstand. Es war ein Witz, daß am Ende Michael derjenige war, der ausflippte, ein besonders guter Witz, weil er im Grunde genommen ein eher phlegmatischer Typ war.

Es passierte folgendes. Um vier Uhr morgens wachte ich mit bohrenden Zahnschmerzen auf. Ich sage, ich wachte auf, aber ich wurde eher aus dem Schlaf gerissen – so als hätten die Zahnschmerzen sich warmgelaufen und beschlossen, mich an der Schulter zu rütteln und »Wach auf, es ist Zeit für deine Schmerzen« zu rufen. Hinten links war es, unmittelbar neben den Weisheitszähnen, wenn ich welche gehabt hätte. Der Schmerz ging scharf und deutlich von einem bestimmten Punkt aus und war zugleich dumpf. Es waren sozusagen zwei unterschiedliche Schmerzen in einem. Ich wankte ins Badezimmer, ließ kaltes Wasser über die linke Gesichtshälfte laufen, gurgelte dann mit Brandy, nahm zwei Nurofen, ging wieder ins Bett und weckte Michael.

»Ruf einen Zahnarzt an«, lautete seine superschlaue Empfehlung.

»Verdammt noch mal, glaubst du, ich wäre in dieser Scheißsituation, wenn ich einen Zahnarzt hätte?«

»Es muß doch eine Zahnklinik oder einen Notdienst geben.«

»Woher soll ich das wissen?«

Michael stand auf, blätterte cool im Telefonbuch und in seinem Reiseführer (über den ich mich offen gestanden ziemlich geärgert hatte – wozu brauchte er einen Reiseführer, er hatte doch mich?) und fand schließlich die Nummer einer Zahnklinik. Doch inzwischen hatte der Schmerz mysteriöserweise nachgelassen und war so schnell verschwunden, wie er gekommen war.

»Ich warte lieber bis morgen früh«, sagte ich. »Der Assistenzarzt, der jetzt Nachtschicht hat, wird mir wahrscheinlich alle Zähne ziehen. Ich warte lieber auf den Oberarzt.«

Statt korrekterweise Feigheit zu diagnostizieren, legte sich Michael wieder ins Bett, löschte das Licht und schlief ein. Fünf Stunden später wurde ich urplötzlich von demselben schrillen Schmerz wach. Ich richtete mich auf, stieß Michael an und sagte:

»Der Schmerz ist wieder da.«

Er brummte etwas und ging ins Nebenzimmer, um in der Klinik anzurufen. Kurz darauf kam er mit einer errötenden Conchita im Schlepptau zurück. Montag war einer ihrer Arbeitstage. Die beiden – ein baumlanger Weißer in einem viel zu kleinen pinkfarbenen Damenmorgenmantel und eine kleine Filipina in Flip-Flops, Jeans, gelbem T-Shirt und Gummihandschuhen – waren ein bemerkenswertes Paar. Michael hatte sein Mann-der-Aktion-Gesicht aufgesetzt.

»Äh, Michael«, sagte ich. Unter normalen Umständen, wenn diese fürchterlichen Zahnschmerzen nicht gewesen wären, hätte ich vermutlich mit einem Lachen darauf hingewiesen, daß mir nicht nach einem Dreier zumute sei.

»Conchita ist Zahnärztin«, sagte Michael.

»Was?«

»Conchita ist Zahnärztin. Sie hat in Manila Zahnmedizin studiert. Beschreib ihr, wo's weh tut.«

»Das stimmt, Miss Stone«, sagte Conchita mit einem verlegenen Lächeln. Sie streifte die Gummihandschuhe ab und trat näher.

»Beschreib einfach die Symptome«, sagte Michael. Ich rutschte ein Stück beiseite, damit Conchita sich auf den Bettrand setzen konnte, und sagte, nicht ohne Schärfe, zu Michael: »Würdest du uns bitte allein lassen?« Ich erklärte ihr alles, den stechenden Schmerz, das Nutrofen, das plötzliche Nachlassen und ebenso plötzliche Wiederauftauchen der Schmerzen.

»Ist es immer dieselbe Stelle?« fragte Conchita, die jetzt in meinen Mund schaute. Dr. Conchita strahlte, anders als die unablässig lächelnde Putzfrau, eine freundliche, aber auffällige Strenge und Bestimmtheit aus.

»Ja.«

»Haben Sie Ihre Weisheitszähne noch?«

»Aargh. Sie sind noch nicht rausgekommen.«

Schließlich sagte Conchita:

»Okay, zwei Möglichkeiten. Vielleicht ist es ein Weisheitszahn, aber ich glaube, Sie sind zu alt dafür. Wahrscheinlich ist es ein anderer Zahn. Manchmal ist ein Zahn hier krank« – sie drückte auf meine Füße –, »aber der Schmerz sitzt hier« – sie drückte eine Stelle an meinem Kopf.

»Was soll ich tun?«

»Zahnklinik«, sagte Conchita und streifte wieder ihre Gummihandschuhe über. »Dort machen sie Röntgen.«

»Okay.«

»Sorry, daß ich nicht mehr für Sie kann.«

»Ist okay.«

»Zahnschmerzen sind nachts immer besonders stark«, sagte sie beim Hinausgehen.

»Ich hab ein Taxi gerufen«, sagte Michael gepreßt. »Ich komme mit und warte.«

Unseren Streit hatten wir dann anderthalb Stunden später, im Taxi auf dem Nachhauseweg, nach der Röntgenaufnahme und der vorläufigen Diagnose »entzündeter Zahn«. Conchita hatte recht – offenbar war es ein Abszeß im rechten Backenzahn, aber die Schmerzen zeigten sich woanders.

»Verdammte Scheiße, was wird hier eigentlich gespielt?« sagte ich zu Michael. »Ich habe rasende Kopfschmerzen, und du sitzt da, als hätte ich etwas ganz Schlimmes verbrochen. Es riecht so sehr nach angesengtem Märtyrerfleisch, daß ich kaum noch an diesen Scheißzahn denken kann.«

Das war, nebenbei gesagt, gelogen. Die Schmerzen hatten sich gelegt. Ein netter chinesischer Zahnarzt hatte mir ein Schmerzmittel gegeben, das ich noch ein paar Tage nehmen sollte, damit das Antibiotikum richtig wirken konnte.

Michael köchelte blaß und stumm vor sich hin, und mir wurde erst nach einer Weile klar, daß ich ihn noch nie in einer solchen Wut erlebt hatte.

»Was meinst du, wie lange hätte es gedauert, bis du's mitbekommen hättest?« sagte er, während das Taxi hinter einem 15er Bus die Magazine Gap Road hinaufschlich.

»Michael, wovon redest du, verdammt?«

Er sah mich überhaupt nicht an.

»Du bist jetzt fast ein Jahr in Hongkong, und Conchita kommt dreimal die Woche. Sie ist jedesmal drei Stunden in deiner Wohnung. So lange kennst du sie, aber kein einziges Mal hast du sie etwas Persönliches gefragt. Du läufst reichen Ärschen hinterher, machst Schiffstouren, gehst auf Partys und entdeckst dieses irrsinnig billige Lädchen, wo es irgendwelches Scheiß-Prada-Zeugs gibt, und danke nein, kein Bollinger mehr für mich, heute ist erst Mittwoch, und hier, haben Sie schon mein neues Handy gesehen, das spielt die Marseillaise als Klingelton, und wer ist der Reichste, diese ganze Mistscheiße, aber mit Conchita, die hinter dir herräumt und deine Scheißhöschen wäscht und sie wieder in die Kommode tut, wo sie hingehören, mit Conchita hast du nie ein privates Wort gewechselt, du weißt überhaupt nichts von ihr, du nimmst sie ja kaum wahr.«

»Moment mal, ich ...«

»In Wahrheit kenne ich dich nicht mehr. Das ist einer von diesen Sprüchen, über die man im Fernsehen oder im Kino lacht. Sich richtig kaputtlacht. Aber jetzt bin ich es, der das sagt, und es stimmt tatsächlich. Du hast dich verändert ... ich erkenne dich nicht wieder. Du hast über Leute gelacht, die nur an Erfolg und Geld dachten und das ganze Zeug, das sie haben wollten. So warst du. Und jetzt hast du ein philippinisches Dienstmädchen, und du sagst nicht mal guten Tag zu ihr.«

»Ah, unser heiliger Michael ist mal wieder unterwegs, er küßt den Leprakranken die Wunden, macht ein paar hochkünstlerische Schwarzweißfotos und fährt zufrieden wieder nach Hause.«

»Weswegen bist du hierhergekommen? Was wolltest du hier?«

»Hauptsächlich wollte ich weg von dir, du arrogante Flasche«, sagte ich. Wir standen Ecke Happy Valley Road an einer Ampel, ich stieg aus, knallte die Tür hinter mir zu und sah noch den besorgten Blick des Fahrers. Ich hoffte, sein Englisch war wirklich so schlecht, wie es den Anschein gehabt hatte. Ich ging in Richtung Bowen Road, ohne bestimmtes Ziel, wollte nur eine Stunde herumlaufen, und hoffte, daß Michael in der Zwischenzeit bei einem gräßlichen Verkehrsunfall sterben würde. Dann sah ich mir in einem Kino in Wanchai *Casino* an. Es war so lala. Als ich nach Hause kam, hatte Michael den Rückflug von Sonntag auf Mittwoch vorverlegt, seine Sachen gepackt und war in ein Hotel gezogen.

Sechstes Kapitel

Wenn ich wegen Michael nicht so stinksauer gewesen wäre, hätte ich wahrscheinlich nicht getan, was ich als nächstes tat. Berkowitz drängelte mich schon eine ganze Weile, eine Porträtserie über lokale Milliardäre zu schreiben – definiert als Personen, die mindestens eine Milliarde US-Dollar Kapital besaßen. (Im ersten Artikel wollten wir einen Kasten einfügen, anhand dessen sich die Leser ausrechnen konnten, in welcher Währung auch sie Milliardäre waren. Ganz ulkig eigentlich. Damals wäre ich nicht einmal Lire-Milliardärin gewesen.) Die meisten Milliardäre leben in Südostasien, es gab also reichlich Material. Das Problem war nur, daß gerade Milliardäre besonders öffentlichkeitsscheu sind. Mir war überhaupt nicht klar, wie ich an diese Leute herankommen sollte, und die Vorstellung, wochenlang von Assistenten und Sekretärinnen abgewimmelt zu werden, behagte mir überhaupt nicht.

»Das macht sie ja so interessant«, sagte Berkowitz. »Weil man nicht an sie herankommt, nichts über sie erfährt. Vor allem bei den Burschen hier in Hongkong weiß niemand, wo das Geld herkommt. Nicht das aktuelle Vermögen, sondern womit sie angefangen haben. Konzentrieren Sie sich auf die Anfangsjahre.«

»Hatten Sie nicht mal erwähnt, daß man wegen der britischen Pressegesetze, der chinesischen Angst vor Gesichtsverlust und ein paar hundert Millionen auf der Bank garantiert nie die Wahrheit darüber hört?«

»Nicht öffentlich«, sagte Berkowitz und wedelte mit

den Händen vor dem Gesicht, als wollte er ohne Körperbewegung den Tanz der Salome aufführen. »Aber Sie können Andeutungen machen.«

In meiner ganzen Wut nahm ich die Sache also jetzt in Angriff und schrieb über Milliardäre – ohne allerdings Berkowitz' Empfehlung zu beherzigen, mich auf Andeutungen zu beschränken. Einen Monat lang recherchierte ich, trug Informationen zusammen, schrieb die ungekürzte Geschichte der Hongkonger Superreichen, mit dem besonderen Schwerpunkt, wo ihr Geld herkam. Bei einigen der größten Vermögen tauchten Kommunisten, Triaden, der Opiumlord Khun Sa und die Spielhöllen in Macau auf. Ich packte all die Storys hinein, die man immer wieder hörte: von dem Geld, das aus Macau an die sozialistischen Parteien in Portugal und Frankreich als Gegenleistung für mysteriöse Gefälligkeiten geflossen war; von dem Geld, das die britischen Konservativen vor den Wahlen von 1992 erhalten hatten – ein Thema, zu dem in Hongkong eine Unmenge von Gerüchten zirkulierte; davon, daß die Ernennung von Gouverneur Chris Patten – der als Parteivorsitzender der Torys für die Verwendung dieser Gelder bei den Wahlen verantwortlich gewesen war – in gewissen Kreisen als diskrete Geste angesehen wurde, und noch viele andere Dinge. Kurzum, ich packte alles hinein, was ich über Hongkongs verborgene Geschichte gehört hatte.

Eines kam in meinem Artikel aber nicht vor: der Name Wo. Jeder kannte die Gerüchte über frühere Beziehungen der Familie Wo zur Unterwelt. Da eine Zeitschrift, die den Wos gehörte, darüber selbstverständlich nichts bringen würde, überging ich dieses Thema, in der Hoffnung, daß allein schon diese Tatsache etwas über die Verhältnisse in Hongkong verriet. Ich schrieb den ganzen Tag und die ganze Nacht und lieferte am nächsten Morgen pünktlich ab. Man darf sich zwar nicht loben, aber die Story war wirklich gut, das Beste, was ich je geschrieben hatte. Um zehn rief Berkowitz an, um mir zu gratulieren. Ich ließ ein Schaumbad einlaufen, schmökerte in einer Liebesschnulze, meldete mich für vier Uhr nachmittags zur Massage an und legte mich ins Bett.

Um sechs war ich wieder zu Hause, noch etwas benommen nach der Massage, kaputt und erschöpft, aber doch äußerst zufrieden. Als das Telefon klingelte, hoffte ich auf weitere Komplimente.

»Miss Stone?«

»Ja.«

»Hier Winston Tang, Assistent von Mr. Oss. Mr. Oss läßt fragen, ob es Ihnen möglich wäre, in einer Stunde am Queen's Pier zu sein?«

»Ähm, ja sicher, darf ich fragen ... nein, schon okay.«

Auch er würde mich beglückwünschen, bestimmt. Neuigkeiten sprachen sich in Wos Imperium offenbar rasch herum.

Etwa zehn Minuten vorher traf ich in Business-Outfit am Pier ein – pinkfarbenes Kostüm (Chanel-Kopie), Gucci-Slingbacks und Prada-Handtäschchen sowie eine Calvin-Klein-Sonnenbrille, die meine Lässigkeit zum Ausdruck bringen sollte. Nicht schlecht, dachte ich. Männer glauben immer, daß Frauen sich nur aufdonnern, um zu gefallen, und verkennen, daß Kleidung uns auch als schützende Rüstung dient.

Ich war nicht sicher, wer mich erwarten würde. Es war Oss höchstpersönlich, der an einem Pfeiler stand und, eine Lesebrille auf der Nase, im *Wall Street Journal* las. Er trug einen perfekt geschnittenen, unzerknitterten Leinenanzug und schaute auf, als ich näher kam. Vor ihm kauerte ein

Chinese in einer Haltung, die im allerersten Moment einen sexuellen Touch hatte – Vor- oder Nachspiel einer öffentlich vollzogenen Fellatio –, doch im nächsten Moment wurde mir klar, daß Oss sich von dem Mann die Schuhe putzen ließ. Bei Chinesen sieht man das oft, bei Europäern ganz selten. Oss lächelte:

»Mein Freund Ah Loo hat mir gerade ein paar Börsenempfehlungen gegeben«, sagte er. »Er ist der beste Schuhputzer und hat die besten Börsentips im ganzen Territorium.«

»Po-Lam-Aktien steigen, ich letzte Woche fünfhundert Dollar verdient«, sagte Ah Loo wie zur Bestätigung.

»Heißt das, es ist diesmal umsonst?« fragte Oss. Nach der Reaktion des Schuhputzers zu urteilen, war das ein alter Scherz. Oss bezahlte, der Schuhputzer bedankte sich tausendmal – offenbar über ein fürstliches Trinkgeld –, schnappte seine Sachen und schlenderte in wiegendem Gang hinunter zum Star Ferry Terminal.

»Wir machen eine kleine Tour auf der *Tai Pan*. Ich hoffe, Sie haben nichts dagegen«, sagte Oss. Bei solchen rhetorischen Fragen, auf die man nie und nimmer mit Nein antworten würde, ist es immer angenehm, wenn der Betreffende sich wirklich bemüht, so zu tun, als hätte er es ernst gemeint.

»Wunderbar«, sagte die junge Katherine Hepburn.

»Captain Mok müßte jeden Moment ... ah, da kommt er schon«, sagte Oss, der die Zeitung zusammengerollt und sie sich wie ein Offiziersstöckchen unter den Arm geklemmt hatte. Viele seiner Gesten waren leicht übertrieben oder theatralisch. Er wirkte jünger, als ich ihn in Erinnerung hatte, ein guterhaltener Mittvierziger, der zehn Jahre jünger aussah.

Das Schiff legte an. Zwei Kantonesen in Matrosenuniform standen an der ausklappbaren Gangway, deren Reling wie eine Kordel aus dickem Velours aussah. Aus irgendeinem Grund ist es leichter, von Bord als an Bord zu gehen, obwohl es eigentlich schwieriger sein sollte, weil man nicht mehr vollkommen nüchtern ist. Die *Tai Pan* schaukelte jedenfalls hin und her. Oss nahm meine Hand und bugsierte mich über die Gangway in die ausgestreckten Arme der chinesischen *Piraten von Penzance.* Er selbst ging anschließend gewandt und behende an Bord. Irgend jemand, erinnerte ich mich, hatte von einem militärischen Background gesprochen. Oss sagte etwas auf chinesisch zu dem älteren der beiden Matrosen, der daraufhin lächelte.

»Ich hab ihm gesagt, daß wir bislang noch niemanden verloren haben«, sagte Oss zu mir. »Wir können nach hinten gehen, dort ist es interessanter, und man hat einen schönen Blick, oder unter Deck, dort gibt es Sessel, und es ist bequemer.« Ich votierte für unten. Wenn Oss zu cool war, um mir zu erklären, warum er mich hatte kommen lassen, so hatte ich beschlossen, ebenfalls cool zu sein und keine Fragen zu stellen.

»Gern.« Wir gingen hinunter, durch die erste Kabine, die wie ein Wohnzimmer eingerichtet war, und weiter in die nächste, die offenbar als Arbeitszimmer diente. Eine Tür zu einer dritten Kabine stand offen, bewegte sich leicht mit den Bewegungen des Schiffes. Ich sah, daß es ein Schlafraum war. Der einzige Schmuck im Büro war eine Serie gerahmter Holzschnitte des Fujiyama und ein paar Fotos von T. K. Wo in Gesellschaft prominenter Persönlichkeiten. Eines zeigte ihn mit dem chinesischen Ministerpräsidenten, ein anderes mit dem britischen Premierminister. Da kam man ins Grübeln. Vermutlich war das auch beabsichtigt. Oss saß in einem Sessel vor seinem

Schreibtisch, ich neben ihm. Bald hatte jeder von uns einen Drink in der Hand.

»Er ist Millionär«, sagte er. »Ich meine Ah Loo, den Schuhputzer. Arbeitet zwölf Stunden am Tag, macht seine Börsengeschäfte, unterstützt eine große Familie und läßt sich in den New Territories ein großes Haus bauen.«

»Nur in Hongkong«, sagte ich. Das sollte ein Scherz sein, aber Oss sprach völlig ernst weiter.

»Ja«, sagte er. »Nur in Hongkong. Ist Ihnen schon mal aufgefallen, was für ein Kindergarten England dagegen ist? Wie infantilisiert dort alle sind? In England gibt es keine wirkliche Armut. Sonst würden die Leute das tun, was sie hier tun, nämlich Schuhe putzen. Man muß nur ein paar Pfund in Schuhcreme und Bürsten investieren, dann kann man loslegen. Aber sie sitzen lieber auf dem Arsch und wollen vom Staat unterstützt werden. Hier suchen sich die Leute Arbeit. Und wenn sie Geld verdienen, was dann? In England verpulvern sie es. Hauen es auf den Kopf. Die Prolls bespritzen sich mit Bollinger, und die Bessergestellten kaufen große Häuser und bilden sich ein, sie seien sonstwer. Hier geht ein reicher Mann weiterhin jeden Tag zur Arbeit und kümmert sich um seine Familie. Seit hier das Börsenfieber ausgebrochen ist, gibt es unzählige reiche Taxifahrer, Hotelportiers, Liftführer. Sie alle arbeiten, weil sie keine Kinder sind. Sie wissen ganz genau, daß es nur ein einziges wichtiges Thema auf der Welt gibt – Geld.«

»Haben Sie mich deswegen eingeladen?« Oss hatte sich beim Sprechen zu mir herübergebeugt. Sein Eau de Cologne war nicht unangenehm.

»Ihr Artikel über die hiesigen Milliardäre hat mir gut gefallen«, sagte er. »Recht amüsant. Witziges Detail, das mit Bob Lees erstem Geschäftspartner, der im Fundament des Hafentunnels endete.«

»Danke.«

Es entstand eine Pause. Es war nicht ganz die Sorte Kompliment, mit der ich gerechnet hatte. Trotzdem, wenn dem Chef des eigenen Chefs gefällt, was man geschrieben hat, mäkelt man nicht an der Form des Lobes herum. Dann sagte Oss:

»Aber wir können ihn leider nicht bringen.«

Mir verschlug es die Sprache. Ich habe ein paarmal gesehen, wie jemandem der Unterkiefer herunterfiel. Das kommt vor. Vermutlich passierte es mir bei dieser Gelegenheit.

»Was?«

»Vielleicht hätte ich sagen sollen, daß ich eine schlechte und eine gute Nachricht für Sie habe. Die schlechte Nachricht, wie gesagt, ist, daß wir Ihr Stück nicht bringen können. Hongkong befindet sich in einer extrem heiklen Situation. Dem Territorium stehen äußerst schwierige Zeiten bevor. Die Augen der Welt werden auf uns gerichtet sein, die Scheinwerfer sämtlicher Medien. Wir sind in einer Übergangsphase. In dreißig Jahren, wenn China das reichste Land der Welt ist, werden die Leute aufpassen, was sie sagen. Sie werden die Chinesen nicht leichtfertig provozieren. Im Moment glauben einige Leute, sie könnten alles sagen, jede Sorte Kritik üben, wie maßlos auch immer. Hongkong, beziehungsweise der künftige Wohlstand Hongkongs, hat viele Feinde. In dieser Form wird Ihre Geschichte Wasser auf die Mühlen dieser Leute sein. Es tut mir leid.«

Ich stürzte nach oben und holte tief Luft. Mir war schlecht. Wir bogen gerade um die Insel, das Wasser war ruhiger, daran konnte es also nicht liegen. Es war ein altes Gefühl aus der Kindheit. Man hatte mir etwas weggenommen. Ich fing an zu weinen.

Oss ließ mich ein paar Minuten allein und kam dann mit Champagner und einem Taschentuch nach oben.

»Ich bringe Sie nach Po Lam. Mr. Wo hat dort ein Haus«, sagte er.

»Toll! Super!« sagte ich. Er nickte. Wir sprachen erst wieder, als wir anlegten. »Das hier gehört zu der guten Nachricht.«

Ein solches Haus hatte ich noch nie gesehen. Wie auch. So viele Milliardäre kannte ich nun wirklich nicht. Wahrscheinlich hatte ich mir vorgestellt, daß Wo in einem dieser üblichen riesengroßen Anwesen wohnte. Tatsächlich war es ein modernes Haus, das ein bekannter chinesisch-amerikanischer Architekt entworfen hatte. Es schmiegte sich an einen terrassierten, bambusbestandenen Hang und hatte einen phantastischen Panoramablick über die Inseln. Ich saß allein im Wohnzimmer neben einer schicken Bang & Olufsen-Anlage, in der irgendeine minimalistische Musik lief. Oss hatte »ein paar Dinge zu erledigen«. Die einzigen Leute, die ich bislang gesehen hatte, waren vier schweigsame chinesische Diener in weißer Jacke und schwarzer Hose. Ich war ziemlich sauer, aber auch ziemlich neugierig. Das ganze Haus vermittelte eine Atmosphäre von Reichtum, wie ich sie noch nie erlebt hatte, intensiv und auf das Wesentliche reduziert – und das hieß nicht: Luxus oder sich alles leisten können, sondern Abgeschiedenheit. Hier war man abgeschottet von dem, was draußen in der Welt geschah. Es erreichte einen nicht. Es ging nicht darum, daß man geschützt war – denn das hätte impliziert, daß man gefährdet war, hätte also das genaue Gegenteil bedeutet. Es war eher so, daß einem die Welt nichts anhaben konnte.

Eine Tür, die ich nicht bemerkt hatte, ging auf, und Oss sagte:

»Dawn, kommen Sie bitte?«

Ich stiefelte los, das Klackern meiner Absätze im Ohr, und betrat ein Zimmer, vermutlich Wos Büro oder eines seiner Büros, riesengroß und sauber und hell. An einem mächtigen pseudoantiken Schreibtisch saß Wo, in Hemd und Krawatte und mit einer dicken Brille. Er stand auf und hielt mir, ohne zu lächeln, die Hand hin.

»Miss Stone«, sagte er.

»Mr. Wo, es ist mir eine große Ehre.«

Er zeigte auf einen Stuhl, einen Mies van der Rohe, glaube ich. Oss blieb stehen.

»Wir möchten Ihnen einen Job anbieten«, sagte Wo ohne Umschweife.

»Was?« sagte ich.

»Einen Job«, sagte er wieder.

»Auf der Fahrt hierher habe ich von den besonderen Herausforderungen gesprochen, denen Hongkong sich stellen muß«, sagte Oss. »Aus besonderen Herausforderungen ergeben sich besondere Chancen. Mr. Wos Unternehmen werden zwangsläufig Aufmerksamkeit erregen. Hongkong wird Medienvertreter aus der ganzen Welt anlocken. Zur Übergabe werden vermutlich mehr Journalisten anwesend sein als in Atlanta während der Olympiade. Wir möchten, daß jemand, der Erfahrungen mit den westlichen Medien hat, unsere Beziehungen zur Presse vernünftig und klug gestaltet. Ihre Aufgabe wäre es, sämtliche Unternehmen gegenüber den Medien zu vertreten. Sie würden für Mr. Wo arbeiten, aber in erster Linie mir unterstehen.«

»Das klingt, als wollten Sie mich abwerben.«

»Es handelt sich um ein seriöses Angebot.«

»Hört sich nach einem besseren PR-Job an.«

»Natürlich geht es in diesem Job nicht ohne PR. Aber

Sie werden weit mehr Einfluß und Macht haben. Sollte in Zukunft ein kleines Gespräch notwendig sein, wie wir es unterwegs geführt haben, dann wären Sie es, die die Entscheidung trifft.«

»Sehr schmeichelhaft, aber die Arbeit scheint mir doch recht begrenzt zu sein. Was passiert, wenn die Leute packen und wieder nach Hause fahren? Hole ich mir meine Papiere ab und steige in den Flieger nach Heathrow?«

Oss sah Wo an, der jetzt nickte. Für einen Moment hatte ich das Gefühl, er pflichtete mir bei, jawohl, ich würde tatsächlich in dem Jumbo sitzen, mit der Abfindung in der Brusttasche meines Armani-Jacketts.

»Mr. Wo besitzt Unternehmen in den verschiedensten Branchen, und nicht alle sind in Hongkong ansässig«, sagte Oss. »Überall auf der Welt bieten sich Gelegenheiten, und der kluge Geschäftsmann hat den gesamten Globus im Blick. Der kluge Geschäftsmann setzt in schwierigen Zeiten, also in Zeiten des Übergangs, auf möglichst breite Diversifizierung. Für eine engagierte, erfahrene Person wie Sie wird es viele Chancen geben. Mr. Wos Investitionen im Mediensektor bewegen sich schon im zweistelligen Millionenbereich, Pfund Sterling wohlgemerkt, zu einem nicht unerheblichen Teil in der anglophonen Welt. Mr. Wo ist ein einflußreicher Mann. Der Job, den wir anzubieten haben, ist außerordentlich interessant und mit beispiellosen Entfaltungsmöglichkeiten und sehr viel Macht verbunden.«

Dann sprach Oss über das Gehalt. So kam es, daß ich an diesem merkwürdigsten Tag meines Lebens beschloß, für Philip Oss und T. K. Wo zu arbeiten und für viel Geld. Das war mein vierter und größter Glücksfall.

Auf der Rückfahrt ließ sich Oss zunächst nicht blicken, doch nach einer Viertelstunde, genau in dem Moment, als ich enttäuscht feststellte, daß ich wohl die ganze Fahrt über allein sein würde, erschien er mit einer Flasche Champagner und zwei Gläsern.

»Na, was denken Sie?« fragte er.

»Worüber? Das Haus? Mr. Wo? Den Job?«

Sein Schulterzucken bedeutete: alles.

»Bißchen viel auf einmal. Ich bin etwas unsicher. Ich habe gern als Journalistin gearbeitet. Ein Teil von mir weiß nicht, ob es richtig ist, zur anderen Seite überzulaufen.«

Da lächelte er nur und wandte den Blick ab, schaute hinüber nach Hongkong, das in diesem Moment auftauchte, als wir um die Spitze von Lamma bogen. Vor uns lag Aberdeen, der Hafen wie eh und je vollgestopft mit Schiffen, als hätten sie dort überstürzt Unterschlupf vor einem drohenden Unwetter gesucht.

»Dort drüben war ein Wasserfall«, sagte Oss und zeigte auf eine Seite des Peak. »Der hat die Briten überhaupt angelockt. Sie brauchten frisches Trinkwasser für ihre Kriegsschiffe. Der Hafen auf der andern Seite war sozusagen eine Zugabe. Alles, was dann folgte, war eine Zugabe.«

Er lächelte wieder und stellte die Flasche ungeöffnet wieder auf den Tisch. Er sah mich scharf an, als wollte er mir sagen, daß er etwas wisse, was ich nie erfahren würde, und nahm dann meine Hand und führte mich hinunter.

ZWEITER TEIL

Tom Stewart

Erstes Kapitel

Meine Eltern besaßen in Faversham eine Kneipe. Der »Plough« war schon seit zwei Generationen in der Familie, als mein Vater ihn erbte. Das war nur bedingt ein Glücksfall, denn mein Vater war ein eigenbrötlerischer Bücherwurm und als Wirt einer florierenden Gastwirtschaft völlig ungeeignet. So jedenfalls hörte ich es von meiner Großmutter, seiner Mutter. Ich kann mich kaum noch an ihn erinnern. Ich wurde 1913 geboren, als er achtundzwanzig und meine Mutter dreiundzwanzig war. Zwischen 1916 und 1918 diente er bei den Kent Foresters, weil er wegen seiner schwachen Lungen nicht fronttauglich war. In diesen Jahren kümmerte sich Großmutter um mich, meine Schwester Kate und meinen Bruder David, während meine Mutter die Kneipe führte. Ich erinnere mich an spätabendliche Sonntagsspaziergänge mit ihr durch goldene, endlos weite Hopfenfelder, die einen intensiven Geruch verströmten. Ich erinnere mich an das »Willkommen daheim«-Schild, das Mutter kurz nach meinem fünften Geburtstag über der Haustür anbrachte. Jemand gab mir einen Schluck Bier zu trinken, der unangenehm streng und erwachsen schmeckte. Ich fand das Zeug ekelhaft. Mir war schlecht und schwindelig, und ich war wohl auch ein bißchen überdreht.

Kneipenwirte stecken sich oft bei ihren Gästen an. Neun Monate nach seiner Rückkehr aus dem Krieg starben Vater, Mutter und meine Schwester an Grippe. David war der einzige von uns, der verschont blieb. Er war immer sehr robust gewesen. Als ersten erwischte mich das Fieber, zehn Tage rauf und runter, bis ich schließlich wieder zu Kräften kam. Es gab ein Foto von uns sechs Stewarts, ein einziges Foto, mein Vater schmal und nervös, meine Mutter strahlend, wir drei Kinder in unterschiedlichem Zustand gelangweilter Zerstreutheit und, für die Kamera von 1919, in unseren besten Festtagssachen. Großmutter stand da wie eine verschmitzte Zauberin. Sie sah alt aus auf diesem Foto, war aber fünfundzwanzig Jahre jünger als ich heute.

Dann übernahm Großmutter die Kneipe, wie schon zu Lebzeiten ihres Mannes, und kümmerte sich um David und mich. Zum Glück ging der Laden so gut, daß sie eine Hilfskraft einstellen konnte, und als David und ich etwa zehn waren, sprangen auch wir ein. David gab mit seinen Muckis an, und er gewann auch jeden Kampf, auf den er sich einließ. Ich interessierte mich mehr für Lagerhaltung und Buchführung. Die Gäste konnten uns gut leiden und neckten uns, weil wir so unterschiedlich waren. Gemeinsam verkörperten wir die beiden grundsätzlichen Arbeitsweisen eines Schankwirts: ich hörte zu, David redete.

Eine wichtige Stütze des Geschäfts waren Reisende von und nach den Kanalhäfen. Meine Großmutter wies die Leute scherzhaft darauf hin, daß sie bei uns die letzte Gelegenheit hätten, ein anständiges englisches Bier zu trinken. Vielleicht war ich von Hause aus jemand, den es in die Ferne zog. Aber geweckt wurde dieser Wunsch durch den unablässigen Strom von Menschen, die geschäftlich oder zum Vergnügen oder auf der Suche nach einem anderen Leben unterwegs waren. Ich stürzte mich auf die Gäste, die regelmäßig bei uns Station machten, um mir Geschichten aus der Fremde erzählen zu lassen. Ein Handlungsreisender mit Namen Mr. Morris, der oft nach Paris fuhr, erzählte von den Franzosen, die Frösche und Schnecken und Blutpastete und Wurst aus Innereien aßen. Aus seinem Mund klang Calais so exotisch wie Timbuktu.

Von meinem Vater hatte ich einen Globus geerbt, ausgeblichen und stockfleckig, aber wunderschön detailliert in der Zeichnung. Mit seiner etwas schrägen Achse sah er aus wie ein geneigter Kopf. Stundenlang drehte ich ihn und dachte mir Geschichten über all die vielen Orte aus, die darauf verzeichnet waren. Manchmal las ich nur die Namen laut vor. Khartum. Wladiwostok. San José. Chile. Tasmanien. Aber es war China, das meine Phantasie richtig beflügelte. Schon der Klang dieses Namens hatte es mir angetan.

Wenn ich Zeit für mich hatte, wanderte ich zur Küste und schaute von Whitstable oder Sheppey aus über die Themsemündung. David zog es zu den Sandstränden im Süden, mir hatten es die weiten Blicke im unberührten Norden angetan. Ich fand es schön, die vorüberfahrenden Schiffe zu beobachten, vor allem die robusten, flachen Themsekähne, deren nüchtern-vernünftige Fortbewegung etwas Romantisches hatte. Ich mochte den hohen Himmel über der Flußmündung, die flache Landschaft und die Weite. Dort fühlte ich mich klein und geborgen, und dort packte mich das Fernweh.

Meine Großmutter, die nie aus Kent herausgekommen, nie im sechzig Kilometer entfernten London gewesen war, verstand mich sofort.

»Dort draußen ist die Welt, all das kannst du dir ansehen. Wer will schon sein ganzes Leben an einem Ort zubringen.«

»Faversham ist doch nicht übel«, sagte David, wenn er uns hörte. »In Afrika gibt's Menschenfresser. Die kochen dich in einem großen Kessel.«

Ich fing an, Geld zu sparen. Mit achtzehn wurden David und ich am Gewinn der Gastwirtschaft beteiligt. Es war nicht viel, reichte aber als Taschengeld und für Kleinigkeiten. Ich sparte alles. Eines Tages dann kam Mr. Morris, und er sah ernster aus als sonst. Er gehe weg, sagte er, er sei zum letztenmal hier, wir würden ihn so bald nicht wiedersehen. Ich stand hinter dem Tresen, trocknete Gläser ab und fragte, wohin er fahre.

»Hongkong. Gehört zu China.«

»Und wieso?«

»Beruflich. Ein Stellenangebot.« Nach einer Weile fügte er hinzu: »Die Weltkarte ist rot. Als Engländer kann man überallhin.«

Als ich einundzwanzig wurde, traf ich mit David eine Vereinbarung. Jeder von uns besaß ein Drittel des Plough, das übrige Drittel gehörte Großmutter. David würde mir die Hälfte meines Anteils in bar auszahlen, sobald er die Summe aufgetrieben hatte. Einmal jährlich würde er mir mein Sechstel des Gewinns überweisen, bis er soviel zusammenhatte, um mich auszahlen zu können.

»Großmutter wird es nicht gefallen«, sagte er. Wir saßen auf der Gartenmauer, eine halbe Stunde Fußweg von der Kneipe entfernt. David baumelte mit seinen kurzen Beinen.

»Och, glaub ich eigentlich nicht«, sagte ich.

Ich war begeistert von meinem Vorschlag. Mit Davids Geld plus meinem Ersparten wollte ich meine Auslandsreise finanzieren. Allerdings hatte der Plan einen Haken: er machte mich abhängig von der Sparfähigkeit meines Bruders. In Gelddingen war David ein Faß ohne Boden. In den nächsten Monaten wurde ich fast verrückt, wenn er zum Pferderennen ging oder mit einem neuen Hemd nach Hause kam oder laut von einem Autokauf träumte. Ich zwang mich, den Mund zu halten, ärgerte mich statt dessen und plante. Ich trennte mich von meiner Freundin Monica Potts, weil es mir brutal erschien, unser Verhältnis bis zu meiner Abreise in die Länge zu ziehen, und sah sie schon bald mit Eric Perks gehen, dessen Vater die erste Autowerkstatt in Faversham hatte. Ich kaufte mir einen Koffer und probierte schon einmal, meinen ganzen Besitz darin zu verstauen. Vor dem Spiegel übte ich Gesichtsausdrücke ein – wie ich sie mir bei einem Reisenden vorstellte: belustigt, ruhig, distanziert, erfahren, geheimnisvoll. Ich wollte schon längst abgereist sein, stand aber frustriert hinter dem Schanktresen. Ein Jahr lang litt ich still vor mich hin.

An meinem zweiundzwanzigsten Geburtstag, im Sommer 1935, hielt ich es nicht mehr aus. Ich fragte David, ob er auf einen Spaziergang mitkäme. Wir gingen wieder in den Garten und schwangen uns auf die bröckelige Mauer.

»Hör zu, David«, sagte ich. Er kramte in seiner Jackentasche nach seinen Zigaretten und sah mich dabei an, als müsse er einen Wutausbruch unterdrücken. »Die Sache ist die ...«

Ich holte tief Luft, und in diesem Moment brach David in Gelächter aus. Nun war ich es, der wütend wurde. Er lachte noch eine Weile, zog dann einen dicken Umschlag aus der Jacke und gab ihn mir. Ich machte ihn auf. Zwanzig Zehner waren darin – zweihundert Pfund. Die Scheine waren riesig, so große hatte ich noch nie gesehen. Es war mein vereinbartes Sechstel am Plough.

»David ...« fing ich an. Er schüttelte bloß den Kopf.

»Stehst das ganze Jahr da und ziehst ein Gesicht«, sagte er. »Es ist so einfach, überheblich zu werden. Es macht keinen Spaß.«

»Zweihundert Pfund? Woher?«

»Geht dich nichts an«, sagte er abweisend. Ich habe es nie herausgefunden. Einen Teil hatte er sich wohl geborgt, den Rest beim Pferderennen gewonnen.

Zweites Kapitel

Die *Darjeeling*, ein Dampfer der P&O-Linie, sollte im September von Tilbury via Marseille, Aden und Kalkutta nach Hongkong fahren. Ich kaufte mir für fünfunddreißig Pfund ein Schiffsbillett. Als ich Großmutter davon erzählte, stand sie gerade in der Küche des Plough und machte Tee. Sie ließ keine Regung erkennen, fragte mich nur, wie lange ich wegbleiben wolle. Das wisse ich nicht, sagte ich. Und zum erstenmal merkte ich, wie sehr es sie traf, daß ich weggehen wollte. Bislang hatte ich alles getan, das zu übersehen. Später gab sie mir eine goldene Halskette, die ihrer Mutter gehört hatte.

»Für alle Fälle. Kannst sie verkaufen, wenn du Geld brauchst. Damit du nach Hause kannst.« Die nächsten Wochen waren schwierig.

Ich verabschiedete mich schon im Plough von allen.

»Viel Glück, Kleiner«, sagte David, als wir uns die Hand gaben.

»Schreib«, sagte Großmutter. »Mach's gut, und halt die Augen offen. Schreib.«

Am Ende hatte ich zwei Koffer, nicht nur den einen. Ich nahm den Zug nach London Bridge und von dort aus, zum erstenmal in meinem Leben, ein Taxi. London war exotisch, laut und grau. Im Hafen herrschte ein Menschengewimmel, wie ich es noch nie erlebt hatte. Ein Zollbeamter, der in seiner makellosen Uniform wie ein Filmschauspieler aussah, inspizierte meinen nagelneuen, glänzenden Paß und wies mir dann den Weg zur *Darjee-*

ling, die sehr viel kleiner und unspektakulärer war, als ich erwartet hatte. Vor meinem geistigen Auge hatte ich eine zweite *Queen Mary* gesehen, einen schwimmenden Lichterpalast. Das hier schien nur ein besseres Trampschiff zu sein. Ich fragte den Mann, der die Kabinenplätze zuteilte, wie viele Passagiere an Bord seien.

»Einige«, sagte er, ohne von seiner Liste aufzusehen. Er war Schotte.

Ich hatte von Schiffsromanzen gehört. Die Reise nach Hongkong sollte sechs Wochen dauern. Er hatte den Plan für den Speisesaal, die Sitzordnung würde die ganze Reise über unverändert bleiben. Ich sagte:

»Sitzt eventuell eine alleinreisende Frau an einem Tisch? Bitte sagen Sie ja!«

»Ja, zwei Schwestern. Steigen in Marseille zu.« Er gab mir das Billett zurück und warf mir dabei einen belustigten Blick zu. Ich nahm das als Zeichen heimlicher Kumpanei oder allgemeinen Mitgefühls.

Meine Kabine war winzig. Da das Schiff aber nicht vollbesetzt war und ich die Kabine für mich allein hatte, konnte ich mir aussuchen, ob ich die obere oder die untere Koje nehmen wollte. Es gab ein Waschbecken und einen Stuhl und eine handtuchgroße Duschkabine, in der überdies noch ein WC untergebracht war. Später stellte ich fest, daß der Klappstuhl bei rauher See knarrte und wackelte.

An diesem ersten Tag wurde kein Abendessen serviert. Man ging davon aus, daß wir uns »schon verpflegt hätten«, wie der Zahlmeister erklärte. Der war ein korpulenter, schmieriger Mann, dessen Uniformknöpfe immer poliert waren und dessen Haut oft feucht schimmerte. Er hatte etwas leicht Korruptes an sich, was mir mit der Zeit als Charakteristikum seines Berufs erschien. Da ich seit dem Frühstück nichts mehr gegessen hatte, spürte ich, als ich beim Ablegen an der Reling stand und Abschied von England nahm, keine erhabenen Gefühle, sondern eher eine quälende Leere im Magen. Die meisten Passagiere und einige Besatzungsmitglieder winkten Angehörigen zu. Ein elegantes junges Paar wurde von beiden Elternpaaren verabschiedet, die am Kai standen, bis wir in einem großen Bogen die Themse erreichten und nun nicht mehr zu sehen waren.

Selbst der spöttische Schotte, der mir meine Kabine zugeteilt hatte, der Dritte Offizier, wie ich inzwischen wußte, stand an der Reling und beobachtete die zurückweichende Küste. Ich fühlte mich einsam und fand auch zum erstenmal, daß meine Entscheidung etwas unbesonnen war. Ich blieb auf Deck, während wir weiter in Richtung Meer fuhren. Unser Lotsenschiff hatte in dem kabbeligen Gewässer sichtlich Mühe. Bald passierten wir Sheppey, und ich blickte auf all die Orte zurück, die ich an Sonntagnachmittagen so gern besucht hatte. Wieviel Freude hatte es mir gemacht, Schiffe zu beobachten, die in die Welt hinausfuhren. Nun war ich selbst auf einem. Vom Festland aus schien die Themsemündung befahrener zu sein, als es jetzt, von Deck aus, den Anschein hatte. Hier draußen auf dem Wasser war mehr Platz, mehr Licht, mehr Wetter. In der Dämmerung verwandelte sich die Küste in eine lange, flache Linie, die schließlich im Meer verschwand. Ich ging hinunter in meine Kabine und zählte die Stunden bis zum Frühstück.

An Bord ging es steifer zu, als ich erwartet hatte. Vielleicht fürchtete man sich vor der Intimität und den Möglichkeiten einer Schiffsreise und schützte sich durch bewußte Förmlichkeit. Ich reiste in der ehemaligen Kategorie »Standard«, die nun Touristenklasse hieß. Dieses Wort, Tourist, war neu. Die Passagiere der ersten Klasse taten, als befänden sie sich auf einem anderen Schiff. Ich warf einen Blick in ihren Salon, tat dabei, als hätte ich mich verirrt, und konnte meinen Augen nicht glauben: es war der Speisesaal eines schottischen Herrensitzes, bis hin zum Kamin, der getäfelten Decke, den Ledersesseln, den Leuchtern an der Wand und dem ausgestopften Hirschkopf. Ein Mann im Tweedanzug ließ die Zeitung sinken und musterte mich. Wir starrten uns mit unverhülltem Klassenhaß an, dann hielt er sich die Zeitung mit vernehmlichem Räuspern wieder vor die Nase.

Das Frühstück an diesem ersten Tag war eine Katastrophe. Ich vertilgte zwei komplette Portionen, und danach war mir so schlecht, daß ich das Mittagessen ausließ, während wir durch die Biskaya schlingerten. Ich war sicher, daß mich die Seekrankheit erwischen würde. Wie sich zeigte, war mein Zustand ausschließlich eine Folge von allzu reichlichem Essen. Ich verbrachte den ganzen Tag auf Deck in einem Liegestuhl, las *Kim*, in dem Glauben, das Buch werde mich auf das Leben in Asien vorbereiten, und am Abend hatte ich mich wieder erholt, war bereit für das erste offizielle Dinner.

Der Speisesaal war hell, ein ansprechender Raum mit schweren, festmontierten Möbeln. Jeder Tisch bot Platz für zwölf Passagiere, einige waren noch nicht komplett belegt, da in Marseille weitere Passagiere zusteigen würden. An unserem Tisch waren drei leere Plätze. Zwei gehörten den Schwestern, die in Marseille dazustoßen würden. Der dritte gehörte einem freundlichen Hauptmann der Artillerie, der dieses erste Abendessen ausließ. Er schien nur in unregelmäßigen Abständen Nahrung zu brauchen, da er oft Mahlzeiten ausließ. Außer mir waren acht Personen anwesend. Das elegante Paar, das ich ihren Eltern beim Abschied hatte zuwinken sehen, die Scott-

Duncans, fuhren nach Bombay, wo der Mann eine Stelle in der Kolonialverwaltung antreten würde. Aus dem, was gesagt und angedeutet und verschwiegen wurde, schloß ich, daß er offenbar sehr gute Examina abgelegt hatte. Die Scott-Duncans hatten vor sechs Wochen geheiratet. Beide waren gescheit und ruhig und scheu. Sie schienen sich dennoch schon mit einem jungen Australier namens McCague angefreundet zu haben, der vier Jahre in Oxford studiert hatte und jetzt via Hongkong zu seiner Familie nach Adelaide heimkehrte. Er hatte jenes australisch-irische Gesicht, bei dem in jungen Jahren die Ohren auffällig groß sind, später aber, wenn es voller wird, die Proportionen sich angleichen. Cooper und Porter, zwei junge Männer, einander zum Verwechseln ähnlich und beide wie aus dem Ei gepellt, würden in der Hong Kong and Shanghai Bank arbeiten. Ein weiterer junger Mann, Tuttle mit Namen, etwas ungepflegter, sollte eine Stelle bei Jardine Matheson antreten, einem der Hongs, wie er sagte. Ich hatte keine Ahnung, was damit gemeint war.

Schließlich saßen noch die Marlers an unserem Tisch. Ich weiß nicht mehr, wie viele Paare ich kennengelernt habe, bei denen die Untugenden des einen mit den Tugenden des anderen Partners zusammengehen – Ruppigkeit und Charme, Lebhaftigkeit und Zurückhaltung, Reden und Zuhören, Egoismus und Rücksichtnahme, Unfreundlichkeit und Freundlichkeit, Geiz und Großzügigkeit, Verschlossenheit und Offenheit, Reizbarkeit und Umgänglichkeit. Vermutlich sucht man sich einen Partner, der ausdrücken kann, womit man selbst Schwierigkeiten hat. Die Marlers waren so ein Paar. Er war ein derber Yorkshire-Mann, der sich als Geschäftsmann bezeichnete, ohne genauere Angaben zu machen. Er war ungefähr fünfzig und so breit wie lang. Seine Frau war etwas größer, und wenn sie sprach, dann fast nur, um ihn zu ermahnen, ruhig zu sein, anderen Leuten nicht ins Wort zu fallen, und wenn Marler jemanden einzuschüchtern versuchte, lächelte sie dem Betreffenden ermunternd zu. Sie war vielleicht zehn Jahre jünger als er.

Die Atmosphäre an Bord und der Unterschied zwischen den Schiffsklassen waren schon beim allerersten Dinner Gesprächsthema. Das war Marler zu verdanken, der zu allem eine Meinung hatte und nicht zögerte, sie jederzeit auszusprechen. Er bildete sich viel auf diese Sorte Direktheit ein.

»Ich könnte es mir ja leisten, erster Klasse zu reisen. Das ist keine Angeberei, sondern eine schlichte Tatsache. Ich habe gerade ein Pfund für eine Flasche Bordeaux bezahlt. Der Wein war erstklassig, und ich habe das Geld gern dafür ausgegeben. Er war es wert. Hundert Pfund für eine Schiffspassage nach Hongkong, wenn man mit demselben Schiff in demselben Wetter für ein Drittel des Preises fahren kann, ist für meine Begriffe kein Luxus, sondern bloß törichte Geldverschwendung.«

All das wurde in einem Tonfall geäußert, als habe jemand das Gegenteil behauptet und er, Marler, habe nun die Pflicht, dagegenzuhalten. Wurde die Diskussion von niemandem in Gang gesetzt, fing Marler eben von sich aus an.

»Wenn die Leute kein Geld mehr ausgeben, kommt das ganze Wirtschaftsleben zum Erliegen«, sagte einer der Männer von der Hong Kong Bank.

»Albert«, sagte Mrs. Marler mit warnendem Unterton in der Stimme. Sie wußte, was nun folgen würde.

»Was verstehen Sie schon vom Wirtschaftsleben, junger Mann, Sie sind doch gerade im Begriff, Ihre erste Stelle anzutreten. Ich habe ein Geschäft aufgebaut, im Schweiße meines Angesichts. Vierzig Jahre lang früh aus den Federn, spät ins Bett, ich weiß also, was Geld wert ist, und ich werde nicht in einem bequemen Sessel sitzen und den Geist aufgeben. Ganz egal, was ein hergelaufener Grünschnabel mir über die sogenannte Wirtschaft erzählen will.«

»Ich war dort«, sagte ich. »Im Salon der ersten Klasse. Dort liegt ein Tigerfellteppich.«

Alle sahen mich an. Mrs. Marler lächelte.

»Ganz recht«, sagte sie. Jemand lenkte das Gespräch auf ein anderes Thema.

Die nächsten Tage war schlechtes Wetter. Es war kein richtiger Sturm, aber doch ein so heftiger Seegang, daß den meisten Passagieren schlecht wurde. Ich stellte fest, daß ich »seetüchtig« war, wie es hieß, denn ich wurde nicht seekrank. Damals war das keine Lappalie. Ich bin vielen Leuten begegnet, denen schon beim Gedanken an die Fahrt in die Kolonien oder die Heimreise nach England außerordentlich unwohl war.

Das Schiff hatte eine kleine Bibliothek, die bei diesem Wetter verwaist war. Nachdem ich *Kim* so schnell ausgelesen hatte wie sonst nie ein Buch, sah ich mich in der Bibliothek um. Die meisten Titel hatten mit dem Orient zu tun. Jeder Richter, der in Indien gedient, jeder Soldat, der einen Aufstand niedergeworfen hatte, schien anschließend seine Memoiren geschrieben zu haben. Von den anderen Autoren war mir eigentlich nur der Name Somerset Maugham bekannt. Ich nahm *Of Human Bondage* aus dem Regal und verbrachte damit die Zeit bis zur Ankunft in Marseille.

Das Schiff sollte einen halben Tag im Hafen liegen. Die beiden Männer von der Hong Kong Bank, der Jardines-Mensch und ich beschlossen also, uns die Stadt anzusehen.

Bei der Paßkontrolle gab es ein kleines Hin und Her um Transitvisa und dergleichen, das der Jardines-Mann aber durch erstaunlich fließendes, selbstbewußtes Französisch löste, und dann durften wir in die Altstadt losziehen. Es war wirklich ganz anders als in England, das fiel einem sofort auf. Das Licht, die Gerüche, die Menschen, alles war anders.

Ich hatte mir vorgenommen, die Information über die beiden Schwestern für mich zu behalten. Vielleicht würden die anderen dem Alkohol zusprechen und angeheitert und lärmend zum Abendessen erscheinen, vielleicht würden sie sich in Marseille den Bauch vollschlagen und das Dinner ganz auslassen. So oder so, durch mein Geheimwissen würde ich wesentlich im Vorteil sein, wenn es darum ging, den entscheidenden ersten Eindruck zu machen.

Damals fiel es mir schwer, etwas für mich zu behalten. Die beiden Männer von der Hong Kong Bank fingen sofort an, »oh, là là!« zu rufen, sobald sie eine Französin unter sechzig sahen, die allein unterwegs war. Wir saßen in einem Café, der Jardines-Mann bestellte für alle Bier, das eiskalt war. Eine junge Frau mit einem Sonnenschirm über der Schulter kam vorbei und warf uns einen kühlen Blick zu.

»Oh, là là!« sagten die beiden jungen Bankleute.

»Möglicherweise werden wir so was auch an Bord erleben«, sagte ich. Ich konnte nicht widerstehen.

»Was soll das heißen?«

»Ach, Gerüchte.«

»Was für Gerüchte?«

Betont interessiert beobachtete ich das Straßenleben.

»An unserm Tisch fehlen noch zwei Passagiere.«

Darüber war schon offen spekuliert worden.

»Ich weiß zufällig, daß zwei bezaubernde junge Schwestern hier an Bord gehen, die allein ihre große Reise in den Orient unternehmen.«

Diese Ankündigung hatte genau die erhoffte Wirkung. Alle drei Männer lehnten sich zurück. Der Jardines-Mann erholte sich als erster und sagte staunend: »Die Fangflotte.« Das war der Jargonausdruck für heiratsfähige junge Frauen, die an Bord von P&O-Schiffen nach Asien fuhren, um sich einen Mann zu angeln. Die Erfolglosen, denen man auf der Rückreise begegnete, hießen »Leergut«.

»Woher wissen Sie das?«

»Ich hab meine Quellen.«

Meine Gefährten waren weniger freudig erregt, was ich vermutlich erwartet hatte, eher nachdenklich. Damals wußte ich noch nicht, daß das Leben eines Angestellten draußen in den Kolonien nicht sehr viel anders war als das eines jungen Offiziers, in dem Sinne, daß es sich in engen sozialen Grenzen abspielte und nur wenig Gelegenheit bot, junge Frauen kennenzulernen. Die beiden Bankmenschen beispielsweise würden in der »Messe« wohnen – der Firmenunterkunft für jüngere, ledige Angestellte. Der Gedanke an junge Frauen stürzte sie in sehnsuchtsvolle Selbstzweifel, die natürlich von wildromantischem Optimismus durchzogen waren. Sie hatten Jungeninternate besucht und waren, was Frauen anging, völlig unwissend.

»Was wissen Sie denn sonst noch über die beiden?«

Ihre Reaktion ernüchterte mich. Die freudige Erregung hatte sich gelegt. Für sie schien das eine äußerst ernste Sache zu sein. Sie wirkten sogar ein wenig konsterniert. Die an die Reise geknüpften Erwartungen wurden durchgeschüttelt.

»Ich hab schon alles erzählt. Ich habe keinen Schimmer.«

Ganz offensichtlich glaubten sie mir nicht. Die nächsten Stunden schlenderten wir wortlos durch Marseille, die »Oh, là là!«-Rufe blieben aus. Wir besichtigten die Seemannskirche auf einer Anhöhe. Der Ausblick über die dramatisch geschwungene Bucht und der Gedanke an die zahllosen Matrosen, für die dieser Blick das letzte war, was sie vom Festland gesehen hatten, ernüchterten uns. Wir aßen, noch immer nüchtern, in einer Brasserie am Alten Hafen, an die ich mich weniger des Essens wegen erinnere, obwohl auch das überraschend gewesen sein muß, als wegen der völlig anderen Art des Kneipenbetriebs.

»In England gibt's so was nicht«, sagte ich zu meinen Gefährten.

Dann schlenderten wir betont lässig umher, wie das junge Leute so unvergleichlich gut können.

»Ich glaube, ich werde mich vor dem Essen noch ein bißchen frisch machen«, sagte Cooper. Potter, mit dem er die Kabine teilte, stimmte zu. Der Jardines-Mann murmelte etwas von einem kurzen Nickerchen. Keiner von uns war wirklich entspannt.

Um halb acht ging ich in den Speisesaal, den Drink an der Bar ließ ich allerdings aus, um keinen falschen Eindruck zu erwecken. Ich hatte Geschichten von Männern gehört, die sich in den Kolonien veränderten, und wollte nicht schon früh damit anfangen. Meine drei Gefährten saßen schon am Tisch. Die anderen Plätze wurden im Laufe der nächsten Viertelstunde eingenommen. Unser Kellner kam mit einer Terrine, aus der er jedem Suppe auftat. Ich führte gerade den Löffel zum Mund und beugte den Kopf über meinen Teller, als ich die Schwingtüren aufgehen hörte. Mir war sofort klar, auch ohne hinzusehen, daß die beiden Schwestern den Saal betraten. Ich setzte mich aufrecht. Der Dritte Offizier hatte eindeutig gelogen – die eine war Europäerin und die andere Chinesin –, andererseits aber die Wahrheit gesagt, denn beide trugen graue Ordenstracht, waren also Missionsnonnen.

Drittes Kapitel

Sie hießen Schwester Maria und Schwester Benedicta. Sie gehörten dem Missionsorden der Verkündigung Unserer Lieben Frau an. Dieser Orden, Anfang des neunzehnten Jahrhunderts gegründet, hatte seinen Sitz in Frankreich und unterhielt vor allem Missionsschulen in Asien und Afrika.

Schwester Benedicta war die ältere der beiden. Sie war eine drahtige Französin, Mitte Vierzig, und bekleidete einen hohen Rang in ihrem Orden. Auf mich wirkte sie einschüchternd, nicht zuletzt, weil sie sehr direkt und gut informiert war und sich für weltliche Dinge interessierte – später erwartete ich dies bei katholischen Ordensleuten, bei dieser ersten Begegnung war es jedoch ein Schock. Schwester Benedicta war vor allem politisch interessiert, und ihre Sympathien galten provozierenderweise stets den Einheimischen. Sie machte keinen Hehl aus ihrer Ansicht, daß wir jungen Männer allesamt zu dem Typus gehörten, der in die Kolonien fuhr, um dort ein Vermögen zu machen. Ein Typus, für den sie natürlich nicht viel übrig hatte. Nur einmal, in einem Gespräch über Französisch-Indochina, hörte ich sie indirekt Sympathien für eine Kolonialregierung äußern. Hätte ich nicht so viel Angst vor ihr gehabt, hätte ich sie sehr nett gefunden.

Schwester Maria war die chinesische Nonne. Sie war mehr oder weniger in meinem Alter, kräftig und zugleich zart, aufgeweckt, nicht hübsch, eher perfekt, wie es feingliedrige Chinesinnen oft sind. Ihre Geschichte erfuhr ich erst sehr viel später. Sie stammte aus einem landeinwärts gelegenen Teil der Provinz Fukien, einer wilden Gegend, aus der viele berüchtigte Piraten kamen. Nach dem frühen Tod ihrer Eltern wurde sie zu Verwandten nach Kanton geschickt. Ein Zweig der Familie war zum Katholizismus übergetreten; sie nahmen sie auf und schickten sie auf eine Missionsschule, wo sie ihre innere Berufung und ihre Sprachbegabung entdeckte.

»Es ist die Gabe, in fremden Zungen zu reden«, erklärte sie. Sobald sie über religiöse Dinge sprach, wurde sie gewichtig und ernst, als wirkte eine ganz andere Schwerkraft auf sie ein. Neben ihrer leichten hatte sie auch diese pompöse Seite, und sie konnte blitzschnell umschalten. Ich habe mich nie daran gewöhnt.

Maria war als Achtzehnjährige dem Orden beigetreten und hatte in einer Missionsschule in Hongkong gearbeitet und dort auch fließend Englisch gelernt. Damals hatte sie noch einen leichten, sehr attraktiven chinesisch-französischen Akzent. Außerdem sprach sie Französisch, Mandarin, Kantonesisch sowie mehrere Varianten Fukienesisch und Chiu Chow. Sie machte kein Aufhebens davon, es war nichts Besonderes, sie konnte es einfach.

»Die Menschen interessieren sich mehr für das, was ihnen nicht liegt«, sagte sie einmal.

Die Ankunft der beiden Schwestern versetzte unseren Tisch in Aufregung, aber anders, als ich es erwartet hatte. Die beiden Männer von der Hong Kong Bank und der Jardines-Mann – die Junggesellen, zu denen auch der abwesende Offizier gehörte – zogen mich noch ein paar Tage lang auf und vergaßen die Sache dann, kamen nur noch gelegentlich und scherzhaft und in der Vergangenheitsform darauf zurück, wie auf einen Streich, an den man sich aus seiner Schulzeit erinnert. (»Toller Witz!« sagte ich zu dem grienenden Dritten Offizier, dem Schotten, als wir uns das nächstemal sahen.) Der Umgang mit den Nonnen fiel ihnen erstaunlich leicht, auch wenn Schwester Benedicta dem Typus des vielversprechenden jungen Engländers offene Skepsis entgegenbrachte. Wahrscheinlich hatten sie sich – durch Kindermädchen, Hausmütter und Ehefrauen von Präfekten – gewisse Formen des Umgangs mit Frauen in halboffizieller Funktion angeeignet. Sie waren höflich und interessiert, wenn Schwester Benedicta über politische Themen sprach. Bald hatte der Jardines-Mann eine Technik entwickelt, auf ihre Ansichten – Angriffe wäre übertrieben – über Britisch-Indien zu reagieren, indem er harmlose Fragen über das Regime in Hanoi oder Algier stellte.

Doch von Harmonie und Frieden konnte an unserem Tisch nicht die Rede sein, im Gegenteil. Das Erscheinen der beiden Missionsschwestern schien Marler aus irgendeinem Grund an einem wunden Punkt zu treffen. Von Anfang an verhielt er sich wie jemand, den man über die Maßen provoziert hatte. Seine ersten Worte an die beiden waren:

»Na, unterwegs, um Seelen zu retten?«

Das kam so barsch heraus, fast schon beleidigend, daß wir anderen einfach lachten, als wäre es nur eine bewußte Übertreibung seiner üblichen Direktheit, ein ungeschickter Versuch, humorvoll zu sein. Daß man bei der ersten Begegnung mit fremden Menschen so unhöflich sein konnte, schien unvorstellbar. Selbst seine Frau schaute verlegen. Doch das störte Marler nicht im geringsten, und schon bald kam es zum ersten richtigen Streit. Und zwar beim Abendessen tags darauf. Schwester Benedicta fragte den Offizier, welche Gegend Indiens sein Ziel sei. Der Pandschab, sagte er.

»Ah, das Grenzgebiet zu Afghanistan. Sehr unruhig, für Sie Briten seit langem sehr problematisch. Die Eingeborenen sind so undankbar, nein?«

Viele von uns dachten vielleicht, das ist jetzt ein bißchen happig, wir haben uns ja gerade erst kennengelernt, aber alle lächelten höflich – bis auf Marler.

»Ich finde diese Bemerkung überaus unhöflich«, erklärte er laut.

Schwester Benedicta warf ihm einen kühlen französischen Blick zu.

»Sie bestreiten, daß Sie die sogenannte Nordwestprovinz Indiens nicht in Ihrer Gewalt haben?«

»Wir haben der halben Welt Recht und Ordnung gebracht. Wir Briten haben das Land zivilisiert, vorher gab es kein Indien. Spöttische Bemerkungen einer Bürgerin einer weniger erfolgreichen Macht, die unsere Leistungen in Wahrheit nur deswegen kritisiert, weil sie von Briten und nicht von Franzosen vollbracht wurden, kann ich nicht akzeptieren. Und was die katholische Kirche angeht, die systematisch Aberglauben, Götzenwesen, Unwissenheit und Hokuspokus verbreitet, wo immer sie auftritt – diese ganze Institution mit ihren habgierigen, korrupten Priestern und ihren leichtgläubigen Massen wirft einen düsteren Schatten über die Erde. Ohne sie würde es der Welt bessergehen.«

»Hokuspokus trifft es genau. Der Ausdruck ist abgeleitet von *Hoc est corpus meum*«, sagte Schwester Maria.

»Es ist beneidenswert, so selbstbewußt über Themen sprechen zu können, von denen man so wenig versteht«, sagte Benedicta. »Ich war einmal in Peschawar, dort haben wir eine kleine Mission, in der wir – im Rahmen unseres Auftrags, Aberglauben und Unwissenheit zu verbreiten – den Einheimischen medizinisches Wissen vermitteln«, sagte sie, an den Offizier gewandt, der ihr zuhörte, während er weiter von seiner Suppe aß. »Es gibt erstaunlich viele Brotarten, die Ihnen gewiß schmecken werden. Und was die Zivilisation angeht, die die Briten den Indern bringen«, fuhr sie, an Marler gewandt, fort, »so werden Sie feststellen, sofern Sie die Gelegenheit haben, sich dort eine Weile aufzuhalten, daß die Inder schon viele hundert Jahre zivilisiert waren, bevor das Römische Reich das Licht der Aufklärung in Ihr Heimatland brachte.«

Und so ging es immer fort.

Am nächsten Tag, während wir über das ruhige Mittelmeer in Richtung Suezkanal dampften, fand ein Wurfringturnier statt, an dem sich die meisten Passagiere beteiligten. Gewinnen konnte man ein Dinner für zwei Personen am Tisch des Kapitäns, Champagner inklusive. (Die Mahlzeiten waren im Kabinenpreis enthalten, Getränke mußten extra bezahlt werden.) Ich hatte mich mit Cooper zusammengetan.

»Wie fanden Sie's denn gestern abend?« fragte ich ihn.

»Schon merkwürdig«, sagte er. »Weiß nicht, ob man zu einer Frau so sprechen sollte, und wenn man noch so überzeugt ist, daß sie dummes Zeug redet. Na ja, Marler ist ein kleiner ungeschliffener Diamant, nicht?«

»Ein kleiner Rüpel«, sagte ich.

»Man muß mit den Leuten auskommen, wenn man in einem Büro arbeitet«, sagte er, irgendwie unvermittelt, wie mir schien.

Wir schafften es bis zum Halbfinale, wurden dann aber von den späteren Siegern hinausgeworfen, dem Zahlmeister und einem jungen walisischen Passagier. Der Zahlmeister besaß die körperliche Behendigkeit dicker Männer und viel Übung. Seine Würfe waren sehenswert.

An diesem Abend ging ich ohne besondere Gedanken zum Speisesaal, hoffte nur, es werde nicht wieder zu Streit kommen. In dieser Hinsicht stand mir eine mittlere Enttäuschung bevor.

Es begann ganz harmlos. Man sprach über die nächsten Tage und die Frage, ob sich in Aden die Gelegenheit zu einem Landausflug ergeben werde. Alles hing davon ab, wie schnell wir vorankamen.

»Ich wollte schon immer den Suk sehen«, sagte Mrs. Scott-Duncan errötend. Der junge Australier bemerkte beiläufig, wie sehr er sich auf die Fahrt durch den Suezkanal freue.

»Ein bemerkenswerter Triumph einer Vision, vielleicht noch bemerkenswerter als die technische Meisterleistung«, sagte Schwester Benedicta. »Ein Sieg der Vorstellungskraft über das rein Empirische. Lesseps war überzeugt davon, einen Kanal bauen zu können, weil er dank seiner historischen Forschungen wußte, daß schon die alten Ägypter es geschafft hatten, und er sicher war, daß alles, was in der Vorzeit anhand von ungefähren Berechnungen und durch den Einsatz von Sklaven erreicht worden war, auch französischen Ingenieuren möglich war. Viele Zweifler, nicht zuletzt einige Ihrer Landsleute« – Schwester Benedicta schien den Australier mit uns übrigen Angelsachsen in einen Topf zu werfen – »behaupteten ja, daß das Projekt selbstverständlich undurchführbar sei. Ein beliebter Einwand war, daß die Wüstenwinde den Kanal mit Sand füllen würden. Lesseps ließ sich davon natürlich nicht beeindrucken, vertraute seinen Berechnungen ebenso wie seiner Phantasie. Der Kanal ist ein so vollkommener Triumph von Vernunft und Glauben, daß es fast schon wie eine Parabel anmutet.«

»Typisch«, rief Marler sofort. »Die Franzosen verbergen

ihre imperialen Gelüste in einem Dunst von Thesen über dieses oder jenes. In Wahrheit ist es doch so: wir sind eine Weltmacht, Sie wollen eine sein.« Dann setzte er noch ein »Nichts für ungut« hinzu.

»Es geht nicht immer um Macht«, sagte Schwester Benedicta. Das brachte Marler nur noch mehr auf.

»Na hören Sie mal! Frankreich ist das machtbewußteste Land auf der Welt, das einzige, dessen Außenpolitik sich ausschließlich an den Interessen der Nation und der Machterweiterung orientiert. Macht ist genau das, worum es in der französischen Außenpolitik geht, schon vor dem Tyrannen Bonaparte.«

»Vernunft und Aufklärung sind universale Werte. Frankreich hat alles in seiner Macht Stehende getan, um sie zu verbreiten. Nicht jedes Land kann das von sich sagen.«

»Ich verstehe einfach nicht, wie eine Angehörige einer Institution, die so verkommen und rückständig ist wie die katholische Kirche, von Vernunft reden kann. Ihre Kirche verbreitet allenthalben Aberglauben und Unwissenheit. Apropos Macht, das ist doch das einzige, wofür Ihre Kirche sich in Wahrheit interessiert.«

Darauf antwortete Schwester Maria folgendermaßen:

»Besinn ich mich in schweigsam-süßen Stunden,
Ruf längst Vergangnes wieder auf den Plan,
Seufz ich um vieles, was ich nicht gefunden,
Klag neu im Schmerz um Zeit, die ich vertan.
Dann weint mein Aug, das trocken lang geblieben,
Um jeden Freund, den Todes Nacht verschlang,
Weint neu im Schmerz um längst erstickte Lieben,
Um manchen Seufzer, der verhallte lang.
Dann plagen wieder mich die alten Plagen,
Von Qual zu Qual zähl ich die Posten dann,

Addiere all die schon geklagten Klagen
Und zahle neu, als hätt ich's nie getan.
Doch denk an dich, mein Freund, ich unterdessen,
Ist alles wettgemacht, mein Schmerz vergessen.«

Betretenes Schweigen.

»Dieses Gedicht habe ich von Schwester Bernadette, einer irischen Nonne«, sagte Schwester Maria zu Marler. »Auch ihr ging es vermutlich nur um Macht.«

»Nun ja …«, sagte er, doch sie fuhr fort:

»Die Kirche hat mich aus Dunkelheit und Unwissenheit zum Licht geführt. Sie hat mich gelehrt, daß Gott mir ein Talent geschenkt hat, und durch seine Gnade kann ich andere Menschen an meinem Talent teilhaben lassen, indem ich ihnen Unterricht gebe.«

»Und indem Sie ihnen gleichzeitig haufenweise abergläubischen Unsinn eintrichtern.«

»Niemand trichtert meinen Schülern etwas ein. Bildung ist das Gegenteil von Unwissenheit.«

»Ich bin sicher, Sie haben große Talente, Schwester, und ich bin sicher, Sie vergeuden sie in einer rückständigen Institution.«

»Ich kann in meiner Stellung mehr Menschen erreichen als in irgendeiner anderen Institution auf dieser Welt.«

»Aber diese Leute könnten sehr viel mehr lernen, wenn sie nicht in einer Atmosphäre gefangen wären, die nach Aberglauben und Götzendienst schmeckt.«

»Im Gegenteil, unsere Schüler lernen schneller als in weltlichen Institutionen.«

»Das zu glauben fällt mir schwer.«

»Es ist aber so.«

»Man kann leicht etwas behaupten, das sich nicht beweisen läßt.«

»Wer hat gesagt, daß ich es nicht beweisen kann? Ich kann jemandem, der von einer Sprache überhaupt keine Ahnung hat, binnen weniger Wochen halbwegs brauchbare Grundkenntnisse beibringen. Jedem der hier anwesenden Herren. Ich würde es sogar bei Ihnen schaffen, Mr. Marler.«

»Auch das erscheint mir wenig glaubhaft.«

Daraufhin sagte Schwester Maria, und vermutlich nur deswegen, weil ich zufällig neben ihr saß:

»Ich kann diesem Herrn bis zu unserer Ankunft in Hongkong Grundkenntnisse in Kantonesisch beibringen.«

Marler lehnte sich prustend zurück.

»Passen Sie auf, was Sie sagen, Schwester, sonst ich nehme Sie beim Wort.«

»Fünfhundert Pfund würden die Kosten unserer Mission in Hongkong für gut ein Jahr decken«, sagte Schwester Benedicta.

Marler wurde ernst. Wenn es um Geld ging, verstand er keinen Spaß.

»Gut«, sagte er, »vielleicht ist das ja eine Gelegenheit für eine vernünftige Wette. Also, wie sieht's aus? Eine solche Summe können Sie natürlich nicht aufbringen. Vielleicht haben Sie Grundbesitz, der in Frage käme … nein, nein, das ist nicht der Punkt. Irgendwie wäre es falsch, vergleichbare Dinge zu setzen. Ware gegen Dienstleistung, das wäre doch sinnvoller. Ja, genau. Schwester Maria, wie wäre das: Wenn Sie gewinnen, erhalten Sie fünfhundert Pfund. Wenn ich gewinne, arbeiten Sie ein Jahr lang in meinem Büro in Hongkong. Was sagen Sie dazu?«

Schwester Benedicta und Schwester Maria sahen sich einen Moment an, dann sagte Schwester Benedicta:

»Einverstanden.«

»Ich vermisse hier etwas«, sagte ich. »Daß mich vielleicht jemand fragt, ob ich bei der Wette mitmachen will. Oder kommt es darauf nicht an?«

Schwester Benedicta schenkte mir einen gewinnenden Blick.

»Wir wollten uns nur über die Rahmenbedingungen einig werden, bevor wir Sie um Ihre unschätzbare Hilfe bitten.«

Meine Stimmung besserte und verschlechterte sich zur gleichen Zeit. Die Aussicht auf eine sechswöchige Kreuzfahrt mit Shuffleboardspiel und der Lektüre schlechter Bücher über die Geheimnisse des Orients hatte einiges für sich. Andererseits war mir von Anfang an klar gewesen, daß mich Schwester Maria interessierte. Ob Schwester Benedicta das schon bemerkt hatte? Ich sagte:

»Es ist eine große Verantwortung. Wenn ich versage ...«

»Mit Gottes Gnade können wir vollstes Vertrauen haben«, sagte Schwester Benedicta.

Ich gab nach. Ich erhob mich vom Tisch, leicht benommen und auch ein wenig beschwipst von dem Rotwein, den Marler bestellt hatte, um auf die Wette anzustoßen, als deren Gewinner er sich offenbar schon sah. Schwester Marias letzte Worte an mich waren:

»Morgen früh fangen wir an.«

»Sie dürfen nicht so viel Kaffee trinken«, sagte Schwester Maria. »Nur eine Tasse. Kaffee ist schlecht für das Gedächtnis. Das habe ich in Frankreich gelernt.«

Wir saßen in der Bibliothek, die wir in Beschlag genommen hatten. Sie schien ohnehin kaum benutzt zu werden. Wer in den Orient fuhr, war kein großer Leser. Wir hatten zwei Sessel an einen Tisch gerückt, auf den Schwester Maria einen ehrfurchterregenden Stapel von Büchern gepackt hatte, Wörterbücher vermutlich, und saßen nun einander gegenüber, während Schwester Benedicta sich in unserer Nähe zu schaffen machte. Einen Moment dachte ich, daß wir in den nächsten Wochen ständig beaufsichtigt würden, doch die ältere Nonne verschwand, sobald sie sich überzeugt hatte, daß alles seine Ordnung hatte.

»Damit werde ich leichter wach«, sagte ich. Durch das Fenster der Bibliothek konnte ich ein Stückchen völlig klares, helles Mittelmeerblau sehen.

»Am besten wird man wach, wenn man das Gehirn trainiert«, sagte Schwester Maria, öffnete ein großes Spiralheft und griff energisch zu ihrem Füllfederhalter. »Na, dann wollen wir mal. Sprechen Sie fremde Sprachen?«

»Nein.«

»Überhaupt keine? Reste von Französisch, Deutsch, Latein, das Sie in der Schule gelernt haben?«

Die richtige Antwort lautete: ja, an der Schule, wo Sprachen meine Lieblingsfächer waren. Im Plough mit ausländischen Gästen zu reden, gehörte zu meinen bevorzugten Tätigkeiten. In meiner Verärgerung und Niedergeschlagenheit sagte ich:

»Kein einziges Wort.«

»Ausgezeichnet. Am besten wäre natürlich, wenn Sie ein ausgebildeter, talentierter Linguist wären, ein Sprachwissenschaftler, idealerweise mit Erfahrungen im Erlernen von nichtindoeuropäischen Sprachen. Aber gar keine Erfahrung ist auch nicht schlecht. Dann muß man nicht so viel vergessen. Also, was wissen Sie über das Chinesische? Nichts? Sie brauchen nicht verlegen zu sein, das ist doch ganz normal.«

Ich signalisierte mit einer Handbewegung, daß ich nicht verlegen war, über die chinesische Sprache aber tatsächlich nichts wußte.

»Das Chinesische besteht im Grunde aus zwei völlig

verschiedenen Sprachen, die eine wird geschrieben, die andere gesprochen. Die Schriftsprache ist überall gleich, die gesprochene überall anders. Mit Hilfe der Schriftsprache kann ein Gelehrter aus Fukien mit einem Gelehrten in Peking korrespondieren, obwohl sie die Wörter, also die Schriftzeichen, völlig anders aussprechen, so wie ein Mathematiker in Moskau und ein Mathematiker in Paris ihre Gleichungen lesen können, auch wenn sie sich sprachlich nicht verständigen können. Aber die Schriftsprache ist komplex und voller Andeutungen und hat überhaupt nichts mit dem gesprochenen Kantonesisch zu tun, so daß wir uns damit nicht beschäftigen werden. Bis auf dieses eine vielleicht.«

Mit raschem, leichtem Strich zeichnete sie zwei Linien.

»Erkennen Sie einen gehenden Mann?«

»Irgendwie«, sagte ich.

Mit einem Querstrich und einer Linie, die wie eine Nase aussah, machte Schwester Maria die Figur etwas komplizierter.

»Kniet er?« fragte sie.

»Irgendwie.«

»Nein – er ist eine Frau.« Sie lachte – zum erstenmal hörte ich sie lachen, über einen eigenen Witz.

»Natürlich.«

»In der traditionellen chinesischen Gesellschaft nimmt die Frau eine untergeordnete Stellung ein. Und dieses Zeichen bedeutet Sohn. Und wenn wir die Frau und den Sohn zusammenfügen, dann haben Sie – was?«

»Familie«, sagte ich.

»Nicht schlecht geraten, aber wo ist der Vater? Nein, es bedeutet ›gut‹. Es kann auch ›lieben‹ bedeuten. Ich werde aber nicht weiter über die Schrift sprechen, ich wollte es Ihnen nur zeigen, damit Sie in den nächsten Tagen darüber nachdenken können, daß manche Dinge auf der ganzen Welt gültig sind und allen Sprachen gehören. Die Menschen haben einen Schöpfer, darum sind sie im Grunde sehr ähnlich.«

Da war er wieder, der missionarische Tonfall, mit dem sie schon von der »Gabe der Zungen« gesprochen hatte. Deswegen sagte ich:

»Ich dachte Ost ist Ost, und West ist West, und nie werden die beiden zusammenkommen.«

»Ihr Kipling wird überschätzt«, sagte sie. »So. Ich habe eine gute Nachricht für Sie. Englisch ist eine komplizierte Sprache mit vielen langen Wörtern. Das berühmteste Beispiel ist *antidish...«* – sofort kicherte sie wie ein Backfisch über ihren Versprecher – »*antidisestablishmentarianism.* Eine vernünftige Lehre, übrigens, die die Trennung von Kirche und Staat ablehnt, was auch den Beifall von Konfuzius gefunden hätte. Diese großen Wörter sind aber sehr schwer zu lernen. Im Chinesischen haben wir keine langen Wörter. Wir haben überhaupt keine Wörter, die länger sind als eine Silbe. Wissen Sie, wie viele Klänge man machen kann, die nicht länger als eine Silbe sind?«

Sie ging davon aus, daß ich wußte, was eine Silbe war. Das fand ich sympathisch. Später zeigte sich, daß ihr, was meine Französisch- und Deutschkenntnisse betraf, klar gewesen war, daß ich gelogen hatte.

»Ein paar hundert vielleicht.«

»Richtig. Etwa vierhundert. Bißchen wenig für eine ganze Sprache, finden Sie nicht?«

»Äh, ja, scheint mir auch so.«

»Genau. Und weil das Chinesische nur Einsilber kennt, bekommt jedes Zeichen verschiedene Bedeutungen, je nachdem, wie es ausgesprochen wird. Für Ausländer, die Chinesisch lernen, ist das oft ganz unverständlich, weil es ihnen so seltsam erscheint. Aber es ist überhaupt nicht seltsam. Frau und Sohn bedeutet gut. Die Menschen ähneln einander, und Sprachen auch. Wer lernen will, darf keine Angst haben, Angst ist das größte Hindernis. Auch im Englischen kann man ein Wort verschieden aussprechen. Hören Sie mal. *Hier!*« sagte sie mit Nachdruck, »ist nicht dasselbe wie *Hier?*. Das eine ist ein Befehl, das andere eine Frage. Der Unterschied liegt ihm Tonfall. Im Chinesischen wird der Tonfall sehr viel systematischer eingesetzt. Die Bedeutung eines Wortes ergibt sich aus dem Einsilber und dem Tonfall. Ja?«

Ich signalisierte mit einer Handbewegung, daß ich verstanden hatte – mehr oder weniger.

»Jedes Wort kann man auf sechs unterschiedliche Weisen aussprechen. Die Sprache besteht also aus vierhundert Einsilbern und sechs Intonationsarten – das sind etwa zweitausendvierhundert Wörter. Im Vergleich zum Englischen sehr, sehr einfach. Wir werden unsere Wette mühelos gewinnen. Zum Beispiel *yau yau yau*.«

»Wie?«

»*Yau yau yau*. Hören Sie den Unterschied? *Yau yau yau*.«

Irgendwie, ja. Das erste war gleichbleibend hoch, das zweite mittelhoch und dünn, das dritte gepreßt und fallend.

»*Yau* heißt Sorge. *Yau* heißt Farbe. *Yau* heißt Zwilling. Versuchen Sie's!«

Und so fingen wir an.

Ich hatte täglich acht Stunden Unterricht, vier vormittags, vier nachmittags. Jede Stunde dauerte vierzig Minuten, anschließend gab es fünf Minuten Pause, die ich meist damit verbrachte, an der Reling zu stehen oder auf Deck spazierenzugehen. Ich erinnere mich lebhaft an diese Pausen. Das unendliche weite Meer ringsum, die salzige Luft und die Sonne – ich fühlte mich jedesmal wie begnadigt.

Allmählich begann sich die Wette mit Marler herumzusprechen, die Leute nickten mir freundlich zu und wünschten mir Glück, jedenfalls die meisten. Ein Passagier, ein rotgesichtiger Mann, der nach Neuseeland unterwegs war, beschwerte sich nach einer Woche beim Zahlmeister, daß wir die Bibliothek in Beschlag nähmen. Der Zahlmeister versuchte ihn zu beruhigen, behauptete es zumindest, und bat dann den Kapitän um Vermittlung. Maria und ich und der rotgesichtige Mann wurden in die Kapitänskabine bestellt.

»Nun, was gibt's?« sagte der Kapitän, ein hochgewachsener, bedächtiger Mann, und stopfte sich dabei die Pfeife. Der Rotgesichtige beklagte sich ausführlich über uns, in unserer Gegenwart könne man »nicht mehr vernünftig lesen«.

»Dieses elende Gequieke ist schlimmer als eine Geigenstunde mit einem Anfänger«, sagte er.

Ich erklärte den Grund für meinen Kantonesisch-Schnellkurs.

»Soso, Sie wollen diese komische Sprache lernen«, sagte der Kapitän. Dann fummelte er, ohne aufzusehen, eine ganze Weile an seiner Pfeife herum. Schließlich sagte er:

»Sehr gut.«

Damit war die Sache beendet. Wir durften die Bibliothek benutzen. Maria und ich arbeiteten uns weiter voran.

Hin und wieder versuchte Marler beim Abendessen, mit stichelnden Bemerkungen gegenüber den beiden Nonnen auf die Wette zu sprechen zu kommen.

»Na, wie sieht's aus, mein Freund? Können Sie schon Hund bestellen, verschieden zubereitet?«

»Die Wette gilt. Es steht Ihnen nicht zu, darüber zu diskutieren«, sagte Schwester Benedicta. Marler verstummte, was das Höchste an Takt war, das er je erkennen ließ.

Auf Aden war ich sehr gespannt. (»Ein reines Produkt britischer Ängste nach dem außerordentlichen Erfolg Napoleons in Ägypten«, wie Schwester Benedicta erklärte.) Es würde eine willkommene Unterbrechung sein. Wie lange wir dort liegen würden, hing davon ab, ob wir Zeit aufholten. Also feuerte ich das Schiff an – es funktionierte. Wir kamen gut voran, passierten den Suezkanal und hatten einen ganzen Tag in der Stadt. Da ich allein sein wollte, entschuldigte ich mich mit einem Vorwand bei meinen drei Reisebekannten, den Bankmenschen, die mich wegen der Wette ohnehin sehr verständnisvoll behandelten. Auch für sie war es die erste Reise in den Orient, wenngleich sie, Angestellte großer Unternehmen, so taten, als kannten sie die Welt östlich von Suez wie ihre eigene Westentasche.

»Ein Passagier geht in Aden von Bord. Kommt ein Araber daher, spricht ihn an. ›Verschwinde!‹ sagt der Mann. ›Sie wollen Mädchen?‹ sagt der Araber. ›Sie wollen Jungen? Sie wollen Foto?‹ ›Verschwinde!‹ sagt der Mann. ›Laß mich in Ruhe! Ich verlange den britischen Konsul!‹ ›Ah‹, sagt der Araber, ›sehr schwierig! Sehr teuer! Aber ich kann arrangieren!‹«

Unsere Witze und Nervosität hatten einen realen Hintergrund. Aden war die erste Berührung mit Asien. Es war heiß, besonders als ich vom Hafen in die eigentliche Stadt kam. Bei einem Straßenverkäufer trank ich ein Glas Minztee, nachdem ich auf das gedeutet hatte, was die anderen Kunden tranken. Der Mann, der den Tee eingoß, trug eine Djellaba, seine Zähne waren schwarz verfärbt. Er tat Minzblätter in das Glas und goß aus einem Kessel, der über einer

Kohlenpfanne hing, kochendes Wasser dazu. Der Duft erinnerte mich an englische Sommer auf dem Land.

Auf dem Markt war großes Gedränge. Die Leute zupften mich am Ärmel. In einer Ladenpassage sah ich zufällig die Scott-Duncans, auf Hockern sitzend, umringt von mindestens einem Dutzend brüllender Teppichhändler, die Berge von Mustern vor ihnen ausbreiteten und anpriesen. Mrs. Scott-Duncan sah viel glücklicher und gelöster aus als an Bord.

In »Tommy's Tea Parlour« nahm ich am späten Nachmittag eine Mahlzeit ein, das Abendessen an Bord der *Darjeeling* wollte ich auslassen. Die Einrichtung des Lokals sollte wohl die etwas bessergestellten Reisenden ansprechen. An den Wänden hingen Jagdszenen und englische Landschaften. Der Effekt war grotesk. Ich aß ein Omelette und brach frustriert wieder auf in Richtung Hafen. Als ich hinaustrat, kam ein Mann in arabischem Gewand vorbeigerannt, so schnell, daß ihn nur die schiere Angst treiben konnte. Sekunden später rief eine englische Stimme atemlos: »Haltet den Dieb!« Der Araber, der inzwischen fünfzig Meter von mir entfernt war, schaute über die Schulter und stieß in diesem Moment mit vier Polizisten zusammen, die, wie durch Telepathie geleitet, aus einer Seitenstraße erschienen waren. »Stieß zusammen« meine ich aber nicht im übertragenen Sinne, er kollidierte mit den ersten beiden Beamten und stürzte in einem Knäuel von Armen und Beinen zu Boden. Die Polizisten standen wieder auf, strichen sich über die Uniform, packten den Mann, schüttelten ihn und brüllten ihn an. Es war eine bemerkenswerte Kakophonie. Und schon näherte sich das Opfer des Überfalls, ein korpulenter Engländer von etwa fünfzig Jahren, keuchend, in weißem Kolonialanzug, in der Hand einen Strohhut. Schließlich stand er dem Dieb, der nun von allen vier Polizisten festgehalten wurde, direkt gegenüber. Sein Gesichtsausdruck verriet nackte, animalische Angst. Seine Augen waren ganz weiß. Der Engländer blieb einen Moment stehen, als wartete er auf irgend etwas. Dann spuckte er dem Dieb ins Gesicht.

Während der Fahrt durch das Rote Meer wurde die Hitze mit jedem Tag intensiver, und auch die Luft schien irgendwie dichter zu werden. Die Sonne wirkte größer und näher. Die Passagiere der ersten Klasse trugen jetzt nicht mehr schwarzen, sondern weißen Smoking.

Je weiter südlich wir in die Tropen kamen, desto wärmer wurde es, und die Sonnenuntergänge wurden immer abrupter. Das Leben an Bord und mein Chinesischunterricht hatten ihre Faszination verloren, die Gespräche kreisten wieder um die üblichen Themen. Marler und Benedicta gerieten nicht mehr so oft aneinander. Mit Marias Erlaubnis durfte ich ein paarmal an den Schiffsturnieren teilnehmen. Der Jardines-Mann und ich schafften es einmal sogar bis ins Finale, wurden aber, was unvermeidlich war, von dem Zahlmeister und seinem (wie ich inzwischen überzeugt war) Lustknaben geschlagen. Im Roten Meer hatten wir einen Maschinenschaden, so daß wir Kalkutta mit drei Tagen Verspätung erreichten – was wiederum hieß, daß die Zeit gerade reichte, Nachschub zu laden, dann ging es schon wieder weiter ostwärts. Ich bedauerte das nicht. Das Wenige, was wir bei unserer kurzen Liegezeit von der Stadt sahen, wirkte nach den friedlichen Tagen seit Aden überwältigend. Ich war gerührt, daß der Artillerieoffizier in meine Kabine kam, um sich zu verabschieden, genauer gesagt, um mir wortlos die Hand zu geben, sehr fest und lange, und mir dabei in die Augen zu sehen, als hätten wir beide enorme Herausforderungen überstanden. Vielleicht waren die gemeinsamen Mahlzeiten für ihn genau das gewesen.

Zwei Tage später hatten wir zum erstenmal richtig schlechtes Wetter. Der Golf von Bengalen ist nicht sehr tief, Stürme kommen dort schnell auf und können sehr heftig sein. Mir blieb die Seekrankheit, nicht aber die Angst erspart. Die Sorge war um so größer, als uns der Sturm in einer mondlosen Nacht überraschte, so daß das Schiff hin und her geworfen wurde in einer Dunkelheit, die keinerlei Orientierungspunkte bot. Das Meer hatte etwas Bösartiges. Das Gefühl, wie eine Nußschale auf den Wogen zu tanzen, war kaum zu unterdrücken, besonders dann, wenn das Schiff emporgetragen wurde und dann in freiem Fall in die Tiefe schoß. Man spürte, wie wenig die Maschinen bei diesem Seegang ausrichteten, und es war sehr schwer, nicht mit verspannten Muskeln die nächste Woge zu erwarten, in die sich der Schiffsbug bohren würde.

In dieser Nacht fand ich keinen Schlaf. Wie jemand, der Fieber oder große Sorgen hat, hoffte ich, daß am nächsten Morgen alles besser würde – und in gewisser Weise war es auch so, da die hochaufragenden, grauen Wogen weniger angst machten, wenn ich sie sehen konnte. Außerdem dachte ich, daß der Sturm im Tageslicht irgendwie vertrieben würde, doch der Kellner, ein typischer Seemann, der unerfahrenen Passagieren gern Angst einjagte, nahm mir sofort diese Hoffnung.

»Zwei, drei Tage sind in dieser Gegend völlig normal«, sagte er. »Als wir einmal um das Kap fuhren …«

Ich hörte schon nicht mehr hin. Nach dem Frühstück ging ich hinunter, um vor dem Unterricht meine Kabine aufzuräumen, und fand einen Zettel von Maria, den sie unter der Tür durchgeschoben hatte. Von unserem Tisch war niemand zum Frühstück erschienen.

Sehr geehrter Mr. Stewart,
der Unterricht muß heute leider ausfallen, da ich indisponiert bin. Ich hoffe auf Ihr Verständnis. Aber Sie können natürlich Ihre Vokabelkarten durchgehen.

Mit aufrichtigen Grüßen
Schwester Maria

Auf meinen Kärtchen stand auf der einen Seite das englische, auf der Rückseite das chinesische Wort in Lautschrift. Ich rührte sie den ganzen Tag nicht an. Ich wanderte auf dem Schiff umher und sah mich überall um. Dieses Alleinsein hatte etwas Luxuriöses. Ich hatte den größten Teil der Touristenklasse für mich allein. Ich erwog sogar, den Salon der ersten Klasse mit seiner schottisch-aristokratischen Einrichtung aufzusuchen, doch das Schiff schaukelte so heftig, daß ich den Tag überwiegend im Salon der Touristenklasse verbrachte und aus den verdreckten Fenstern in den Sturm hinausblickte, der nicht nachzulassen schien.

Auch in dieser Nacht fand ich keinen Schlaf. Nachdem ich zu Bett gegangen war und das Licht gelöscht hatte, spürte ich das Schlingern des Schiffs. Nach ein, zwei Stunden gab ich auf. Ich machte das Licht wieder an und lag eine Weile einfach da, bevor ich mich schließlich anzog und in die Gesellschaftsräume hinaufstieg. Es war ein Uhr. Ich öffnete eine Tür zum Achterdeck. Die regenlose Wärme des heftigen Winds irritierte mich. Maria stand an der Reling. Sie hörte mich nicht kommen und zuckte zusammen, als ich mich neben sie stellte.

»Ich kann auch nicht schlafen«, sagte ich. »Und Sie, alles in Ordnung?«

Eine dumme Frage. Selbst in dem schwachen Lichtschein, der aus dem Salon fiel, war ihr Gesicht eigentümlich bleich.

»Mir ist schlecht«, sagte sie. »Schon seit einem Tag. Es geht einfach nicht weg, sehr unangenehm.«

»Mich macht es eher nervös. Mit dem Magen ist alles in Ordnung, aber ich habe Angst. Genau umgekehrt wie bei Ihnen.«

»Nein, ich habe auch Angst. Glauben heißt ja nicht, daß man nicht auch Angst hat.«

Sie klammerte sich mit beiden Händen an der Reling fest. Sie bewegte sich nicht. Nach einer Weile sagte sie:

»N.G.O.H. Ngoh.«

»Was?«

»Vielleicht lenkt es uns ab. Ich werde Sie Vokabeln abfragen. Ngoh. N.G.O.H.«

»Ähm ... ich.«

»Chin.«

»Geld.«

»Was heißt Sache?«

»Yeh.«

»Und Wetter?«

»Ähm ... tinhei.«

»Und essen?«

»Sihk.«

Sie verstummte. Das Schiff wurde unvermindert heftig hin und her geworfen. Fast eine Stunde standen wir da. Maria sagte:

»Mir geht es langsam etwas besser.«

Ich legte die rechte Hand auf ihre linke. Maria blieb einen Moment so stehen, dann ging sie hinein. Als ich am nächsten Morgen aufwachte, schien die Sonne, und das Meer war eine spiegelglatte Fläche.

Einige Tage vor der Ankunft in Hongkong klopfte ein Besatzungsmitglied, das ich noch nie gesehen hatte – ein Steward der ersten Klasse –, an meine Kabinentür. Es war später Vormittag, nach dem Unterricht, ich lag auf meiner Koje und schaute zufrieden an die Decke. Schwester Maria hatte mich Vokabeln abgehört, es war gut gelaufen.

»Ich soll bestellen, Sir, der Kapitän möchte Sie gerne sprechen, wenn es Ihnen irgendwann paßt.«

»Ich komme mit«, sagte ich, und mein Herz fing an zu klopfen. Ich vermutete, daß es Schwierigkeiten gab, aber mir fiel kein Grund ein. Wir stiegen hinauf, in den Wohnbereich der Besatzung. Der Steward klopfte, trat ein, salutierte und ging wieder hinaus. Der Kapitän saß in seiner schmucklosen, ausgesprochen ungemütlichen Kabine am Schreibtisch – keine Bilder, kein erkennbarer Komfort, abgesehen von der Pfeife, an der er wie gewohnt sog und herumfingerte. Er sah mir nicht in die Augen.

»Angenehme Reise?« fragte er.

»Danke, ja.«

Inzwischen träumte ich schon auf kantonesisch, besser gesagt, da meine Kenntnisse noch recht primitiv waren, segelten im Schlaf einzelne Ausdrücke wie Trümmerstücke an mir vorbei. Maria und ich hatten so viel Zeit miteinander verbracht, daß es fast schien, als könnten wir unsere Gedanken lesen. Beim Mittagessen sprachen wir die Sätze zu Ende, die der andere angefangen hatte.

»Gut.« Wieder schwieg er, senkte den Blick. Hätte es in seiner Kabine auf Bodenhöhe ein Bullauge gegeben, hätte er dort hinausgeschaut.

»Was macht das Chinesisch? Kommen Sie voran?«

»Schwer zu sagen, Sir. Ich stecke ja mittendrin. Wenn ich Schwester Maria frage, wie die Wette ausgeht, sagt sie nur: Seien Sie weder verzagt noch überheblich.«

Der Kapitän nickte und bearbeitete schweigend seine Pfeife. Dann sagte er:

»Seit dreißig Jahren fahre ich diese Strecke. Mein ganzes Seemannsleben. Kaum jemand interessiert sich für die Sprache. Ist mir aufgefallen. Sie haben also den meisten Leuten etwas voraus. Vergessen Sie das nicht. Brauchen Sie einen Job, eine Unterkunft?«

Ich war so verdutzt, daß ich den Mund nicht aufbekam. Schließlich sagte ich:

»Also ...«

»Ist doch nichts dabei. Wenn Sie erlauben, werde ich Sie einem Bekannten von mir empfehlen. Suchen Sie ihn ein paar Tage nach der Ankunft auf. Ein gewisser Masterson, er führt das Hotel Empire. Jeder wird Ihnen sagen, wo es zu finden ist.«

Heute wird mir an diesem Akt grundlos erwiesener Freundlichkeit klar, wie jung ich damals auf andere Menschen gewirkt haben muß.

Als wir in Hongkong ankamen, hatten Schwester Benedicta und Marler bereits vereinbart, wie und wo die Wette vonstatten gehen würde. Drei Tage nach der Ankunft würden wir uns im Hong Kong Club zum Lunch treffen. Der Kapitän würde anwesend sein. Anschließend würden wir einen chinesischen Passanten suchen, an dem wir meine Sprachkenntnisse in der folgenden Weise ausprobieren würden: Marler würde mich etwas fragen, ich würde dem chinesischen Passanten die Frage auf kantonesisch stellen und die Antwort an Marler weitergeben. Sollte die Antwort überzeugend ausfallen, hätte Maria die Wette gewonnen. Der Kapitän sollte als Schiedsrichter fungieren.

Man hört oft, daß sich Menschen an ein Ereignis, eine Begebenheit nur undeutlich erinnern. Bei mir ist das ganz anders. Ich erinnere mich entweder ganz klar oder überhaupt nicht. Meine Erinnerung an die ersten Tage in Hongkong vor mehr als sechzig Jahren ist noch heute gestochen scharf. Eine Stunde nach Sonnenaufgang liefen wir in den Hafen ein. Die letzten Dunstfetzen, die sich am Peak festhielten, lösten sich in der Sonne auf – wie Rauch sahen sie aus, als wäre die Insel ein aktiver Vulkan. Im Hafen herrschte wie eh und je viel Betrieb. Die Dschunken sahen wie überdimensionales Spielzeug aus oder wie Gegenstände in einem Traum. Auf den ersten Blick konnte man sehen, daß es Familienunternehmen waren. Kinder und Großeltern drängten sich an Deck, kochten und aßen und führten ihr Leben. Die Sampans tollten auf den Wogen wie übermütige Fohlen. Ein britisches Kriegsschiff, die HMS Leo, das erste, das wir seit Aden sahen, lag tief im Wasser, mit seinem grauen nordatlantischen Anstrich im Südchinesischen Meer eine auffällige Erscheinung. Ich sah den Union Jack, der schlaff über Government House hing. Ich fand es sehr aufregend, mir beim Anblick des Peak vorstellen, dort oben zu stehen und hinunterzuschauen.

Maria war zu mir an die Reling getreten.

»Wie finden Sie's?«

»Es ist . . .«

Ich lachte. Sie auch.

»Es ist Hongkong«, sagte sie. »*Heung gong*. Wohlriechender Hafen.«

Der Hafen hatte einen deutlich unangenehmen, ziemlich brackigen Geruch. Ich sagte: »So kann man es auch ausdrücken.«

Maria lächelte. »Chinesischer Scherz«, sagte sie.

»Ich möchte nicht, daß Sie ein Jahr für Marler arbeiten.«

»Ich auch nicht. Ich glaube nicht, daß es dazu kommt.«

Am Tag der Prüfung wachte ich mit einem flauen Gefühl im Magen auf. Ich war furchtbar nervös. Der Pensionsbesitzer brachte mir einen Teller Gebratenes, Speck und Eier und Würstchen, eine außerordentlich höfliche Geste gegenüber dem Engländer, wie mir jetzt klar wird. Ich stach in das Eigelb und merkte, daß ich keinen Appetit hatte. Auf der Titelseite der *South China Morning Post* standen Meldungen über den Besuch der HMS Leo, einen Empfang in Government House und über einen Juwelenraub in Wanchai. Den restlichen Vormittag studierte ich Vokabeln, und eine halbe Stunde vor dem Lunchtermin traf ich mich mit Maria auf einer Bank vor dem Hong Kong Cricket Club.

»Sie sehen nervös aus«, sagte sie. Sie trug ihre Ordenstracht – wir müssen ein seltsames Paar abgegeben haben.

»Bin ich auch.«

»Ist nicht nötig. Die Jungfrau Maria wird uns behüten.«

Auch wenn ich nicht an sie glaube? dachte ich.

»Wo ist Ihr Zeug?«

Maria lachte.

»*Zeug*. Was für ein Wort. Wir haben wenig Gepäck, wie Sie wissen, und das wenige ist schon zum Bahnhof vorausgeschickt worden.«

In jenen Tagen, als die Kommunisten noch nicht den Bürgerkrieg gewonnen hatten, konnte man mit der Bahn von Kowloon direkt nach Kanton fahren. Der Zug, den Maria und Benedicta nehmen wollten, ging kurz nach Mittag.

»Und wenn ich verliere, kommen Sie dann zurück?«

»Ja.«

»Ich sollte also lieber nicht verlieren, stimmt's?«

Kaum hatte ich den Fuß über die Schwelle gesetzt, wußte ich, daß der Hong Kong Club das piekfeinste und elitärste

Etablissement war, das ich je von innen gesehen hatte. Es roch nach Ledersesseln und den Zigarren vom Vorabend. Meiner Nervosität tat das nicht besonders gut. Mr. und Mrs. Marler und Schwester Benedicta saßen bereits an einem Tisch in dem einzigen Speisesaal, zu dem weibliche Personen mittags Zutritt hatten. Später erfuhr ich, daß für Schwester Maria eine Ausnahmeregelung getroffen worden war, da sie als Chinesin den Club normalerweise nicht betreten durfte. Alle drei saßen hinter großen Gläsern, die nach Gin Tonic aussahen. Marler stand strahlend auf und begrüßte uns mit ausgestreckter Hand.

»Ah, Lehrerin und Schüler, seien Sie uns willkommen. Nehmen Sie Platz!«

Sein Yorkshire-Akzent war nicht mehr so stark. Hier, in Hongkong, machte er nicht so viel Aufhebens davon. Wir setzten uns und kämpften uns durch ein, wie ich fand, quälend mühseliges Essen. Ich dachte immerzu an die Schande, wenn ich die Wette verlöre; und was ich Schwester Maria damit antäte. Sie würde es mir bestimmt übelnehmen. Doch Marler und Schwester Benedicta schienen einander an Liebenswürdigkeit und Freundlichkeit überbieten zu wollen. Als wir bei Kaffee und Zigaretten ankamen, war ich bereits viermal auf der Toilette gewesen.

»Also«, sagte Marler, der sein Cognacglas bedeutungsvoll schwenkte und aus irgendeinem Grund Schwester Benedicta zulächelte, »dann wollen wir mal zum Anlaß unseres Zusammentreffens kommen.«

»Genau«, sagte ich. Mir war, als müßte ich das Kommando übernehmen, mich behaupten, zuversichtlich zum Galgen schreiten. »Dann suchen wir uns mal einen Chinesen. Oder wollen Sie einen der Kellner nehmen? Einen Rikschafahrer von draußen? Hm? Wo ist eigentlich der Kapitän?«

»Also«, sagte Schwester Benedicta, »Mr. Marler und ich haben über die Sache gesprochen und sind zu bestimmten Ergebnissen gelangt.«

»Die Sache ist die«, sagte Marler, »ich habe Schwester Maria beim Unterricht mit Ihnen gesehen, und ich akzeptiere voll und ganz die von ihr behauptete Effizienz ihrer Unterrichtsmethoden. Überdies sehe ich, daß Sie offenbar nicht geneigt sind, zum Katholizismus überzutreten, hahaha. Ich ziehe also meine Bemerkung über die bewußte Verbreitung von Unwissenheit und Aberglauben uneingeschränkt zurück.«

»Und ich meinerseits nehme Mr. Marlers Entschuldigung vorbehaltlos an. Und bedauere die Heftigkeit meiner damaligen Reaktion«, sagte Schwester Benedicta.

»Es stellt sich nun die Frage, ob es sinnvoll ist, die Wette aufrechtzuerhalten. Es wäre viel verlangt, wenn Schwester Maria ein Jahr lang für mich arbeiten soll. Ihr Leben würde völlig umgekrempelt und die Arbeit für ihre Mission gestört. Ich behaupte nicht, daß ich die Ziele ihrer Mission gutheiße, aber sie glaubt eben daran, und ich würde sie statt dessen durch eine Art Zwangsarbeitsvertrag an mich binden.«

»Und wir haben unsererseits nicht den Wunsch, Mr. Marler in den Ruin zu treiben oder ihm finanzielle Lasten aufzubürden, auch wenn uns eine finanzielle Hilfe für unsere Mission in Hongkong natürlich sehr gelegen käme.«

»Kurzum, wir haben also beschlossen, auf die Wette zu verzichten.«

»Ja, zum Teufel ... Pardon, Schwestern, Moment mal«, sagte ich, plötzlich furchtbar wütend. »Die Erwachsenen treffen also die Entscheidung, und die Kinder tun brav, was ihnen gesagt wird? Und was ist mit den sechs Wochen Schufterei, nur wegen Ihrer blöden Wette? Ich hätte in dieser Zeit aus dem Fenster gucken und auf Deck spazierengehen können. Was, wenn ich mich weigere, auf die Wette zu verzichten? Was, wenn wir daran festhalten?«

»Tom, bitte«, sagte Maria, »wir müssen vernünftig sein. Für Mr. Marler steht viel auf dem Spiel, wenn wir auf der Wette beharren, und für unsere Mission gilt das gleiche. Auf dem Schiff wurden unüberlegte Worte gesagt, und es ist nur vernünftig, daß wir als erwachsene Menschen eine sinnvolle Lösung suchen. Es wäre unchristlich von uns, wenn wir Mr. Marler zwängen, unsere Mission gegen seinen Willen für viel Geld aufzubauen.«

Ich stand auf und ging hinaus. Maria kam hinterhergelaufen. Draußen vor dem Club holte sie mich ein, ein paar Rikschafahrer beobachteten uns mit unverhohlener Neugier.

»Tom, es tut mir leid, ich wollte nicht ...«

»Sie wußten Bescheid.«

Sie seufzte.

»Erst seit gestern abend. Verstehen Sie doch, der Bischof hätte mir nie erlaubt, für Marler zu arbeiten. Benedicta hat mir das erklärt. Sie hat die Beherrschung verloren, sie war erregt. Es tut ihr leid. Aber sie stand nicht wirklich hinter der Wette, also mußte sie zu dieser Lösung greifen. Marler weiß nichts über den wahren Grund.«

Ich sagte: »Auf Wiedersehen, und vielen Dank für äußerst lehrreiche sechs Wochen« und ging. Schwester Maria sah ich erst vier Jahre später wieder.

Viertes Kapitel

Nathan Road 124 war ein dreigeschossiges verschachteltes Gebäude in Kowloon, mit vielen kleinen, plüschig eingerichteten Zimmern, einem rumpelnden Lift und einem Sikh mit Gewehr, der die verschlossene Eingangstür bewachte. Die Zimmer hatten hohe Decken, Spiegel in dekorativen Lackrahmen und Nachttischlampen mit roten Schirmen. Die Deckenbeleuchtung war trüb, die Gardinen waren dunkelrot, und auf den Betten lag ein mit Drachenmotiven verzierter Überwurf. In jedem Winkel hatte sich Staub angesammelt.

»Na, wie finden Sie's?« sagte Masterson. Er stand am offenen Fenster und schaute hinunter auf die laute, verkehrsreiche Nathan Road.

»Nicht übel hier«, sagte ich. Er nickte, ohne sich umzudrehen.

»Mir gefällt, daß es zwei Eingänge gibt«, sagte er wie zu sich selbst. Dann löste er sich vom Fenster, verließ das Zimmer und ging, mit mir im Schlepptau, zum Lift. Mr. Luk, der Eigentümer des Hauses, wartete dort. Er guckte nervös. Neben ihm stand der Hausmeister, der ein fußballgroßes Schlüsselbund in der Hand hielt.

»Tut mir leid, Mr. Luk«, sagte Masterson, »aber Ihr Haus ist eine Nummer zu groß für mich. Ich müßte viel zu schnell expandieren, und als Nachfolger eines so erfolgreichen Geschäftsmannes wie Sie würde ich mich übernehmen.«

Mr. Luk lächelte, entweder aus Verlegenheit über die Absage oder wegen des Kompliments.

»Wollen wir über den Preis sprechen?« sagte er. Ich unterdrückte ein Grinsen. Masterson hatte mir auf der Fähre nach Kowloon gesagt, daß Luk ein Nein als Verhandlungstaktik auffassen würde.

»Bedaure, Mr. Luk. Es ist nicht eine Frage des Preises, sondern der Dimensionen. Mein Geschäft ist nicht groß genug.«

Nachdem der Hausmeister das Zimmer abgeschlossen hatte, fuhren wir gemeinsam im Lift hinunter. Mr. Luk verriet, daß drei weitere Kaufinteressenten sich das Haus am Nachmittag ansehen würden. Auf der Straße verabschiedeten wir uns, während der Hausmeister mit den Schlüsseln hantierte, und gingen wieder in Richtung Fähre, vorbei am Hotel Peninsula. Das Gewusel von Gepäckträgern, Rikschafahrern und Taxis vor dem Bahnhof gegenüber deutete darauf hin, daß der Zug aus Kanton bald eintreffen würde. Diese Zugverbindung war ein Grund gewesen, weshalb Masterson sich nach einer Immobilie in Kowloon umgesehen hatte.

»Schade«, sagte er mit einem Blick auf die erwartungsvolle Schar von Angehörigen und Gepäckträgern, »aber es hätte nicht funktioniert.«

Ich war der Empfehlung des Kapitäns gefolgt. Das Hotel Empire, mitten in Victoria auf der Insel Hongkong gelegen, war ein schönes, kühles Kolonialgebäude mit Deckenventilatoren, Palmen in der Lobby und einem belgischen Koch. Masterson war Direktor und halber Besitzer. Die andere Hälfte gehörte einem Deutschen namens Münster, der nicht in Hongkong lebte. Die beiden hatten sich in den Zwanzigern in Singapur kennengelernt und zusammengetan.

Masterson war ein dünner, energischer Mann in den Vierzigern, von jener konzentrierten Art, mit der man abwesend wirken kann. Zu anderen Zeiten, in einer glanzvolleren Phase des britischen Kolonialreichs, wäre er Chef von irgendwas Bedeutendem geworden. Er war in die Hotelbranche gegangen, um ein Vermögen zu machen, und deshalb auch nach Hongkong ausgewandert. Als ich mich ihm vorstellte, saß er an der Hotelbar, einem langgestreckten Raum, der von der eleganten Lobby abging. Er war zwanglos gekleidet, weißes Jackett, der oberste Hemdknopf geöffnet. Er rauchte. Damals, als viele Menschen sehr viel rauchten, rauchte er buchstäblich ununterbrochen.

Hoteliers machen sich wenig Illusionen über die menschliche Natur, Masterson machte sich überhaupt keine. Er stellte mir einige Fragen über meine Erfahrungen, meine Kantonesisch-Stunden mit Maria und über den Plough, dann gab er mir die Stelle. Die Schnelligkeit und Klarheit seiner Entscheidung waren charakteristisch, wie ich später bemerkte. Ich sollte sein Assistent und für die Bar des Hotels Empire zuständig sein, für den Ausschank alkoholischer Getränke dort und im Hotel, also nicht im Restaurant.

»Irgendeine Vorstellung, was das Gebäude früher mal war?« fragte Masterson, als wir zur Star Ferry kamen.

Das hatte ich mir auch schon überlegt. Ein Hotel konnte es nicht gewesen sein, das wäre draußen an dem Schild, an der Einrichtung der Lobby und so weiter zu erkennen gewesen, aber es sah wirklich wie ein Hotel aus. Eine Art Pension?

»Keine Ahnung.«

Wir warfen unsere Münzen in den Schlitz und gingen hinauf, um auf die nächste Fähre zu warten.

»Es war ein Puff. Ein chinesisches, um genau zu sein. Die europäischen Bordelle wurden 1932 geschlossen. Drei Jahre später waren die chinesischen dran. Fragen Sie mich nicht, wieso. Am tatsächlichen Ausmaß der Prostitution hier ändert das natürlich nichts. Sie ziehen einfach um.«

»Stark.«

»Typisch Hongkong«, sagte er. »Städte konkurrieren oft miteinander. X macht dies, also macht Y jenes. Ist in der ganzen Welt so. In Schanghai kriegt man Mädchen, Jungen, Drogen, alles, mehr oder weniger offen. Wenn es einen juckt, kratzt man sich. Hongkong muß also anders sein. Hier passiert nichts offen. Natürlich wollen die Leute das gleiche, und sie tun auch das gleiche, aber eben nicht dort, wo man sie sehen könnte. Den Leuten hier würde es nichts ausmachen, in einem Hotel abzusteigen, das einmal ein chinesisches Puff war, aber niemand soll denken, daß es ihnen nichts ausmacht, weil das beweisen würde, daß sie keine ehrenwerten Menschen sind. Deshalb habe ich nein gesagt.«

Überrascht stellte ich fest, wie sehr mich Hongkong überraschte. Mit den exotischen Dingen hatte ich gerechnet. Hakka-Frauen mit breitkrempigen Strohhüten, die nach Öl oder Lack rochen, Kulis, die unmögliche Lasten schleppten, Rikschafahrer, Schuhputzer mit Goldzähnen, japanische Geschäftsleute mit schlechtem Gebiß, Opiumraucher in dunklen Höhlen, kreisende Adler hoch über dem Peak, die tadellose Uniform des Bremsers der Peak Tram und der Blick von dort oben nach Kowloon, das verrückte Klackern von Mah-Jongg-Steinen im Dienstbotentrakt an Sonntagnachmittagen, junge Frauen, die im geschlitzten, hochgeschlossenen Kleid so viel Bein zeigten, wie ich noch nie gesehen hatte, Europäer von unklarer Nationalität, vager Arbeitslosigkeit und zweifelhaftem Appetit, Familien, die sich auf den Gräbern der Ahnen zum Picknick trafen, erzürnte chinesische Götter mit grünem Gesicht und roten Augen, der Geruch von vergorenem Fisch vor den taoistischen Tempeln, Räucherstäbchen, chinesische Kunst, Mungbohnenkuchen, Drachenbootrennen, Aberglauben und Feng Shui und Angst vor Gesichtsverlust, die billigsten besten Schneider der Welt, alte Frauen mit verkrüppelten Füßen – all das erwartete ich sicher nicht in allen Einzelheiten, das wäre gelogen, aber tendenziell schon, durchaus. Deswegen war ich ja gekommen. Hongkong war nicht Faversham, und es war nicht der Plough.

Es war eher die andere Seite von Hongkong, die der Engländer, die mich so überraschte. Es war wie an Bord der *Darjeeling*, nur viel ausgeprägter. Man ging schließlich, wie mir schien, nach Fernost, um sich von den Fesseln zu befreien, die einen in England beengten – das war doch der Zweck der Übung. Wenn man sich in England wohl fühlte, warum sollte man dann weggehen? Aber diese Atmosphäre von Anstand und Etikette, dieser Anpassungszwang war erdrückend. Überall gab es sichtbare und unsichtbare Codes. Die Kolonialverwaltung, die rivalisierenden Hongs, die Bank – sie alle hatten ihre komplexe Hierarchie, ihre eigenen Gepflogenheiten, Regeln und Vorschriften, was man tat und nicht tat, wohin man ging und was man trug und mit wem man sprach und was man sagte. Meine Freunde von der Hong Kong Bank wurden lebendig verschlungen – vom Leben im Junggesellenquartier, von organisierten Bootsausflügen und Wochenenden in Fanling, vom gesellschaftlichen Leben in der Bank und den Karrierezwängen. Der Jardines-Mann verschwand in der Welt seines Hongs wie Jonas im Bauch des Walfischs. Es gab einen Jockey Club, einen Yacht Club, den Country Club und den Golf Club und den Hong Kong Club. Die Chinesen waren zwar nicht unsichtbar, da nicht einmal die Engländer die Realität so weit ignorieren konnten, aber sie waren bestenfalls Statisten – Komparsen, dienstbare Geister, ein exotischer, aber nicht richtig wahrgenommener Hintergrund des eigentlich wichtigen Bühnengeschehens. Die Welt der Chinesen war nie ganz real.

Masterson und ich gingen in den vorderen Teil der Fähre und rauchten eine Zigarette. Vor uns saß ein Mann, der sich mit einem uralten Kreuzworträtsel der *Times* abmühte. Schweigend genossen wir den Blick. Die Insel wirkte damals viel leerer, viel felsiger als heute; sie sah aus wie ein Naturphänomen, auf dem Menschen ihr Lager aufgeschlagen hatten, und nicht wie einer der dichtestbevölkerten und geschäftigsten Orte der Welt. Heute stehen überall auf dem Peak die Häuser, als wollten sie ihn verstecken. Damals war es noch anders.

»Ich werde mir dort drüben etwas kaufen«, sagte Masterson. »Man muß nur das Richtige finden. Man soll kaufen, wenn die Verhältnisse unsicher sind. Sicherheit ist teuer.« Er dachte laut.

»Die Lage in China ist kritisch«, sagte ich. An der Bar des Hotels Empire war das ein beliebtes Gesprächsthema.

»In China hat man immer diesen Eindruck. Das ist die chinesische Variante des Sichtreubleibens.«

Vom Hotel bis zum Fähranleger waren es zehn Minuten zu Fuß. Sobald wir zurückgekehrt waren, ging Masterson in sein Büro und ich in meines. Ich mußte mich um ein Problem kümmern, das sich seit einiger Zeit bemerkbar gemacht hatte. Zwischen der eingekauften Menge an Spirituosen und dem vorhandenen Bestand gab es eine Differenz, woraufhin ich beschlossen hatte, jede Rechnung eigenhändig zu überprüfen und festzustellen, wo die undichte Stelle sein konnte. Das war ermüdend, am Ende würden wir jemanden zur Rede stellen und entlassen müssen. Lustlos warf ich meine Jacke über den Türhaken und trat an meinen Schreibtisch. Auf dem Stapel von Rechnungen lag zuoberst ein Brief von Maria.

Chang Chun
5. Februar 1936

Lieber Tom,
haben Sie vielen Dank für Ihren Brief. Er war eine Woche unterwegs, was vertretbar ist. Auch ich bin froh, daß wir wieder Kontakt haben.

Ihre Arbeit klingt interessant. Wie schön, daß Sie eine gute Stelle und einen sympathischen Chef gefunden haben. Vermutlich werden Sie Gelegenheit haben, sich bei dem Kapitän zu bedanken, wenn er das nächstemal in Hongkong ist. Ich erinnere mich nicht sehr deutlich an ihn: wir sahen ihn nur das eine Mal, als dieser Passagier uns aus der Schiffsbibliothek vertreiben wollte. In seinem Urteil schien er so weise wie Salomon zu sein, was jener andere Passagier aber gewiß ganz anders sehen dürfte!

Unsere Arbeit hier macht gottlob gute Fortschritte. Die Kapelle wächst jeden Tag nach den Plänen von Pater Ignatius. Er hat, bevor er in den Orden eintrat, eine Architektenausbildung genossen, so daß er am Fortgang der Arbeit regen Anteil nimmt. Schwester Benedicta arbeitet sehr fleißig und emsig, wie Sie sich bestimmt vorstellen können. Hier wird weniger von Bürgerkrieg geredet, als ich angenommen hatte. Alles ist weit weg, und die Menschen sind an Meldungen von Unruhen schon so sehr gewöhnt, daß sie sie kaum noch ernst nehmen. Ich hoffe, wir werden uns diesen Luxus auch weiterhin leisten können.

Meine Arbeit in der Schule gedeiht ebenfalls. Die Kinder sind so empfänglich und wißbegierig, daß man ganz demütig wird. Ein, zwei mathematisch Begabte sind mir schon weit voraus, so daß sie eigens von Pater Ignatius unterrichtet werden, wenn er bei uns ist. Dem einen Schüler möchte er ein Stipendium für ein besonderes Dominikaner-College in Schanghai verschaffen.

In einem ähnlichen Zusammenhang möchte ich Sie, lieber Tom, um einen Gefallen bitten. Wir haben hier einen Jungen mit Namen Wo Ho-Yan, der mir sehr am Herzen liegt, weil er aus derselben Region in Fukien stammt, in der ich geboren wurde. Er wurde zu entfernten Verwandten hierhergeschickt, weil es zu Hause Schwierigkeiten gab. Er hatte wohl mit kriminellen Banden zu tun. Aber er ist sehr intelligent und energisch. Allerdings gibt es hier ein Problem, weil er mit einigen der hiesigen Jugendlichen aneinandergeraten ist. Es hat schon Kämpfe gegeben, und man muß mit noch mehr Gewalt rechnen.

Meine Sorge gilt der Stabilität unserer Mission und der Zukunft des Jungen. Ich werde stets das Gefühl haben, ihn im Stich gelassen zu haben, wenn er einen schlechten Start ins Leben erwischt. Ich habe noch nicht erwähnt, daß er erst vierzehn ist.

Ich möchte Sie um folgenden Gefallen bitten: Ich habe mit Schwester Benedicta über den Jungen gesprochen, und wir sind übereingekommen, daß es das beste wäre, Ho-Yan an einen Ort fernab aller Probleme zu schicken. Wir dachten sofort an unsere Mission in Hongkong, die, wie Sie wissen, klein, aber im Wachstum begriffen ist. Wir haben mit Schwester Immaculata korrespondiert, die sich zu unserer Erleichterung bereit erklärt hat, Ho-Yan aufzunehmen.

Meine Frage ist die: Wäre es Ihnen möglich, Ho-Yan eine Arbeitsstelle zu vermitteln, und sei es nur für eine kurze Zeit? Ich würde ihn nicht empfehlen, wenn ich nicht von seinen Fähigkeiten und seinem guten Willen überzeugt wäre. Wir könnten ihn dann in unsere Mission nach

Hongkong schicken, weg von den Unruhen hier. Wenn es bei Ihnen keine Möglichkeit gibt, wird er bestimmt auch etwas anderes finden, sollte es aber zum Schlimmsten kommen, was Gott verhüten möge, werden wir ihn wieder aufnehmen, so daß er Sie nicht lange belasten würde. Ho-Yan spricht Kantonesisch und etwas Englisch, aber ich bin sicher, er wird rasch Fortschritte machen.

Ich hoffe, Sie können helfen, weiß aber, daß dies eine große Bitte ist. Machen Sie sich keine Vorwürfe, wenn es nicht möglich ist.

Schwester Benedicta bittet mich, Grüße zu bestellen und Ihnen auszurichten, daß Sie fleißig Chinesisch üben sollen! Auch von mir die besten Grüße,

Ihre
Schwester Maria

Das war der dritte Brief von ihr, seit wir uns wegen des »Mißverständnisses« ausgesprochen und entschuldigt hatten. Ich antwortete sofort: selbstverständlich.

Schwester Benedicta wäre mit meinem Kantonesisch sehr zufrieden gewesen. Ich bemühte mich sehr, nicht außer Übung zu kommen. Ich bewohnte inzwischen eine Dreizimmerwohnung im zweiten Geschoß eines Hauses auf halber Höhe des Peak und hatte einen Boy mit Namen Mun, einen flinken jungen Mann ungefähr in meinem Alter, dessen Familienangehörige in Kanton schon hin und her überlegten, ob sie ihm nach Hongkong folgen sollten. Zu Hause sprachen wir Kantonesisch, jedenfalls versuchte ich es. Mun signalisierte mit seinem Verhalten, daß er mich für verrückt, aber ungefährlich hielt.

Ich war sehr froh über den Sprachunterricht, den ich bei Schwester Maria bekommen hatte, und fand die Sprache immer schöner. Meine Kenntnisse waren ungeheuer nützlich, wenn ich für das Hotel Empire Aufträge erteilen und um Preise feilschen mußte. Ich begleitete Masterson bei Verhandlungen und Besprechungen, und bald wurde mir auch dieser Zuständigkeitsbereich übertragen.

Maria hatte mir seinerzeit nicht gesagt, daß Kantonesisch zu den Sprachen gehört, die sich besonders gut zum Fluchen eignen. Das paßte zum Charakter der Kantonesen, der, wie ich bald feststellte, dem der Cockneys ähnelte: ruppig, direkt, streitlustig, geldgierig, clanbewußt, durchtrieben, nüchtern, materialistisch. In bezug auf das übrige China hatten die Kantonesen ein altes Sprichwort: Die Berge sind hoch, der Kaiser ist weit weg.

»Wie heißt das?« fragte ich. Wir standen in der Küche des Empire, an einem Samstagvormittag, an dem das Restaurant geschlossen war.

»*Choy sum*«, sagte Ah Wang.

»Ah« ist im Kantonesischen die gebräuchliche Anrede für Freunde und Verwandte. Sein voller Name lautete Ming Wang-Lok. Im Chinesischen kommt der Nachname zuerst.

»Was bedeutet das?«

»Herz von Blatt«, sagte Ho-Yan.

»Wie finden Sie's?«

»Schmeckt bitter«, sagte Masterson. »Aber nicht schlecht.« Für einen Kettenraucher war sein Interesse an kulinarischen Dingen erstaunlich groß.

»Gut!« sagte Ah Wang.

Heute weiß jeder, daß Hongkong eine von Flüchtlingen aufgebaute Gesellschaft ist. Die meisten der sechs Millionen Einwohner flüchteten hierher oder sind Kinder von Eltern, die als Flüchtlinge kamen. Nach dem großen Zustrom von 1949 konnte jedermann das sehen. Doch in den

Dreißigern wußte oder ahnte niemand, daß Millionen über die Grenze kommen würden und ein erheblicher Teil Chinas, mit all seinen Energien und Problemen, sich über die Kolonie ergießen würde. Ich selbst habe damals nicht damit gerechnet, aber Ah Wang und Ho-Yan waren die ersten von vielen, vielen Flüchtlingen, die ich kennenlernen sollte.

Wo Ho-Yan war jedoch kein Flüchtling im engeren Sinne. Er war vor diversen Schwierigkeiten geflohen. Daß er in Schwierigkeiten stecken könnte, schien zunächst eine abwegige Vorstellung. Er war klein, hatte wache Augen in einem runden Gesicht, war willig und energisch und freundlich. Er schien etwas Labiles an sich zu haben und war weniger direkt als die meisten Kantonesen, aber immer sehr eifrig und zuvorkommend. Jedenfalls war das mein Eindruck. Sollte ich je die Neigung verspüren, mich meiner Menschenkenntnis zu brüsten, brauche ich mich nur an meinen ersten Eindruck von Ho-Yan zu erinnern. Im Empire war er aber sehr nützlich.

Ming Wang-Lok dagegen – beziehungsweise Ah Wang, wie ich zu ihm sagte – war ein richtiger Flüchtling. In China hatte er für einen General Chang gearbeitet, einen südchinesischen Warlord, der, selbst nach den Maßstäben seines Metiers, überaus brutal gewesen sein muß und offenbar einen raffinierten Geschmack hatte. (Zu letzterem sagte Ah Wang nur: »General Chang großer Freund von verkrüppelte Füße.«) General Chang hatte eine bedauerliche Auseinandersetzung mit seinen theoretischen Vorgesetzten in der Kuomintang, der nationalistischen Regierung von China, und wurde – bedauerliches Mißverständnis – nach einem Abendessen bei einem Untergebenen zusammen mit fünf Leibwächtern erschossen. Ah Wang hatte den General begleiten und bei diesem Essen eine seiner

Spezialitäten zubereiten sollen, konnte im allerletzten Moment wegen Magenschmerzen aber nicht mitkommen. Ah Wang, von Natur aus schüchtern und friedfertig, hatte die Ermordung seines Chefs in große Angst versetzt. Er entkam nach Hongkong. Das entsprach einer vernünftigen Maxime, deren erster Teil lautete: »Wenn Unruhe in China, geh nach Hongkong.« In den nächsten fünf Jahren habe ich stolze Europäer das oft sagen hören. Das Sprichwort hatte noch einen zweiten Teil: »Wenn Unruhe in Hongkong, geh nach China.« Davon hörte man damals weniger.

Masterson und ich hatten erörtert, ob wir einige chinesische Gerichte auf die Speisekarte setzen sollten. Gedacht war, denjenigen unserer Gäste etwas anzubieten, die die chinesische Küche ausprobieren wollten, aber keine Lust hatten, sich in ein echtes chinesisches Restaurant zu wagen. Ho-Yan, in seiner Eigenschaft als mein Faktotum, wußte von unserem Plan. Als er hörte, daß Ah Wang in Hongkong eingetroffen sei – ihm kam alles zu Ohren –, sagte er zu mir:

»Chef, ein berühmter Koch aus Kanton ist eingetroffen. Genau der Richtige für das Hotelrestaurant.«

Und so kam es zu dieser Szene. Wir wählten den Samstagvormittag, da Jean-Luc, der jähzornige belgische Chefkoch, garantiert nicht in der Küche sein würde.

»Der Fisch ist fabelhaft«, sagte Masterson und stocherte mit Eßstäbchen an einem gedämpften Barsch herum.

»Kutteln sind nicht so mein Ding«, sagte ich. Ich wußte, daß die Kantonesen gern gelatinös beschaffene Sachen essen, die für einen europäischen Gaumen praktisch geschmacklos sind. Inzwischen schätze ich diese Küche. Damals habe ich einfach nicht verstanden, was der Witz daran war.

»Ja, ziemlich authentisch«, sagte Masterson. »Aber wir

sollten das den Leuten auch sagen. Daß sie damit rechnen müssen.«

»Der Reis schmeckt gut«, sagte ich. Ah Wang hatte ihn in Lotusblätter eingewickelt. Masterson und ich sahen uns an.

»Wir möchten, daß Sie für uns arbeiten«, sagte er und streckte Ah Wang die Hand hin. Einen Dolmetscher brauchte es nicht. Nie habe ich jemanden so strahlen sehen wie Ah Wang, der sich nun die ohnehin saubere Hand an seiner Schürze abwischte und Masterson die Hand schüttelte.

Chang Chun
13. November 1936

Lieber Tom,
ich freue mich, daß Ho-Yan in Ihrem Hotel weiterhin gute Dienste leistet. Sie haben mir einen großen Gefallen getan, und ich bin sehr froh, daß er Sie nicht enttäuscht hat. Die Arbeit in unserer Mission hier macht gute Fortschritte. In schwierigen Zeiten sind die Menschen empfänglicher für die kirchliche Lehre. Sie ist das silberne Futter. Das ist ein sehr chinesisches Bild! Der Gedanke, daß wir den Menschen helfen, Gottes Frieden zu finden und ihre Seele zu retten, lindert unsere Sorge um die Zukunft des Landes.

Pater Ignatius' Kapelle ist fertig. Es ist ein ganz einfacher Bau mit einer bemerkenswert spirituellen Qualität. Pater Ignatius hat den Eingang nach chinesischem Vorbild gestaltet. Nach außen hin ist das Bauwerk also zugleich chinesisch und europäisch. Ich hoffe, Sie werden es eines Tages sehen können.

Ich freue mich, daß Ihr Kantonesisch-Unterricht sich als nützlich erwiesen hat und Sie Ihre Kenntnisse weiter vervollkommnen. Ich habe Schwester Benedicta davon erzählt, und sie war ebenfalls hocherfreut. Sie läßt Sie herzlich grüßen. Sie arbeitet hier sehr eifrig und steckt immer voller Energie. Das ist ein großes Geschenk.

In unserer Mission in Hongkong geht alles gut. Vielleicht hören Sie manchmal von dort. Pater Xavier, ein sehr fähiger portugiesischer Priester, ist inzwischen unser Kaplan. Natürlich ist dieser Erfolg in gewisser Weise zu bedauern, denn wenn es in Hongkong Probleme gäbe, würde man mich, so Gott will, entsenden, damit ich dort aushelfe, und dann könnten wir uns wiedersehen! Ich denke oft an unsere Schiffsreise von Europa nach Hongkong. Für mich ist es in vielerlei Hinsicht wie ein Traum.

Ich hoffe, daß wir, mit Gottes Hilfe, bald eine Gelegenheit haben, uns zu sehen.

Die besten Grüße
Ihrer Schwester Maria

Nach der Lektüre dieses Briefes, besonders aber nach meinen Antwortbriefen, plagte mich mein schlechtes Gewissen. Ich hatte Maria etwas verschwiegen. Eines Abends, wenige Monate nachdem Ho-Yan bei uns angefangen hatte, verließ ich mein Büro, um am Hintereingang des Empire eine Sendung Spirituosen zu kontrollieren, die am Nachmittag geliefert worden war. Ich ging nach dem Ausschlußprinzip vor, prüfte den Bestand in jeder Phase – vom Lager des Importeurs bis zum Verbrauch in der Bar. Immer noch verschwand Alkohol, aber nie dort, wo ich gerade kontrollierte. Es war eine Variante des Tricks mit den drei Tassen. Im Moment ging ich so vor, daß ich das Magazin mit den Spirituosen (zu dem ich offiziell den einzigen Schlüssel hatte) abschloß und tags darauf den Bestand erneut überprüfte. Ich ahnte, daß ich keinen Fehlbetrag feststellen würde, daß aber am Monatsende wie üblich zehn Prozent fehlen würden.

Das Magazin befand sich im hinteren Teil des Hotels, neben dem Kesselraum und der Werkstatt. Im Korridor hörte ich zu meiner Überraschung zwei chinesische Stimmen. Ich bog um die Ecke und stieß auf Ho-Yan, der furchtbar erschrocken guckte, und einen größeren, dünnen jungen Mann von etwa zwanzig. Er hatte eine Narbe auf der linken Wange, die auf den ersten Blick wie eine Lachfalte aussah. Die beiden hatten einen mir unverständlichen chinesischen Dialekt gesprochen.

»Was geht hier vor?« fragte ich.

Ho-Yan lächelte verlegen: »Chef, das ist mein Bruder Man-Lee. Er ist gerade aus Fukien eingetroffen. Er spricht kein Englisch.«

Er sagte etwas zu Man-Lee, der daraufhin mit dem Kopf nickte, sich fast verneigte. Ich hielt ihm die Hand hin.

»Sag ihm bitte, daß ich mich freue, ihn kennenzulernen«, sagte ich. Das war, genaugenommen, nicht die Wahrheit. Ho-Yan war wegen irgendwelcher Probleme in seinem Heimatort zu Marias Mission gekommen. Die gleichen Probleme hatten ihn auch dorthin begleitet und ihn schließlich veranlaßt, nach Hongkong zu gehen. Was immer Wo Man-Lee sein mochte, sein Aussehen schien nicht auf das Gegenteil von Problemen hinzudeuten. Wenn man wußte, daß die beiden Brüder waren, konnte man die Ähnlichkeit sehen, aber der ältere Bruder war deutlich härter und weniger umgänglich. Das ist keine nachträgliche Einsicht.

»Mein Bruder wohnt bei mir, bis er Arbeit findet«, fügte Ho-Yan hinzu. Er wohnte nicht mehr in der Mission, sondern bewohnte mit einem unserer Kellner ein Zimmer in Mongkok. Ich spürte sofort, daß die Mission von der Ankunft des Bruders nichts wußte. »Er hat kurz vorbeigeschaut. Wir werden Sie nicht stören, es sei denn, wir können uns nützlich machen.«

»Nein, alles bestens. Ich kontrolliere gerade das Lager, wie üblich.«

Sie entfernten sich, und ich schloß das Magazin auf. Mir war nicht sehr wohl zumute. Ich nahm mir vor, Maria zu schreiben und ihr von dieser Entwicklung zu berichten, da ich Ho-Yan zumindest stillschweigend unter meine Fittiche genommen hatte. Das Auftauchen seines Bruders irritierte mich, irgend etwas stimmte nicht.

Ich zählte die Flaschen im Magazin. Natürlich fehlte keine einzige, und während ich schon wieder abschloß, kam George, der Oberkellner (ein Kantonese, der eigentlich Zhu hieß), den Gang entlanggestürzt. So aufgeregt hatte ich ihn noch nie gesehen.

»Ah Tom, schnell! Großer Kampf! In der Küche! Ah Luc« – das war Jean-Luc – »und Ah Wang!«

Wir liefen den Gang hinunter, der zur Küche führte, und stießen die Schwingtüren auf. Ringsum standen aufgeregte Kellner und Küchenhelfer, Jean-Luc hatte ein Hackbeil in der Hand, an dem eine komplette Gans hing. Dieses bizarre Objekt hielt er jetzt in die Luft. Ah Wang stand, mit verschränkten Armen, zwei Schritte von ihm entfernt.

»So bereitet man keine Gans zu! In diesem Zoo kann ich nicht arbeiten!« brüllte Jean-Luc in meine Richtung.

Ich kann nicht behaupten, daß das unerwartet war. Jean-Luc hatte sich, wie befürchtet, über Ah Wangs Auftauchen in »seiner« Küche geärgert. Eine Explosion war schon lange überfällig.

»Gibt's Probleme, Chef?« sagte ich.

Jean-Luc war, selbst für einen Koch, ein ziemlicher Choleriker, und zwar jenes Typs, der um so mehr in die Luft geht, je gelassener andere Menschen reagieren.

»Probleme? In diesem verfluchten Zoo kann ich nicht arbeiten!« Dann polterte er eine Weile auf französisch weiter, bis er wieder ins Englische zurückfiel: »Unmöglich, die Verhältnisse hier. Er oder ich, Sie müssen sich entscheiden!« Er legte das Hackbeil mit der Gans beiseite und verschränkte ebenfalls die Arme.

»Kommen Sie, wir besprechen das unter vier Augen!«

»Er oder ich! Entscheiden Sie sich! Hier und jetzt!«

»Also gut, Jean-Luc. Ah Wang, Sie sind ab sofort Chefkoch im Hotel Empire. Jean-Luc, Sie können mit Mr. Masterson die finanziellen Dinge regeln.«

Jean-Luc öffnete die Schwingtüren nicht, er stieß sie so ungestüm auf, daß er fast einen Kellner zu Boden gerissen hätte, der gerade einem bronchitiskranken Gast einen Teller Bouillon serviert hatte. Ah Wang schaute erfreut, aber keineswegs überrascht. Ich wußte etwas, was Jean-Luc nicht wußte: General Chang war ein großer Freund europäischer Küche gewesen. In der ganzen Aufregung vergaß ich den Brief an Maria.

Fünftes Kapitel

»Zum erstenmal sehe ich auf unserer Reise etwas Interessantes«, verkündete Wilfred Austen. Wir standen vor dem Kuan-Ti-Tempel in Kennedy Town, direkt unter einem Fries, auf dem eine Schlacht zwischen taoistischen Göttern dargestellt war. In der Mitte war eine martialische Figur mit vier scharlachroten Armen zu sehen, die zwei abgeschlagene Köpfe ihrer Gegner hielt und zwei mächtige Speere schwang.

Mit Mastersons Unterstützung hatte ich angefangen, nebenbei Stadtführungen anzubieten und Vorträge zu halten. Viele englische Touristen wollten in Hongkong mehr über die chinesische Kultur erfahren. Ich dachte mir ein Programm aus. Ich zeigte den Besuchern die Tempel von Kuan-Ti und Tin-Hau, einen Friedhof bei Fanling (der leider in der Nähe einer Färberei lag, deren Geruch ich noch heute in der Nase habe) sowie das Luk-Yu-Teehaus. Dort übernahm ich die Bestellungen, und nervöse, doch unerschrockene Touristen wagten sich an solche Sachen wie halbgekochtes Huhn und tausendjährige Eier. (Die schmecken übrigens wie Brie, was die Leute nicht davon abhielt, bei ihrem Anblick glückselig zu seufzen. Eine Frau fiel sogar in Ohnmacht. In Wahrheit sind sie nur einen Monat alt – nicht viel anders als die eingelegten Eier, die im Plough angeboten wurden.) Besonders beliebt bei den Touristen war *dim sum*, wörtlich »das Herz berührend«, wie so viele Bezeichnungen chinesischer Speisen eine Metapher, ein poetischer Name für Teigtaschen.

An diesem Februartag 1938 unternahm ich die Tour mit zwei englischen Schriftstellern, die nach China weiterreisen wollten, um über den Bürgerkrieg zu berichten. Sie würden per Schiff fahren, da die Japaner, die den größten Teil Chinas besetzt hielten, angefangen hatten, den Zug Kowloon–Kanton anzugreifen. Die Jagdbomber starteten von einem Flugzeugträger, der in internationalen Gewässern vor Hongkong lag. Auch die Schiffsverbindung wurde gestört, aber eher beiläufig und planlos.

Austen, der Dichter, war größer und blasser als sein Begleiter. Er war Anfang Dreißig, gehörte zu jenem Typ Engländer, der immer etwas Jungenhaftes behält, war ein Kettenraucher Mastersonschen Zuschnitts und guckte mit seinen kurzsichtigen Augen immer mürrisch in die Welt. Sein Begleiter, der Bühnenautor Charles Ingleby, war kleiner, nicht ganz so blaß, freundlicher, unzuverlässig und voller Witz. Sie traten wie eine Zweierbande auf. Und sie machten kein Hehl aus ihrer Homosexualität.

Austen und Ingleby hatten sich eine Woche in der Kolonie aufgehalten und wollten am nächsten Tag nach Kanton abreisen. Als Schriftsteller aus England nutzten und ironisierten sie ihren Quasi-Prominentenstatus. Über mehrere offizielle Empfänge, an denen sie teilgenommen hatten, äußerten sie sich mit, wie ich fand, unverhohlenem Spott. Besonders Austen zeigte sich unbeeindruckt. »Das intellektuelle Niveau hier entspricht dem eines Golfclubs in Surrey«, sagte er. Austen neigte zu Monologen und Sentenzen. Beides ging oft zusammen. Ein beliebtes Thema war Sex.

»Das Kolonialleben ist im Grunde eine Komödie.«

»Lachen ist das erste Anzeichen für sexuelles Interesse.«

»Die Chinesen sind viel intelligenter und würdevoller als die Europäer, es ist ausgesprochen peinlich, ein Weißer zu sein.«

»Ohne Gin und Ehebruch wäre das Empire schon vor Jahrzehnten auseinandergefallen.« (Das gab ich an Masterson weiter, der sofort meinte: »Ob das für das Empire stimmt, weiß ich nicht, für unser Hotel aber ganz sicher.«)

»Die chinesische Kunst ist quietistisch.«

»Rotschöpfe gehen nur in die Tropen, wenn sie sterben wollen.«

»Jede Engländerin, der ich begegnet bin, wollte von einem Chinesen gevögelt werden.«

Hier im Tempel jedoch war er, wenn auch nur für kurze Zeit, geradezu überwältigt. Aufmerksam hatte er alle Statuen und Altarbilder betrachtet. Ich freute mich natürlich. Der intensive Duft der Räucherstäbchen lag schwer in der Luft. Eine Frau fuhr mit einem Bambusfeger über den Boden. In einer Nische saßen eine chinesische Jadegöttin und ein dicker Buddha einvernehmlich beieinander.

Ein zylinderschwenkender Wahrsager lockte in einer Tempelecke Kundschaft an. Wenn sich ein Interessent gefunden hatte, kippte er den Zylinder um, so daß ein beschriebener Zettel zu Boden segelte. Dann interpretierte er, was darauf geschrieben stand. Ich bin nicht abergläubisch, oder vielleicht doch, jedenfalls habe ich nie einen Wahrsager konsultiert.

»Bißchen chaotisch hier, was?« sagte Ingleby. »Im Taoismus ist alles so klar und einfach und rein, immer geht es um den Weg und den Fluß der Dinge und so weiter, und dann sieht man ihre Tempel, diesen Mischmasch aus Aberglauben, alles zusammengerührt. Dieser Gott und jener Gott und Buddhas und was weiß ich alles.«

»Nein, nein, überhaupt nicht«, sagte Austen. »Das ist viel zu protestantisch gedacht. Es gibt keinen Widerspruch zwischen Mystik und Aberglauben. Es ist wie im mediterranen Katholizismus, jeder Ort hat seine eigenen Götter und Glaubensrichtungen und Rituale und Heilige. Widerspricht keineswegs dem wahren Glaubensfundament. Wir sollten keine Angst vor diesen Überlagerungen haben.«

Austen bemerkte, wie der Wahrsager seinen Zylinder beiseite legte und sich eine Zigarette anzündete. Der Dichter holte ein Päckchen Sweet Afton heraus und zündete sich eine an, ohne uns eine anzubieten.

Austen und Ingleby waren Vorboten. Infolge des Chinesisch-Japanischen Krieges versiegte nicht nur der Touristenstrom nach Kanton, sondern weitgehend auch der Geschäftsverkehr mit Schanghai. Mit dem Krieg kamen aber auch Menschen. Journalisten, Kriegsgewinnler, Diplomaten, Geschäftsleute von unterschiedlicher Vertrauenswürdigkeit, Kriegstouristen, Spione. Die meisten tranken mehr und gaben mehr Geld aus als die Touristen zu Friedenszeiten. Die wirtschaftliche Lage war nicht mehr so rosig, alles in allem aber überraschend stabil. Die Depression führte dazu, daß wir auf einem relativ bescheidenen Niveau operierten. Gäste anderer Hotels kamen nun wegen Ah Wangs chinesischer Küche zu uns ins Empire. Masterson erwog, die Preise zu senken, fand das am Ende aber nicht notwendig. Nach dem Tod seines stillen Teilhabers Münster war er nunmehr der alleinige Besitzer des Empire.

»Niemand macht sich groß Sorgen wegen des Kriegs, solange es die Weißen nicht trifft«, sagte er.

Für mich schien der Bürgerkrieg zumindest etwas Gutes zu haben. Maria hatte in ihren Briefen davon gesprochen, daß ihre Mission möglicherweise dichtmachen und umziehen müsse – und in dem Fall höchstwahrscheinlich nach Hongkong. (»Wenn Unruhen in China ...«)

»Wir sind hin und her gerissen zwischen dem Wunsch, dem Herrn in China zu dienen, indem wir seinen Kindern hier helfen, und der Tatsache, daß der Krieg unsere Arbeit praktisch unmöglich macht«, schrieb sie. »Wenn wir unseren Auftrag hier nicht mehr erfüllen können und uns zugleich in Gefahr bringen, sollten wir gehen. Doch das ist eine gewaltige Entscheidung, und ich bin froh, daß nicht ich sie zu treffen habe.«

Unsere Briefe waren vertrauter, als wir es in unseren Gesprächen gewesen waren. Ich fragte mich oft, wie es wäre, wenn wir uns wiedersähen.

In bezug auf Ho-Yan hatte ich inzwischen ein gutes Gewissen. Die erwarteten Katastrophen waren nicht eingetreten. Ho-Yan hatte das Empire mit dem Hinweis verlassen, daß er sich seinem Bruder Man-Lee anschließen wolle. Zuerst als Botenjunge, dann als etwas Höheres bei einem Lieferanten. Bald unterbreitete er mir ein Angebot: Wenn wir uns künftig von seiner Firma beliefern ließen, könne er garantieren (garantieren!), daß unser Problem mit dem Fehlbestand aufhören würde. Noch immer mußten wir etwa zehn Prozent abschreiben. Das ärgerte mich zwar, aber ich beschloß, es als unabänderlich hinzunehmen, als ein Faktum, mehr oder weniger als inoffizielle Lohnzulage. Ho-Yan würde genausoviel verlangen wie unser bisheriger Lieferant. Durch persönliche Kontrolle der Bestände – was immer das bedeuten mochte – wollte er den zehnprozentigen Verlust in den Griff bekommen. Das wiederum bedeutete einen mehr als zehn Prozent höheren Gewinn, da wir den verschwundenen Alkohol zu Hotelpreisen verkaufen konnten; das Angebot war also hochinteressant. Ich gab Ho-Yans Firma einen Drei-Monats-Vertrag, und sofort war Schluß mit den Fehlbeständen. Ich war zufrieden.

Sehr viele Leute waren wie Wo Ho-Yan, Wo Man-Lee und Ah Wang nach Hongkong gekommen. Auch aus

Schanghai kamen sie massenhaft. Mitunter waren das sehr exotische Typen. Meine besondere Aufmerksamkeit galt den Weißrussen, die man leicht von den anderen unterscheiden konnte. Diese Leute hatten etwas Elegantes und Eitles und Verzweifeltes an sich. Diese Menschen, die strenggenommen keine Flüchtlinge, aber auch nicht das Gegenteil von Flüchtlingen waren, brachten den Krieg näher. Er wurde nun ständiges Gesprächsthema.

»Krieg« konnte jedoch vieles heißen. Es gab den Krieg in China beziehungsweise die beiden Kriege, den Bürgerkrieg zwischen Kommunisten und Kuomintang (nach allgemeiner Ansicht waren die Kommunisten praktisch besiegt) und den Krieg zwischen Chinesen und Japanern. Außerdem gab es den Krieg in Europa, mit dem alle rechneten, ein Krieg, bei dessen Erwähnung man ein flaues Gefühl im Magen hatte, weil er vielen, auch mir, sehr viel näher war als das, was unmittelbar hinter der Grenze in China passierte. Und dann gab es noch die Kriegaussichten für uns selbst, die in den Köpfen der Leute herumspukten. Darüber wurde nur in Männergesellschaft gesprochen. Der Japaner wird uns angreifen, der Japaner wird uns erst angreifen, wenn er mit den Chinesen fertig ist, die Japaner sind neidisch auf Hongkong, die Japaner vermehren sich wie die Karnickel, sie werden erst Ruhe geben, wenn sie Australien erobert haben. Die Navy wird uns schützen, die Amerikaner werden uns schützen, uns kann niemand schützen. Hongkong ist uneinnehmbar, Hongkong ist unhaltbar. Wir werden alle nach Singapur fliehen müssen; wenn es soweit ist, wird es zu spät dafür sein. Die Japaner können nicht bombardieren, die Japaner können nicht fliegen. Die Japaner werden die Evakuierungsschiffe im Hafen versenken, sie werden uns ziehenlassen und den Hafen für ihre eigenen Zwecke verwenden. Niemand weiß das, mein Lieber, aber es ist tatsächlich so, daß der Japaner im Dunkeln nicht sehen kann. Das Wort »Krieg« war nun in allen Gesprächen herauszuhören.

Im Sommer 1939, kurz vor Kriegsausbruch in Europa, wurde es auch für mich konkret. Ich war inzwischen ein begeisterter Wanderer, pflegte dieses einzelgängerische, aber kräftigende Hobby als Ausgleich für meine Bürotätigkeit im Hotel. Mehr oder weniger jedes Wochenende war ich auf Lantau oder draußen in den New Territories. Die Higgins', ein befreundetes Ehepaar, die auf der Des Voeux Road einen Laden für chinesische Möbel besaßen, hatten an der Südküste von Lantau ein Steinhaus; und Cooper und Porter, die Freunde von der Hong Kong Bank, luden mich übers Wochenende ein, wenn sie im bankeigenen Bungalow draußen bei Fanling waren. Wann immer es möglich war, wanderte ich in den Bergen. Ich war fitter denn je – entschieden fitter, als ich es früher in der flachen Landschaft von Kent gewesen war. Ich mochte die Hitze, und die Luftfeuchtigkeit war zwar nicht besonders angenehm, sie setzte mir aber weniger zu als anderen.

An jenem Tag hatte ich neben den üblichen zwei Wasserflaschen auch eine Flasche Bier eingepackt. In meinem Lederrucksack, den ich bei einem Schuster in Wanchai gekauft hatte, waren ein paar belegte Brote, eine Apfelsine, ein Kompaß und eine Landkarte. Von Fanling aus wollte ich bis zu den Tai-Mo-Bergen trampen und dort loslaufen.

Es war das Bier, das mich schaffte. Ich hatte bei Cooper und seinen Freunden in Fanling übernachtet. Wir hatten zuviel getrunken. Ich wachte spät und ein bißchen verkatert auf. Die jungen Bankleute wollten zu einer Lunch-Gesellschaft. Ich fand jemanden, der mich bis an den Fuß der Berge mitnahm. Meist mußte ich eine Stunde laufen, bevor ich mich umgestellt hatte, bis Lungen und Beine wieder koordiniert arbeiteten und ich die zurückliegende Woche aus den steifen Gliedern schütteln konnte. Ich blieb auf einer kleinen Anhöhe stehen und schaute hinunter nach Norden, in Richtung Grenze. Für einen Sommertag war es klar, nur leicht dunstig, ohne diese feuchten und drückenden Wolken. Obwohl es erst Mittag war und noch eine ziemliche Strecke vor mir lag, fand ich, daß mir eine kleine Belohnung zustand. Ich setzte mich auf einen Felsen und trank das Bier. Durch die Wärme und die körperliche Anstrengung hatte ich das angenehme Gefühl, daß mir der Alkohol sofort in den Kopf stieg. Keine Sorge, dachte ich, unterwegs wirst du alles ausschwitzen. Ich wanderte weiter zum Gipfel des Tai Mo Shan, auf einem markierten Weg, der auf meiner alten Karte sehr viel eindeutiger zu sehen war als in der Realität.

Am frühen Nachmittag wurde ich müde. Ich hatte den größten Teil der Strecke zum tausend Meter hohen Gipfel zurückgelegt und konnte in nördlicher Richtung weit nach China sehen, vorbei an den Reisfeldern und Dörfern der New Territories. (Heute würde man mehrere neue Städte sehen, viele Hochhäuser und jenseits der Grenze Shenzen, eine ganz moderne Wolkenkratzerstadt.) In dieser Höhe kühlte man ab, und manchmal ging ja auch eine leichte Brise, doch an diesem windstillen Tag schwitzte ich immer mehr. Ich hatte seit dem Bier nicht mehr gerastet und beschloß daher, Pause zu machen. Ich lehnte mich an einen Baum und aß die beiden Schinkenbrote. Die Butter war in der Hitze praktisch geschmolzen, das Einwickelpapier warm und fettig. Ich zog mir den Hut über die Augen. Es war unheimlich still um mich herum. Ich wollte nur einen Moment ausruhen, und nach einem Schluck aus der

Wasserflasche würden meine Lebensgeister wieder zurückkehren.

Als ich aufwachte, stand die Sonne tief hinter den Bergen, und der Tai Mo Shan lag im Schatten. Bald würde die Sonne untergehen. Ich erschrak bei dem Gedanken, mich zu verlaufen und in den Bergen übernachten zu müssen. Mein Fehlen würde frühestens am Montag vormittag bemerkt werden. Ich schwor mir, nie wieder eine Bierflasche anzufassen, schwang den Rucksack über die Schultern und ging den schmalen Pfad entlang.

Schon im nächsten Moment war ich verloren. Ich kam zu einer Weggabelung, die ich beim Aufstieg nicht bemerkt hatte. Der eine Weg schien sich in einer Biegung zu verlieren, bevor er vermutlich hinabführte, der andere war kaum zu erkennen und steiler, aber direkter. Beide sahen sehr fremd aus. Nach kurzem Zaudern entschied ich mich für den steilen Weg. Bald zeigte sich, daß das ein Fehler gewesen war. An so dichten Büschen auf beiden Seiten war ich auf dem Hinweg nicht vorbeigekommen, und als die Dunkelheit einsetzte, war ich zerschunden und hatte jede Orientierung verloren. Das einzig Sinnvolle schien mir, weiter abwärts zu stolpern. Immer wieder hielt ich mich am Buschwerk, an Bäumen und Sträuchern fest und stolperte über den geröllbedeckten Boden. Kein Weg war zu sehen. Manchmal war der Berg erschreckend steil.

Nach einiger Zeit – die Zeiger meiner Uhr konnte ich nicht erkennen – wurde das Terrain flacher, und es gab zwar noch immer keinen Weg, aber der steinige, unebene Grund war nicht mehr anstrengend. Wenn ich hätte raten sollen, hätte ich vermutlich gesagt, daß ich mich in mehr oder weniger südlicher Richtung bewegte, nach Shek Kong. Ich beschloß, noch etwa ein, zwei Stunden zu laufen und, falls ich bis dahin nicht in einem Dorf angelangt war, die Nacht im Freien zu verbringen. In diesem Moment fielen mir die ersten Tropfen eines tropischen Schauers ins Gesicht. Der Himmel hatte sich unversehens bezogen. Ich schwor mir, nie mehr wandern zu gehen und mich immer an diesen Schwur zu erinnern, selbst wenn ich mich sicher fühlte und schönstes Wetter war.

Dann passierten drei Dinge. Ich spürte, wie der Boden unter mir nachgab, ich registrierte, daß ich auf etwas Weichem, Kompaktem, irgendwie Lebendigem landete, und schließlich rief neben mir eine laute Stimme: »Au! Verflucht! Weg da!«

Dieser Hinweis war unnötig. Wer immer es war, derjenige, auf dem ich gelandet war, drehte sich zur Seite, so daß ich wegrollte und mit dem Kopf auf die Erde stieß. Im nächsten Moment blendete mich das Licht einer Taschenlampe, und eine Cockney-Stimme sagte:

»Wer zum Teufel bist du?«

Im Hintergrund waren weitere Stimmen zu hören. Ich hörte jemanden näher kommen.

»Was gibt's, Sergeant?« sagte eine Kommandostimme.

»Irgend jemand ist grad hier reingefallen, Sir«, sagte die Stimme neben mir.

»Würden Sie mir bitte erklären, was hier los ist?« rief ich.

»Hievt ihn raus, Leute, damit wir ihn beäugen können«, sagte die Kommandostimme. Zwei Armpaare reichten herunter, und mit ihrer Hilfe zog ich mich hoch. Die Männer waren Soldaten. Dann wurde mir die Taschenlampe wieder ins Gesicht gehalten, und einen Moment herrschte Schweigen.

»Also, ich muß schon sagen, wie ein japanischer Spion sieht er nicht aus«, sagte der Anführer, und dann in militärischem Ton: »Wir sind vom Royal Hong Kong Regiment, machen eine Feldübung. Wer sind Sie, und was tun Sie hier?«

»Mein Name ist Tom Stewart, ich bin Zivilist und war oben auf dem Tai Mo Shan und bin jetzt auf dem Heimweg.«

»Machen Sie oft solche Bergwanderungen im Dunkeln, Mr. Stewart?«

»Ich bin eingeschlafen, dann wurde es dunkel, und ich habe mich verlaufen. Soll vorkommen.«

»Unternehmen Sie Ihre Wanderungen oft allein?«

»Ja.«

»Verlaufen Sie sich oft?«

»So was passiert bekanntlich. Wie Sie vielleicht wissen, sind Wanderkarten nicht besonders genau.«

»Und was machen Sie, wenn Sie sich verlaufen?«

»Ich erkundige mich nach dem Weg.«

»Und wenn die Leute kein Englisch sprechen?«

»Dann frage ich auf chinesisch.«

»Ach ja?« sagte mein Vernehmer, sanfter und interessierter. Er dachte einen Moment nach. »Sergeant, würden Sie Mr. Stewart bitte zum Transportfahrzeug bringen. Wir machen jetzt mit unserer Übung weiter, Mr. Stewart, morgen früh sind wir fertig. Sie können im Fahrzeug bleiben und eine Tasse Tee trinken. Wir nehmen Sie dann mit, so daß Sie rechtzeitig zur Arbeit in der Stadt sind. Die meisten von uns müssen ja morgen vormittag an ihrem Arbeitsplatz sein. Unterwegs können wir ein bißchen plaudern. Übrigens, ich bin Major Walter Marlowe.«

»Warum haben Sie mir nichts davon erzählt?« sagte Maria. Es war nicht das erste, was sie nach vier Jahren zu mir sagte, aber fast. Ihre Verärgerung ärgerte wiederum mich. Ich wollte sie bitten, sich zu beruhigen oder erwachsen zu werden, aber beides hatte sie schon getan. Sie sah unverändert aus. In ihrem Gesicht waren keine Falten, die Augen waren tiefer und brauner, als ich sie in Erinnerung hatte. Sie trug aber keine Ordenstracht, sondern eine Art Missionsuniform, so daß sie wie eine Krankenschwester aussah. Ihre Mütze gab mehr von ihrem Haar frei, als ich früher an ihr gesehen hatte. Pechschwarzes, fast bläulichschwarzes kantonesisches Haar, ein kurzer Pagenschnitt, der etwas irritierend Modisches hatte.

Unser Streit drehte sich um Wo Ho-Yan und seinen Bruder Wo Man-Lee. Maria war schockiert. Als hätte ich ihr mit dem Bericht über Ho-Yan keinen schlimmeren Empfang bereiten können. Es schien, als könne sie sich nur mit Mühe beherrschen.

»Ich weiß, daß Sie mir – uns einen großen Gefallen getan haben«, sagte sie schließlich. »Aber ... nun ja, es ist nicht zu ändern.«

»Sie haben mir nie gesagt, was das Problem war.«

Sie seufzte. »Ärger mit der Polizei. Kriminalität. Banden. Der Bruder ist ... kein unbeschriebenes Blatt.«

»Auf mich hat er einen ganz ordentlichen Eindruck gemacht. Die Menschen ändern sich.«

»Ich glaube nicht, daß Sie ihn gut kennen.«

»Dann sprechen wir nicht mehr darüber. Ich habe gesagt, daß es mir leid tut.«

So hatte ich mir das Wiedersehen mit Maria nicht vorgestellt. Ihre Mission hatte im Herbst 1939 beschlossen, umzuziehen. Zunächst nach Kanton, da es aber Unterbringungs- und Geldschwierigkeiten mit den bereits anwesenden Nonnen gab, fuhren sie weiter nach Hongkong, wo sie gegen Ende des Jahres eintrafen. Ihr Zug war von japanischen Kampfflugzeugen bombardiert worden. Schwester Benedicta war in Kanton geblieben, und es war nicht klar, ob sie bald nachkommen würde. Die Gemeinschaft, wie Maria sich ausdrückte, wenn ihre pastorale Ader durchschien, war bei verschiedenen Freunden und Glaubensbrüdern in der Kolonie untergekommen. Maria wohnte bei Pater Ignatius, dem irischen Priester, in Happy Valley.

In den nächsten Monaten sah ich sie mindestens einmal in der Woche. Sie gewann mich als Hilfslehrer für den Englischunterricht. Ihre Schüler trafen sich mehrmals in der Woche, obwohl sie über ganz Hongkong und Kowloon verstreut wohnten. Ich sollte als Muttersprachler bei Konversationsübungen helfen. »Sogar Schwester Benedicta findet, daß Englisch die Sprache der Zukunft ist«, sagte Maria. Die Gesichter, die mich ernst ansahen, während ich Passagen aus der *South China Morning Post* vorlas, hatten etwas wunderbar Anrührendes. Am besten war, wenn ich Filme beschrieb und dann mit den Schülern darüber diskutierte. Das Verhalten einzelner Figuren erschien ihnen oft witzig oder unverständlich. Immer wieder tauchte die Frage auf, wo die Familien der Filmhelden waren und warum diese Leute ihr Zuhause verlassen hatten.

Maria gab auch in den New Territories Unterricht, in der Nähe von Fanling, wo ihr ein Klassenzimmer zur Verfügung stand, in dem sie einige Missionsschüler unterrichtete, die in der Gegend wohnten. Ein-, zweimal die Woche fuhr sie nach Fanling, ich kam einige Male mit. Einmal erzählte ich den Schülern den Inhalt von *Stagecoach*. Eine Hand ging in die Höhe.

»Aber wo ist Familie?« fragte jemand. »Warum Familie nicht da?«

»Es sind Flüchtlinge«, sagte ich. Alle nickten, und diejenigen, die sich hingefläzt hatten, richteten sich auf.

»Sie sind ein begabter Lehrer«, sagte Maria nach dieser Stunde. Nach dem Unterricht gingen wir zu einem der

Schüler, um eine Art Fischsuppe zu essen. Die Landluft in den New Territories roch immer frisch, als hätte es gerade geregnet – wenn der Wind nicht gerade von der Färberei herüberwehte.

Eine so merkwürdige Atmosphäre wie damals habe ich nie wieder erlebt. Über den Krieg in Europa, der sich von einer Bagatelle zu einer Katastrophe auswuchs, wurde ständig diskutiert, und es war, als sollte der Krieg mit furchtbarer Zwangsläufigkeit, mit der Logik eines üblen Traums auch über uns hereinbrechen. Die Menschen verhielten sich seltsam. Kollektive Hysterie hatte ich noch nie zuvor erlebt – eine ruhige Hysterie, die sich in angespannten Stimmen oder unvermitteltem Schweigen äußerte, nicht in öffentlicher Brüllerei. Jeder wußte, was die Japaner in Nanking getan hatten, jeder hatte von Massenvergewaltigungen und Massakern gehört. Gegenüber Europäern würden sie sich selbstverständlich anders verhalten.

Eines Nachmittags, es muß um die Mitte des Jahres 1940 gewesen sein, klopfte mein Sekretär Ah Wang an die Tür und sagte, daß jemand mich sprechen wolle. Ah Wangs ernstes und aufgeregtes Gesicht verriet mir, daß es ein ganz besonderer Besuch sein mußte. Ich nickte, woraufhin ein hochgewachsener, kräftiger Mann – Anfang Fünfzig, in dunklem Anzug und Krawatte – ins Zimmer trat. Ich erkannte ihn sofort. Es war John Wilson, ein hoher Beamter in der Kolonialverwaltung – welchen Posten er bekleidete, wußte ich allerdings nicht. (Verteidigungsminister, wie ich später feststellte.)

»Mr. Stewart? Haben Sie einen Moment Zeit?« sagte er mit bemerkenswert sanfter Stimme. »Vielleicht könnten wir einen kleinen Bummel machen.«

Ich versuchte, ganz ruhig zu wirken, meine Überraschung nicht zu zeigen. Wahrscheinlich saß ich mit offenem Mund da, so daß ich wie ein nach Luft schnappender Fisch aussah. Ich steckte meine Zigaretten ein, nahm meinen Hut, und dann gingen wir los in Richtung Botanischer Garten. Wir überquerten die Connaught Road, gingen am neuen Gebäude der Hong Kong Bank vorbei und die Straße hinauf. Wilson stieg bergan, ohne ins Schnaufen zu kommen.

»Wie lange sind Sie jetzt hier?« fragte er mit seiner sanften Stimme. »Ein paar Jahre?«

»Erstaunlicherweise schon fast fünf, Sir.«

»Vor dem Kriegsausbruch noch mal in der Heimat gewesen?«

»Leider nein.«

»Familie?«

»Großmutter und einen Bruder, Sir. Beiden geht es gut, nach dem, was ich zuletzt gehört habe.«

»Trotzdem macht man sich Sorgen, nicht wahr. Aber Ihnen gefällt es hier?«

»Ja, sehr.« Wir erreichten das untere Ende des Botanischen Gartens, der prächtiger aussah als sonst. Wie immer waren nur wenige Besucher da, zwei, drei ältere Chinesen machten im hinteren Teil ihre Tai-Chi-Übungen. Wilson sah sich um, verlangsamte seinen Schritt.

»Was glauben Sie, wird es Krieg geben?«

»Ja, Sir.«

»Irgendwelche Pläne?« Einen Moment wußte ich nicht, was er meinte. Erst dachte ich, er wolle eine strategische Einschätzung von mir hören. Dann dachte ich, er wolle wissen, ob ich mich freiwillig melden würde – was ich in der Tat schon vage überlegt hatte, in der Hoffnung, auf diese Weise eine konkrete Entscheidung umgehen zu können. Rekrutierte die Verwaltung von Hongkong oder das

Kolonialministerium Soldaten einzeln? War das eine sinnvolle Nutzung von Ressourcen?

»Pläne?«

»Ideen, was Sie tun können. Wenn es Krieg gibt.«

»Na ja, mitkämpfen, würde ich sagen.«

»Glauben Sie, daß wir gewinnen?«

»Wie bitte?«

»Glauben Sie, daß wir gewinnen? Wenn es zum Krieg kommt?«

»Äh, ja natürlich. Letztlich.«

Er lächelte.

»Letztlich – das ist gut. Aber glauben Sie, Hongkong ist zu verteidigen? Wenn die Japaner kommen, können wir sie zurückschlagen?«

»Das kann ich nicht sagen. Ich weiß nicht genug, Sir.«

»Niemand kann das mit Gewißheit sagen. Aber ich weiß so viel, daß ich es mir ausmalen kann, und meine Antwort ist nein. Wir sind zuwenig, und es gibt nicht genug Wasser. Wenn wir die Reservoire nicht halten können, verlieren wir die Kolonie. Wenn wir die Reservoire verteidigen, haben wir nicht genug Truppen, um den Rest der Kolonie zu verteidigen. Wenn wir eine Linie quer durch die New Territories halten wollen, was wir wohl versuchen werden, wird sie zu schwach besetzt sein. Das Problem ist ganz einfach: Unsere Reserven sind begrenzt, die der Japaner nicht. Wenn sie Hongkong einnehmen wollen, die nötigen Truppen dafür haben sie.«

Mir war schlecht. Ich wollte davon nichts wissen und nichts hören. »Was sollen wir tun? Uns nach Singapur absetzen?«

»Reizt Sie diese Vorstellung?«

»Nicht besonders, nein.«

»Sehr gut. Singapur hat genug eigene Probleme. Nein,

wir können nicht einfach weglaufen und Hongkong verlassen. Frauen und Kinder werden bald evakuiert, wir anderen werden bleiben und kämpfen.«

Das schien eine Art Schlußwort zu sein. Wilson blieb vor einem Baum mit dunkelgrünen Blättern und flammendroten herabhängenden Blüten stehen, einem Jakaranda, wie ich inzwischen weiß.

»Wir werden, um mit Ihnen zu sprechen, den Krieg letztlich gewinnen. Die Amerikaner helfen uns nicht, wie Sie vielleicht wissen. Sie sind eifersüchtig auf das Empire im allgemeinen und, wie es aussieht, auf Hongkong im besonderen. Aber früher oder später werden die Japaner auch sie angreifen, und dann werden sie verlieren, früher oder später. Bis es soweit ist, haben wir Hongkong verloren, und die meisten von uns werden tot oder im Gefängnis sein.«

Eine Woge bitterer Enttäuschung stieg in mir auf. Was hatte ich mir nur dabei gedacht, als ich beschloß, meinen Kindheitstraum wahrzumachen und nach China zu gehen? Ich hatte mein Leben vergeudet. Ich würde sterben oder im Gefängnis schmachten. Wilson betrachtete noch immer den Jakaranda. Die Zukunftsaussichten schienen ihn nicht sonderlich zu beunruhigen. Wir schwiegen eine Weile. Allmählich funktionierte mein Denkapparat wieder. Ich sagte:

»Was meinen Sie mit ›die meisten von uns‹?«

Wilson drehte sich um, musterte mich scharf, als hätte er mich noch nie gesehen.

»Verstehen Sie was von Rechnen, Mathematik, Buchführung, solchen Sachen?«

»Ein bißchen, ja.«

»Würden Sie noch etwas dazulernen wollen?«

»Ja.«

»Können Sie noch Kantonesisch?«

Von meinen Kantonesisch-Kenntnissen war noch gar nicht die Rede gewesen.

»Ja.«

»Fließend?«

»Für einen Europäer nicht sehr einfach, aber es geht.«

»Wandern Sie noch?«

»Ähm, ja.«

Er nickte. »Walter Marlowe hat mir von Ihnen erzählt.« Als er meinen Gesichtsausdruck bemerkte, fügte er hinzu: »Major Marlowe von den Hong Kong Volunteers. Sagt, Sie hätten dem Sergeant fast das Bein gebrochen.«

»Der Sergeant hätte mir fast den Hals gebrochen.«

»Im Kartenlesen, sagt er, seien Sie nicht so toll.«

»Es war stockdunkel, Sir.«

»Und er hat Sie, ich zitiere, als einen ›eigensinnigen sturen Hund‹ bezeichnet.«

Ich wußte nicht, was ich darauf sagen sollte. Ich sah den Männern bei ihren Tai-Chi-Übungen zu, alle drei machten ihre weit ausholenden Schwingbewegungen. Man konnte es kaum beschreiben, ohne daß es komisch klang, aber der Anblick selbst war überhaupt nicht komisch. Die Teilnehmer schauten immer ernst und würdevoll und ruhig. Wilson hielt inne. Dann sagte er:

»Hätten Sie Lust, etwas zu tun, was vielleicht interessanter wäre, als im Gefängnis zu verfaulen?«

Sechstes Kapitel

Der Kriegsausbruch war ein Schock, aber keine Überraschung. In den vorangegangenen Wochen war es immer wieder zu Provokationen der Japaner gekommen, Zwischenfällen an der Grenze zwischen China und Hongkong, Flugzeuge waren über die Kolonie hinweggeflogen, Schiffe in unsere Territorialgewässer eingedrungen. Es war klar, daß sie angreifen würden. Die offizielle Haltung war, daß Hongkong bis zum Ende kämpfen würde. Ich bin froh, daß ich nicht daran geglaubt habe.

Die ersten japanischen Bomben fielen am selben Tag, an dem wir die Nachricht von Pearl Harbor hörten. Ich war in »meinem« Büro in der Hong Kong and Shanghai Bank, als ich in der Ferne ein dumpfes Krachen hörte, so als hätte jemand mehrere aufgeblasene Papiertüten zerknallt. Aber das Geräusch hallte viel stärker und lag fremdartig in der Luft. Ich hörte heulende Flugzeugmotoren, trat ans Fenster, sah gegen Nordosten drei Rauchsäulen. Ohne daß ich es bemerkt hatte, war Cooper ins Zimmer gekommen und stand nun neben mir.

»Verfluchte Scheiße«, sagte er. »Es geht los. Kai Tak. Sie bombardieren den Flughafen.«

Wieder eine Reihe von Explosionen irgendwo. Erst später erfuhr ich, daß bei dieser ersten japanischen Angriffswelle sämtliche Maschinen der Royal Air Force und sämtliche Flakbatterien zerstört worden waren – die komplette Luftverteidigung Hongkongs.

Cooper und ich sahen uns an. In den letzten Monaten

hatte ich die freien Vormittage in diesem Büro der Bank in der Queen's Road Central verbracht und mir Grundkenntnisse im Bankwesen angeeignet. Das war Wilsons Plan.

»Die Japaner werden die Kolonie verwalten müssen. Sie können es sich nicht leisten, daß hier alles zusammenbricht. Um ein paar Dinge müssen sie sich einfach kümmern. Strom- und Wasserversorgung zum Beispiel. Aber dafür können sie ihre eigenen Leute holen. Und sie werden alles stehlen, was nicht niet- und nagelfest ist. Die Aufrechterhaltung der öffentlichen Ordnung wird problematisch sein. Und sie müssen dafür sorgen, daß die Wirtschaft wieder funktioniert. Das heißt, die Banken müssen ihren Betrieb wiederaufnehmen, und das heißt, sie brauchen Fachleute. Und hier kommen Sie ins Spiel.«

Gedacht war, mich in den Kreis einiger Schlüsselfiguren der Bank einzuschleusen. (Bank hieß in diesem Zusammenhang, wie in Hongkong zumeist überhaupt, die Hong Kong and Shanghai Bank.) Ich würde auf der Gehaltsliste und im Personalregister mit irgendeiner fiktiven Bezeichnung wie etwa »stellvertretender Leiter der Abteilung Revision« erscheinen. Ich sollte soviel Kenntnisse erwerben, um als Bankfachmann durchgehen zu können. Und unter japanischer Besatzung würde ich bei bestimmten Gelegenheiten meine Kantonesisch-Kenntnisse verwenden. Ungefähr sechs Personen wußten von diesem Plan.

»Und vergessen Sie nicht: wir nehmen Kontakt zu Ihnen auf, nicht umgekehrt«, sagte Wilson.

»Wäre es nicht besser, ich wüßte ein bißchen mehr?«

Nicht daß mir bei der Erinnerung an diese Frage die Schamesröte ins Gesicht steigt, aber es war mit das Dümmste, was ich in meinem Leben gesagt habe.

»Nein, es wäre besser, Sie wüßten ein bißchen weniger«, sagte Wilson, freundlich wie immer.

Cooper, den das Leben als Bankangestellter vollständig geschluckt hatte und den ich seit unserer Ankunft in Hongkong nur noch in unregelmäßigen Abständen gesehen hatte, war mein Ausbilder. In den vergangenen sechs Jahren hatte er mehrere Verhältnisse gehabt, nicht ganz Liebesbeziehungen, nicht ganz Affären, meist mit Töchtern von höheren Bankmenschen und Kolonialbeamten. Gegenwärtig machte er einer Miss Farrington den Hof, deren Vater irgend etwas in der Regierung war. Frauen und Kinder waren Mitte 1940 auf Anordnung der Regierung evakuiert worden, aber wer Beziehungen hatte oder krankenpflegerische Kenntnisse besaß, konnte sich unter einigem Aufwand davon befreien lassen. Das hatte auch Miss Farrington getan. Cooper beschrieb ihre Ausreden und ihr Hinhalten in einer Weise, die mir klarmachte, daß sie nicht die leiseste Absicht hatte, seine Gefühle zu erwidern.

»Was meinst du? Wie stehen meine Chancen?« fragte er mich.

»Nur der Unerschrockene hat eine schöne Frau verdient«, sagte ich, was ein Zitat von Masterson war. Er verwendete diesen Spruch, wenn er ein Paar sah, das ganz offensichtlich nicht zueinander paßte, meist ein häßlicher älterer Mann mit einer, wie es damals hieß, »Püppi« am Arm.

»Guter Rat«, sagte Cooper unbestimmt. Seine Unfähigkeit, einmal nicht an sein Privatleben zu denken, war ärgerlich und tröstlich zugleich. Sie verband sich mit einer bemerkenswerten Fähigkeit am Arbeitsplatz. Cooper hatte nicht das geringste Interesse an seiner Tätigkeit – weniger als alle anderen mir bekannten Menschen, denn selbst der einfachste Küchenhelfer, den seine Arbeit anödet, hat eine Beziehung zu seinem Job, indem er darüber schimpft. Bei Cooper passierte nicht einmal das. Er arbeitete sich einfach so unerschütterlich und unbeteiligt durch seinen Papierkram wie ein Schlepper durch rauhe oder ruhige See, durch Häfen oder Kanäle, ganz egal. Seine Gefühle waren woanders. Das machte ihn zu einem hervorragenden Administrator.

Das Büro, das ich mit ihm teilte, um mich zum Darsteller eines Bankangestellten ausbilden zu lassen, war vielleicht zwölf Quadratmeter groß und hatte, ein Zeichen von Coopers Rang, ein Fenster mit Blick über den Hafen. Geschmückt hatte er es mit einem schlechten chinesischen Gemälde und einem eigenwilligen Usambaraveilchen, dem er sich aufmerksam widmete, das er hin und her schob und experimenthalber, aber gleichbleibend erfolglos, mit verschiedenen Wassermengen versorgte. Vielleicht, dachte ich, hätte er die Pflanze nicht so sehr wie eines seiner Liebesobjekte, sondern als Teil seiner Arbeit behandeln sollen. Unser Büro lag im dritten Stock, über der Hauptschalterhalle, die bei ihrer Eröffnung, laut Cooper, der »weltweit größte klimatisierte Raum« gewesen war. Die Decke dieser Halle war mit einer bemerkenswert sozialistisch-realistischen Darstellung chinesischer Proletarier, Hafen- und Fabrikarbeiter und Bauern ausgemalt, die allesamt ihrer edlen kollektiven Arbeit nachgingen. »Wird uns gute Dienste leisten, wenn die Kommunisten den Krieg gewinnen«, witzelte Masterson. Ich habe diesen Witz oft an Bankangestellten ausprobiert, aber gelacht hat nie jemand.

Mir gefiel es, mich im Innern der Bank zu bewegen, hinter der öffentlichen Fassade, umgeben vom Geruch von Papier und Geschäft. Als Branche, in der man Wert auf das äußere Erscheinungsbild legte, sich im täglichen Geschäft nicht von moralischen Überlegungen leiten ließ und die Kunden einschüchterte, hatte das Bankgeschäft viele Ähnlichkeiten mit der Hotellerie.

Insgeheim hatte ich mich gefragt, ob der Krieg in Cooper den ängstlichen Romantiker oder den unerschütterlichen Administrator hervorbringen werde. Auf diese Weise brauchte ich mir die Frage nicht selbst zu stellen. Indem Wilson mir das Angebot gemacht hatte, etwas Sinnvolles zu tun, brauchte ich die Realität des bevorstehenden Überfalls nicht an mich heranzulassen. Dafür erfaßte mich dann, als die ersten Bomben fielen, eine noch nie erlebte Angst. Schwer atmend stand ich am Fenster, mein Herz raste, und mir war, als würde ich im nächsten Moment tot umfallen – vor Angst, purer Angst.

Cooper sah mich an. »Ganz ruhig, Tommy«, sagte er.

Nur mein Bruder, dachte ich, sagt Tommy zu mir, niemand sonst. Mir war, als leuchtete ein dünner Lichtstrahl der Vernunft durch meine Panik, und dann merkte ich, wie die Angst nachließ. Cooper sah das.

»Verdammte Scheiße«, sagte er wieder und seufzte.

Den Rest des Tages kamen ständig Leute mit Nachrichten und Gerüchten. Viele Bankangestellte waren bei den Hong Kong Volunteers, so daß die Bank nur zur Hälfte besetzt war und man glauben konnte, es seien Ferien. Zwei Wochen zuvor waren zwei kanadische Infanteriebataillone in Hongkong eingetroffen, die Truppenstärke betrug also insgesamt sechs Bataillone. Darin sah man ein optimistisches Zeichen, daß die Kolonie bis zum Eintreffen von Verstärkung gehalten werden sollte. Vieles an Klatsch und Spekulation drehte sich um diese Kanadier, wobei die Wahrheit – es handelte sich um Rekruten, die eben erst ihre Grundausbildung absolviert hatten – geflissentlich übersehen wurde. Die Japaner werden nur ein paar Bomben abwerfen, bevor sie der Kolonie wieder den Rücken kehren. Die Japaner haben keine Lust auf einen richtigen Kampf. Hongkong ist, genau wie Singapur, uneinnehmbar. Die Japaner haben nach ihren Einfällen über die Grenze Angst bekommen. Sie haben erkannt, daß sie die Gindrinker-Linie nie überwinden werden. (Das war die Verteidigungslinie aus Bunkern und Schützengräben in den New Territories.) Japaner können keine Bomben werfen, Japaner können nicht fliegen, Japaner können nicht auf unerwartete Situationen reagieren, Japaner können im Dunkeln nicht sehen.

Wilsons Anweisung hatte gelautet, daß ich, wenn irgend möglich, beim Eintreffen der Japaner an meinem Schreibtisch sitzen sollte. »Das wäre ein fliegender Start für uns«, sagte er. Also blieb ich den ganzen Tag im Büro, spürte die Angst in den sinnlosen Witzen und starrte durchs Fenster, suchte nach Flugzeugen am Himmel.

Nach der Arbeit überquerte ich die Straße und wartete in der Des Voeux Road auf eine Straßenbahn in Richtung North Point. Ich hatte beschlossen, Maria zu besuchen, entweder in der Mission in Wanchai oder in Happy Valley, wo sie unterrichtete. Auf den Straßen herrschte eine eigentümliche Atmosphäre. Normalerweise besteht Hongkong aus Lärm und Bewegungen und Farbe. An diesem Tag waren Farbe und Bewegungen unverändert, aber es war fast nichts zu hören. Die Leute gingen ihrer Wege, grimmig und entschlossen und verängstigt. Das beruhigte mich nicht gerade.

In der Straßenbahn war es voll, aber ruhig. Ich stand eingezwängt zwischen einer Chinesin, die fünf große Basttaschen mit Lebensmitteln dabeihatte – geköpfte Hühner, nicht mehr ganz taufrisches Obst und einzelne Gemüsebündel, am Ende des Markttags günstig erworben –, und einem Büroangestellten, der an ohnehin sehr kurz abgekauten Nägeln kaute und dabei eine zusammengefaltete chinesische Zeitung las. Wir lehnten aneinander, während die Straßenbahn hin- und herschaukelte. In Wanchai kämpfte ich mich zum Ausstieg durch. In der Happy Valley Road und Des Voeux Road war viel Betrieb, todesmutig schlug ich mich durch den Verkehr. Mir kam der Gedanke, daß es wirklich dumm wäre, ausgerechnet an diesem Tag von einer Straßenbahn überfahren zu werden.

Der Weg zum Missionsgebäude führte an zwei Möbelgeschäften vorbei, die sich auf Kampferholzvitrinen spezialisiert hatten. Eines war geschlossen, die Rolläden heruntergelassen, als wäre der Besitzer mit seiner Familie schon geflohen. Der Inhaber des anderen Geschäfts hatte sich anders entschieden. Er saß mit untergeschlagenen Beinen auf einem Schemel vor dem Laden, Brille auf der Nase, und bearbeitete ein ungebeiztes Holzstück mit einem Beitel. Hinter ihm sah ich aufgestapelte Möbel und einen kleinen Schrein für die Göttin der Barmherzigkeit.

Ich ging weiter bergan, kurzatmig vor lauter Aufregung und Sorge und weil ich mich so beeilte. Schließlich erreichte ich die Mission. Ich klopfte an der Doppeltür, wartete, klopfte lauter, wartete und trat dann ein. Der Korridor, den ich nie leer gesehen hatte, lag völlig still da. An der Wand hingen Bekanntmachungen und Hinweise auf Veranstaltungen. Das Klassenzimmer, das vom Korridor abging, war leer, und das war der merkwürdigste Anblick an diesem Tag, denn ich hatte das Zimmer nie ohne Lehrer oder Schüler oder Krippenspielproben oder Diskussionsgruppen oder einzelne Leser oder Nachhilfeschüler erlebt. Ich ging wieder in die Halle und rief die Treppe hinauf:

»Pater Ignatius? Schwester Maria? Ist jemand da?«

Nur das Echo. Dann ging ich hinauf und erkundete die Privaträume des Missionsgebäudes. Die erste Tür lag genau über der Halle. Ich öffnete sie und sah einen Schlafsaal, der mehreren chinesischen Familien als Unterkunft diente. Er war durch Vorhänge in mehrere Wohn- und Schlafbereiche aufgeteilt, in einigen lag das Bettzeug auf dem Boden, in anderen standen Klappstühle in kleinen Gruppen, überall Kleider und Schmuck und Schuhe und Laternen und Zeug. Es roch nach Essen und vielen Menschen, die hier auf engstem Raum gewohnt hatten. Ich blieb einen Moment in der Tür stehen. Ich war noch nie in einen chinesischen Privathaushalt eingeladen worden. Wo all die Leute wohl waren? Ich verließ die Mission und beschloß spontan, noch ein Stück weiter bergauf zu gehen. Eine Viertelstunde später erreichte ich St. Joseph, die größte katholische Kirche auf der Insel. Es sah nicht so aus, als würde dort ein Gottesdienst abgehalten, aber ich ging trotzdem hinein.

Die Kirche war nicht einfach voll, es gab kaum noch Platz zum Stehen. Ein Priester, den ich noch nie gesehen hatte, stand vor dem Altar und führte die Gemeinde im stillen Gebet. Niemand drehte sich zu mir um, als ich die Tür hinter mir schloß. Ich versuchte, Maria zu erkennen, aber es war völlig unmöglich, von weit hinten unter einigen hundert Menschen eine einzelne Person auszumachen. Ich beschloß, auf das Ende des Gottesdienstes zu warten.

»Beten wir auch für unsere Brüder in anderen Regionen Asiens«, sagte der Priester, der sich nun der Gemeinde zugewandt hatte. »In Indien, auf den Philippinen, in Siam, Burma, in China und auch in Japan. Gedenken wir ihrer in unserer Bedrängnis. O Herr, der du in die Herzen der Menschen schaust ...«

Ich hörte nicht mehr hin. Weitere Gebete schlossen sich an und ein Moment des Schweigens, bevor der Gottesdienst zu Ende war und die Gemeinde sich langsam aufzulösen begann. Es waren mehr Chinesen anwesend, als ich erwartet hatte – zum Teil wohl Flüchtlinge, die in der letzten Zeit gekommen waren. Viele hatten bestimmt eine sehr genaue Vorstellung von dem, was die Japaner anstellen würden. Ich sah mich, mehr aus Hoffnung als aus Erwartung, nach Ho-Yan um. Er war aber nicht da. Keines der Gesichter war mir bekannt. Dann stand ich in dem Gedränge draußen vor der Kirche, vor der kräftigen Gestalt von Pater Ignatius in Soutane.

»Pater, ich suche Schwester Maria. Ich wollte mich vergewissern, daß alles in Ordnung ist.«

Ich hörte mich das sagen, es klang so grotesk. Ich war Pater Ignatius dankbar dafür, daß er auf meine Sorge ganz ohne Überraschung oder besonderen Unterton reagierte.

»Ich mache mir ebenfalls Sorgen, Mr. Stewart«, sagte er. »Sie ist am Freitag zur Missionsschule in die New Territories hinausgefahren, gestern abend wollte sie eigentlich zurück sein. Ich bin sicher, die Muttergottes wird die Hand schützend über sie halten, trotzdem wäre es schön, wenn wir etwas von ihr hören.«

Und im selben Moment fiel es mir wieder ein. Das Stück – ich Idiot! Maria hatte mir erzählt, daß die Gemeinde bei Fanling ein Krippenspiel aufführen wollte, und sie hatte versprochen, ihnen zu helfen.

»Bei den Bombenangriffen ist sie dort draußen wahrscheinlich sicherer«, sagte er.

»Wenn sie zurückkommt, sagen Sie ihr bitte, daß ich nach ihr gefragt habe«, sagte ich.

»Mach ich.« Pater Ignatius schüttelte mir die Hand und warf mir einen offenen Mann-zu-Mann- oder sagen wir Priester-zu-Mann-Blick zu. Ich bahnte mir einen Weg durch die Menge, die keine Anstalten machte, das Kirchengelände zu verlassen. Die Menschen waren ärmlicher und sehr viel bunter als eine anglikanische Gemeinde. In dieser Nacht, dachte ich, sind die Kirchen bestimmt voll.

Inzwischen war es Abend geworden. Der Gedanke, nach Hause zu gehen und allein zu sein und abzuwarten, was passieren wird, erschien mir unerträglich. Ich beschloß also, hinunter zum Empire zu gehen. Ich wollte nachsehen, ob alles in Ordnung war, und mich nach Masterson erkundigen.

Im Hotel herrschte eine unheimliche Atmosphäre, bis auf die Angestellten waren alle öffentlichen Räume leer. Ich fand Masterson in seinem Büro, über einem Stapel Papiere, den Kopf in die Hände gestützt, nicht vor Verzweiflung, sondern auf die Arbeit konzentriert. In der linken Hand hielt er eine Zigarette, die den Haaren gefährlich nahe war, und neben der Schreibtischlampe stand ein Glas Whisky.

»Es gibt gute und schlechte Nachrichten«, sagte er. »Die schlechten zuerst.«

»Na schön.«

»Die Japaner haben die Grenze überschritten. Sie kämpfen sich in den New Territories vor.«

Ich wußte nicht, was ich darauf sagen sollte.

»Die gute Nachricht ist, daß die Japaner Hawaii angegriffen und den größten Teil der amerikanischen Kriegsmarine versenkt haben. Und sie haben Amerika den Krieg erklärt.« Ich weiß nicht mehr, was ich darauf sagte. Masterson öffnete eine Schublade und nahm die Whiskyflasche und ein zweites Glas heraus.

»Nanking wird es jedenfalls nicht«, sagte er. »Es wird schlimm, aber ein zweites Nanking wird es nicht.«

Als ich tags darauf in einem Zimmer des Empire aufwachte, stellte ich fest, daß sich im Laufe der Nacht etwas in mir zurechtgeschoben hatte. Ich mußte los und nach Maria suchen. Ich schrieb Cooper eine Nachricht und bat einen Angestellten, den Zettel in der Bank vorbeizubringen.

Hotel Empire

Lieber Cooper,
habe etwas Dringendes zu erledigen. Bin morgen oder übermorgen wieder zurück. Halten Sie mir meinen Abakus warm.
Ihr
Stewart

Dann packte ich meinen Rucksack und ging hinunter zur Star Ferry. Der Hafen bot einen ungewohnten Anblick. Laut Planung würde die Armee in einem Rückzugsgefecht von der Gindrinker-Linie nach Kowloon zurückweichen und schließlich die Insel evakuieren. Dementsprechend war jedes Schiff, jeder Sampan, jede Dschunke, jede Fähre und jedes Boot, alles was von Kowloon herüberkam, gefährlich vollgestopft mit Menschen und Kriegsgerät, Munition, zerbrechlichen alten Damen, Krankenschwestern, die ihren Dienst an den Krankenhäusern St. Matilda oder St. Stephen antreten würden, mit Lebensmitteln und Nachschub aller Art, mit Tieren und Hausrat und Flüchtlingen. Doch das waren nicht die einzigen Schiffe im Hafen. Alle britischen Schiffe hatten am Wochenende zwar in Richtung Singapur abgelegt, aber es gab noch unzählige chinesische Schiffe, die üblichen Familien, die an Deck ihren üblichen Verrichtungen nachgingen, kochten und Wäsche wuschen und lachten und herumwerkelten. Wenn sie damit ausdrücken wollten, daß der Krieg sie nichts anging – sie hätten es nicht besser tun können.

Regelmäßig heulten die Alarmsirenen. Oft donnerte ein japanisches Flugzeug (die Bombenflugzeuge wurden nun nicht mehr von Jagdfliegern eskortiert – das war unnötig) über uns hinweg, um irgendwo auf dem Festland seine Bomben abzuwerfen, oder es kam von dort zurück. Als nächstes würden sie die Insel unter Beschuß nehmen.

Auf einer fast leeren Fähre fuhr ich hinüber nach Kowloon und fragte mich, wie ich nach Fanling käme. Am Morgen hatte ich überlegt, notfalls zu Fuß zu gehen. Jetzt, bei Tageslicht und in vollem Bewußtsein der Lage, fand ich diese Idee nicht mehr gut. Ich konnte mich ja kaum von einem Taxi an einen Ort nördlich der Verteidigungslinie bringen lassen. Und ein Militärfahrzeug würde mich kaum mitnehmen.

Doch genau das passierte. Vom Fähranleger aus ging ich vorbei an der wogenden drängenden Menschenmenge, die hinüber auf die andere Seite wollte, vorbei an der Stelle, wo sonst Taxis und Rikschas warteten, in Richtung Bahnhof. Ein paar Transporter, zum Teil Armeefahrzeuge, zum Teil requiriert, wurden von einer größeren Gruppe überwiegend indischer Soldaten umringt. Ich holte tief Luft und näherte mich dem Mann mit den meisten Sternen auf den Schulterklappen. Ich räusperte mich, der Mann drehte sich um. Ich habe ein gutes Gedächtnis für Gesichter. Es war der schweigsame Artillerieoffizier, der damals in Kalkutta von Bord gegangen war.

»Tom Stewart«, sagte ich. »Von der *Darjeeling*. Der Typ, der an Bord Kantonesisch gelernt hat.«

»Ich erinnere mich. Roger Falk. Ulkig, daß man sich hier wiedersieht.«

»Ja, sehr ulkig. Ich ... ich dachte, Sie sind bei der Artillerie«, sagte ich, aus dem verrückten Bedürfnis heraus, Small talk zu machen.

»Bin zu den Rajputs abkommandiert worden«, sagte er und deutete auf die Soldaten ringsum. »Bißchen chaotisch hier, sie haben noch keine Geschütze. Wir fahren in die New Territories.«

Ich sagte: »Könnten Sie mir einen winzigen Gefallen tun?«

Im Führerhaus des Lastwagens saß ich eingezwängt neben Falk, seinem indischen Kompaniefeldwebel und dem Fahrer. Wir fuhren durch Kowloon, passierten die Boundary Street und kamen in die New Territories, immer vorbei an einem endlosen Strom von Flüchtlingen, die in die andere Richtung wollten. Die Menschen schienen so viel wie nur irgend möglich von ihren Habseligkeiten zu tragen oder vor sich her zu schieben, auf improvisierten Transportfahrzeugen, umgebauten Rikschas, Fahrrädern mit Anhängern, auf allem, was sich nur eignete. Gebeugte Frauen trugen an vier, fünf ausladenden Lastgurten schwarze Baumwollsäcke, die an ihnen wie Buckel aussahen. Ich hatte vermutlich Panik erwartet, Menschen, die angsterfüllt flohen, davonliefen. Aber nichts dergleichen. Die Flüchtlinge zeigten keine erkennbaren Regungen, bewegten sich in ihrem eigenen Tempo.

»Wenn wir den Golden Hill erreicht haben, müssen Sie sich allein durchschlagen. Wir biegen da rechts ab. Dort sind auch die Punjabis. Links sind die Royal Jocks. Weiter nördlich sind nur noch ein paar vorgeschobene Posten, damit sie ein bißchen was zum Nachdenken haben und die Japaner nicht so schnell vorankommen.«

Falk, erstaunlich diskret, hatte nicht gefragt, warum ich unbedingt nach Fanling wollte, und auch nicht versucht, mich davon abzubringen. Vielleicht wußte er als Berufssoldat, daß die Verteidigung von Hongkong ein sinnloses Unterfangen war, warum sollte er sich also zu der irrationalen, gefährlichen, freiwilligen Aktion eines anderen äußern. Wenn ich an diese Zeit zurückdenke, weiß ich nicht, ob ich mehr Mitleid mit den Soldaten habe, die genau wußten, was ihnen bevorstand und daß sie ihr Leben umsonst opfern würden, oder für die Ahnungslosen und Getäuschten, die sich zumindest einer gewissen Hoffnung hingeben konnten. (Einem verbreiteten Gerücht zufolge würde die chinesische Armee von Norden her ein nichtexistierendes Bataillon in Marsch setzen.) Am ehesten tun mir wohl all jene Soldaten leid, die genau wußten, was von ihnen verlangt wurde. Sein Leben hinzugeben, ist eine Sache; es im Interesse einer Geste zu tun, ist eine andere; es aber für eine Geste zu tun, deren Sinnlosigkeit einem klar vor Augen steht, ist ein trauriges Spiel des Schicksals.

Bald hielt der Lastwagen. Auch die drei Fahrzeuge hinter uns stoppten. Die Straße führte durch einen Einschnitt in den Bergen, wo angeblich die stärksten Verteidigungskräfte versammelt waren. Statt von mindestens zwanzigtausend Mann wurde die Gindrinker-Linie in Wahrheit nur von etwa einem Drittel dieser Zahl gehalten. Rechts auf halber Höhe sah ich eine Bunkeranlage. Ich muß unzählige Male hier vorbeigekommen sein, ohne sie bemerkt zu haben. Der Feldwebel sprang herunter und schlug mit der Hand gegen die Ladewand. Im Rückspiegel sah ich, wie die Soldaten absaßen. Sergeanten brüllten Befehle in einer mir unbekannten Sprache. Eine Frau im schwarzen Pyjama, die eine Art kistenbepackten Schlitten hinter sich herzog, blieb auf der anderen Straßenseite stehen und sah uns zu.

»So, da wären wir«, sagte Falk, der im Fahrerhaus sitzengeblieben war, um sich privat von mir zu verabschieden. Er wußte zwar nicht, was ich vorhatte, aber er wollte mir wohl eine Chance geben, es mir noch einmal zu überlegen. »Bis Fanling ist es noch ein ganzes Stück«, sagte er.

»Fünfzehn Kilometer ungefähr«, sagte ich. »Ich kenne den Weg.«

»Passen Sie auf sich auf«, sagte er und stieg aus.

Statt der geplanten drei Stunden brauchte ich den restlichen Tag für die Strecke. Zunächst hielt ich mich an die Straße, immer weiter dem Flüchtlingsstrom entgegen, der jetzt dünner war als in Kowloon, aber nicht aufhörte. Hin und wieder versuchte jemand, mir etwas zu verkaufen – Zigaretten, eine Wasserflasche, ein halbes Hühnchen. Manchmal, wenn ein japanisches Aufklärungsflugzeug über uns hinwegflog, wurden die Menschen unruhig. Einige sahen auf, andere drängten sich an den Straßenrand, was weniger der Versuch war, sich in Sicherheit zu bringen, als eine Form von Aberglauben, so wie man gegen Holz klopft.

Ich war etwa eine Stunde gelaufen, als eine Frau, gebeugt unter der Last, die sie auf dem Rücken schleppte, vor mir stehenblieb.

»Geh nicht weiter!« sagte sie auf kantonesisch. »Soldaten!«

»Wo?«

»Zehn Minuten von hier.«

Sie schloß sich wieder ihrer Familie an, die sie mißbilligend beobachtet hatte. Zehn Minuten, ein knapper Kilometer. Rechts neben der Straße, etwa hundert Meter vor mir, führte ein Pfad zu einem Weiler. Ich rutschte die Böschung in den Graben hinunter, der neben der Straße verlief. Geduckt stolperte ich neben dem Pfad her und wandte mich dann dem Dorf zu, so tief am Boden, wie es nur ging. Das Dorf lag verwaist da. Es roch nach vergorenem Fisch. Nirgendwo Menschen, nirgendwo Tiere. Wenn die Japaner kämen, würden sie sich zuerst die größeren Häuser vornehmen. Ich trat durch einen Bambusvorhang in ein

Haus von der Größe einer Hütte, hinter dem sich ein umzäunter Schweineauslauf befand.

In einem Schaukelstuhl, mit Blick auf den Eingang, saß ein steinalter Chinese, der mich reglos ansah.

»Ich muß mich verstecken, die Japaner kommen«, sagte ich.

»Meine Leute sind fort. Ich bin zu alt, um zu fliehen«, sagte er. »Versteck dich in dem Schrank mit Schweinefutter. Hinter dem Haus. Dort werden sie nicht reinschauen, es stinkt.«

Ich folgte dem Rat des Alten. Die Hintertür, ebenfalls ein Bambusvorhang, führte zum Schweineverschlag. Dort, an der Rückseite des Hauses, war ein Holzschrank, eins achtzig hoch, einen Meter breit, einen Meter tief. Er stank wirklich. Ich öffnete ihn, rechnete mit dem Schlimmsten, doch er war, dank kantonesischer Sparsamkeit, leer. Ich stieg hinein und zog die Tür hinter mir zu.

»Geht's?« hörte ich den Alten rufen.

Da ich meine Armbanduhr nicht sehen konnte, weiß ich nicht, wieviel Zeit verging, bis die japanischen Soldaten eintrafen. Vermutlich war es nicht einmal eine halbe Stunde. Ich hörte metallische Geräusche und wenig später laute Stimmen. Die Soldaten dürften das Dorf nur kurz durchsucht haben, als sie merkten, daß es verlassen war und nicht verteidigt wurde. Dann hörte ich Stimmen in der Hütte. Zwei Männer, und dann ein dritter, energischer, die alle auf japanisch vermutlich mit dem Alten redeten. Die Kommandostimme wiederholte etwas drei-, viermal.

»Fick deine tote Großmutter in den Arsch«, sagte der Alte auf kantonesisch.

Für kurze Zeit war es still, dann entstand ein Geräusch, wie wenn eine Axt Holz spaltet, dann ein dumpfes Krachen und Rumpeln. Dann ertönten die japanischen Stimmen wieder, im Gesprächston, wurden allmählich leiser. Die Patrouille entfernte sich.

Lange, unendlich lange wartete ich in dem Schweinefutterschrank. Als ich versuchte aufzustehen, merkte ich, daß meine Beine eingeschlafen waren.

Der Schaukelstuhl lag umgestürzt vor dem Bambusvorhang. Ich stieg darüber hinweg. Der Alte saß noch darin. Man hatte ihn enthauptet, der Kopf hing nur noch an einem Fetzen Haut am Nacken, hintenüber, so daß die Haare die Erde berührten. Der Boden war blutgetränkt. Die Augen des Alten waren geöffnet. Ich drückte sie ihm zu, füllte meine Feldflasche und verließ das Dorf.

Ich war jetzt sehr viel wachsamer, hielt mich, wo immer möglich, dicht an den Straßenrand. Hier gab es nicht mehr so viele Flüchtlinge. Wer nach Süden wollte, mußte den nach Kowloon vorrückenden japanischen Soldaten in die Hände fallen. Sobald ich etwas Lautes, Metallisches hörte, irgend etwas, was ein Gewehr oder ein Schwert oder eine Feldflasche sein mochte, versteckte ich mich im Straßengraben. Ich mußte an das Sprichwort denken, das Maria mir einmal lachend erzählt hatte: »Von den sechsunddreißig Möglichkeiten ist Weglaufen die beste.«

Einmal, gegen Einbruch der Dämmerung, hörte ich Schüsse in der Nähe und Rufe, die japanisch klangen, konnte es aber nicht genau erkennen. Vor mir sah ich einen umgestürzten Karren, er hing halb über der Böschung, die Reisladung hatte sich über die Straße ergossen. Ich kletterte hoch und versteckte mich unter dem Wagen. Mir war, als hörte ich die Japaner näher kommen, Stiefelschritte, geflüsterte Befehle, Durchladen. Ich hatte das Gefühl, mir alles einzubilden, war aber nicht sicher. Die Unterseite des Karrens war feucht und roch nach Reis. Ich blieb dort etwa eine Stunde, bis es dunkel war. Als ich hervorkletterte, war niemand da.

Den letzten Kilometer nach Fanling legte ich im Laufschritt zurück. Meine Ängstlichkeit hatte ich damit bezahlt, daß ich erst am nächsten Morgen die Chance haben würde, Maria zu finden, falls es einen nächsten Morgen gab. Ich war überzeugt, daß mich jeder japanische Soldat, der mich sah, erschießen würde. Da es inzwischen aber dunkel geworden war, beschloß ich, mir keine Sorgen zu machen.

In und um Fanling hatten Kämpfe stattgefunden. Als der Mond hinter den Wolken hervortrat, sah ich Häuser, die durch Granat- oder Gewehrfeuer getroffen waren, einige schwelten noch. Ein toter Soldat in einer mir unbekannten Uniform lag an einem flachen Nebengebäude, die Gedärme hingen ihm heraus, schimmerten schwarz im Mondlicht. Mitten auf der Stirn war ein Einschußloch, ringsherum eine dünne Linie von verkrustetem Blut. Seine Augen standen offen.

Ich stellte fest, daß ich die Orientierung verloren hatte. In der Dunkelheit sahen alle Häuser des Dorfes gleich aus. Ich mußte irgendein Fleckchen finden, wo ich mich hinlegen und auf den nächsten Morgen warten konnte. Ich ging auf das nächste Haus zu und sah, daß es der Seiteneingang der Schule war. Ich war tatsächlich am gesuchten Ort, nur an einer anderen Ecke. Die Tür stand offen, wurde aber durch einen Gegenstand dahinter blockiert. Ich drückte kräftig, dann gab sie nach. Ich zwängte mich hindurch und bemerkte, daß ich über einem toten Soldaten stand. Im Raum selbst war es völlig dunkel. Ich holte eine Streichholzschachtel heraus und zündete ein Streichholz an. Zuerst konnte ich nicht erkennen, was mit diesem Zimmer los war, der Fußboden schien unregelmäßig gewellt. Dann wußte ich es: er war mit menschlichen Körpern bedeckt. Zwanzig oder dreißig britische und indische Soldaten lagen auf dem Boden, alle tot – ich weiß nicht, woher ich das wußte, ich wußte es einfach. In einer Ecke eine weitere Gruppe von Leichen, weißgekleidet, wie es schien, teilweise halb an die Wand gelehnt. Das Streichholz versengte mir den Finger und verlöschte.

Ich hörte ein Geräusch, wie von einem Tier, ein Wimmern. Ich zündete ein zweites Streichholz an und sah in der Ecke eine Chinesin in schwarzem Pyjama kauern. Sie weinte. Ich machte einen Schritt in ihre Richtung, setzte den Fuß auf eine Leiche und stolperte über eine zweite. Ich wollte aufstehen, wußte aber nicht, wohin mit den Füßen. Ich mußte auf eine Leiche steigen, um ein Stückchen freien Boden zu erreichen.

So durchquerte ich den Raum. Die Frau schaute auf. Es war Maria. Ich nahm sie in die Arme. Sie zitterte am ganzen Leib.

»Sie haben hier ein Krankenhaus eingerichtet, dann kamen Soldaten, sie haben von hier aus geschossen, und dann kamen die Japaner und …«

Nun fing sie richtig an zu weinen, es war ein Schluchzen, das sie zu zerreißen schien.

»Ganz ruhig«, sagte ich.

Maria und ich waren abgeschnitten hinter dem japanischen Vormarsch. Da wir den Gedanken, die Nacht in Gegenwart der toten Soldaten zu verbringen, unerträglich fanden, gingen wir über den Schulhof in einen kleinen Schuppen und machten uns dort auf der Erde ein Bett. Am nächsten Morgen war es gespenstisch still. Ich war mir ziemlich sicher, daß Kowloon und Hongkong bombardiert würden, aber hier, hinter den Bergen, war nichts zu hören.

Ungewöhnlich war nur die Abwesenheit der üblichen Dorfgeräusche. Es gab keine Hunde, keine offenen Feuer. Tagsüber begruben wir die toten Soldaten.

Zwei Wochen blieben wir in Fanling. Nachdem alle Toten begraben waren, ging ich nicht mehr hinaus. Zwar wurde der überwiegende Teil der japanischen Soldaten zur Eroberung von Kowloon und der Schlacht um Hongkong eingesetzt, aber es befanden sich noch einzelne Einheiten in der Nähe, die damit beschäftigt waren, Plünderer zu erschießen und selbst zu plündern. Noch gefährlicher waren die Chinesen, eine Art fünfte Kolonne, die mich verraten würden. Nicht zuletzt ihretwegen war der japanische Vormarsch so erfolgreich gewesen. Nun, da die Japaner ganz offensichtlich siegten, traten diese Leute immer selbstbewußter auf, und ich mußte damit rechnen, an Ort und Stelle von ihnen erschossen zu werden.

Maria ging jeden Tag los, um etwas zu essen zu besorgen, manchmal bis in eines der Fischerdörfer. Ich wartete mit nie erlebter Angst auf ihre Rückkehr, stellte mir vor, daß sie von einer Patrouille entdeckt und verhört oder geschlagen oder vergewaltigt oder erschossen oder von einem Bauern verraten würde oder man ihr bis in unser Versteck folgte. Eine meiner Ängste war auch, daß jemand sie erkennen und um einen Gefallen bitten würde, den sie nicht abschlagen konnte, und daß dies zu ihrer Entdeckung führen würde. Ich konnte mir das mühelos vorstellen. Aber nichts dergleichen passierte. Sie kam jedesmal wieder zurück, und jedesmal brachte sie etwas zu essen mit. Wir kochten auf einem Holzöfchen, das wir in einem Nebengebäude gefunden hatten. Wenn ich Maria kommen hörte, leichten und schnellen Schritts in ihrem schwarzen Hosenanzug, erlebte ich jedesmal einen Moment tiefsten Glücks. Es war, als wehte aus weiter Ferne ein Wind herüber. Und dann wurde mir wieder klar, wo wir waren.

Maria wollte, daß ich mit ihr nach China ging.

»Du kannst nicht freiwillig in Gefangenschaft gehen«, sagte sie. »Das ist unmoralisch. Das wäre wie Selbstmord. Du würdest eine Gelegenheit wegwerfen, die dir von Gott geschenkt wurde. Du würdest bewußt auf ein Leben in Freiheit verzichten.«

»Mir bleibt keine andere Wahl. Ich hab's versprochen.«

»Die Verhältnisse haben sich geändert.«

»Wenn ich nicht zurückgehe, war meine Suche nach dir eine Art Flucht. Kannst du das nicht verstehen? Wenn ich zurückgehe, ist es genau das.«

Maria wurde wütend. »Das ist Metaphysik. Das ist« – sie machte eine Bewegung mit beiden Händen – »Wortklauberei. Freiheit ist real. China ist real. Du tauschst etwas bekanntes Gutes gegen etwas unbekanntes Schlechtes ein. Das ist doch verrückt.«

»Ich habe es versprochen. Das mußt du verstehen – ich habe mein Wort gegeben. Zum erstenmal in meinem Leben tue ich so etwas. Sie haben mich gefragt, ob ich bereit dazu wäre, und ich habe ja gesagt. Ich tue es nicht für mich. Ich tue es, weil ich gebeten wurde, es für eine Sache zu tun, die größer ist als ich.«

»Der Tod ist größer als du, und du hast dich für den Tod entschieden.«

Ich muß sagen, daß mir bei diesen Worten ganz elend wurde. Wäre ich nicht so versucht gewesen, Marias Rat zu folgen, hätten mich ihre Überzeugungsbemühungen nicht so durcheinandergebracht. Auch eine Angst war in mir, die ich mir kaum eingestehen konnte: die ungewisse Zukunft in China, auf der Flucht zu sein in einem Land, das ich nicht kannte, immer sofort als Europäer zu erkennen und daher ständig in Gefahr zu sein – das schreckte mich ebenso wie eine Rückkehr nach Hongkong. In Gefangenschaft würde ich zumindest wissen, woran ich war. Ich gestehe beschämt, daß ich das, was tapferer aussah, auch aus Feigheit getan habe.

Maria brachte jedesmal Nachrichten von den Kämpfen mit. Wie sich zeigte, waren die chinesischen Gerüchte weit genauer als die britischen. Der Stand der Kämpfe wurde per Bambustelegraph weitergegeben: Alles Militär war aus Kowloon abgezogen worden. Die Japaner hatten ihr Hauptquartier im Hotel Peninsula eingerichtet. Die Japaner beschossen die Insel mit Artillerie. Die Japaner waren über den Lei-Mun-Kanal bis auf die Insel vorgedrungen. Die Japaner hatten sich den Wong Nei Chong Gap hinaufgekämpft und die Insel auseinandergeschnitten. Und am Weihnachtstag kam Maria schließlich mit leeren Händen zurück und berichtete, die Briten hätten kapituliert.

»Heute mußt du dich entscheiden. Alle Briten kommen in ein Lager. Wer außerhalb erwischt wird, den erschießen sie. Komm mit mir nach China, oder stell dich.«

»Es tut mir leid, Maria«, sagte ich. Am nächsten Tag gab ich ihr Großmutters goldene Halskette und nahm ihr das Versprechen ab, das Schmuckstück im Notfall zu verkaufen und den Erlös für ihre Flucht aus China zu verwenden. Dann machte ich mir aus einem Handtuch eine weiße Fahne und ging hinaus, um einen japanischen Offizier zu suchen. Die Soldaten unterzogen mich gewissen Demütigungen.

Siebtes Kapitel

Neben dem Haus Nathan Road 124, das Masterson besichtigt hatte, aber nicht erwerben wollte, besaß Mr. Luk noch ein Bordell in Wanchai. Es war ein Wohnhaus, das zunächst als europäisches Bordell gedient hatte, nach dem Verbot europäischer Bordelle in ein chinesisches umgewandelt worden war, nach dem Verbot chinesischer Bordelle aber weiterhin in Betrieb war. Die Fassade von Legalität wurde einzig durch die Schneiderei im Erdgeschoß aufrechterhalten. Potentielle Kunden mußten dort nach einer Mrs. Wong fragen.

In diesem Haus wurden nach der Kapitulation von Hongkong die Bankleute der Kolonie einquartiert. Falls die japanischen Besatzungstruppen einen Sinn für komische Situationen hatten – dies wäre eine gewesen. Die meisten Zivilisten wurden zusammengetrieben und in das Internierungslager Stanley gesteckt, Soldaten kamen in das Militärgefängnis Sham Shui Po. Einigen Leuten gelang die Flucht; einige andere, wir Bankleute etwa und medizinisches Personal, mußten an ihren Arbeitsplätzen bleiben. Wilson hatte recht, die Japaner brauchten für die Verwaltung der Kolonie Bankleute.

Drei Tage dauerte es, bis die Japaner die Gindrinker-Linie überwunden und sich bis nach Kowloon vorgekämpft hatten. Dann schickten sie ein Boot mit einer weißen Fahne hinüber zur Insel und boten die bedingungslose Kapitulation an. Das wurde abgelehnt. Daraufhin landeten sie auf der Insel. Schritt für Schritt ging es weiter, unausweichlich. Die Japaner rückten auf Wong Nei Chong Gap vor, wo die erbittertsten Kämpfe stattfanden, und schlugen die Verteidiger nieder. General Motley und der Gouverneur, der erst am 7. Dezember in Hongkong eingetroffen war, boten am Weihnachtstag die Kapitulation an. All diejenigen Soldaten, die in der Zeit zwischen dem ersten japanischen Kapitulationsangebot und der tatsächlichen Kapitulation gefallen waren, hatten ihr Leben umsonst für die Verteidigung Hongkongs gegeben. Zu ihnen gehörte auch Falk, der Artillerieoffizier, der bei den Kämpfen um Wong Nei Chong Gap gefallen war, und Potter, der andere Bankmensch von der *Darjeeling*, der als Freiwilliger bei den Kämpfen um Stanley von einer Granate getötet wurde. Es kam zu einigen Greueltaten, Nonnen wurden vergewaltigt, Ärzte und verwundete Soldaten im St. Stephen's Hospital mit dem Bajonett aufgeschlitzt. Einige Leute waren der Ansicht, daß die Japaner bei einer raschen Kapitulation weniger gewütet hätten. Jahre später las ich von einem Dr. Li Shu-Fan, der allein schätzungsweise zehntausend Vergewaltigungsopfer behandelt haben soll.

Ungefähr zehntausend Soldaten fielen bei den Kämpfen. Über die Zahl der getöteten Chinesen gibt es keine genauen Angaben.

Als Bankmanager zu überzeugen hatte ich mir viel schwieriger vorgestellt, als es dann tatsächlich war. Doch die Japaner warfen nur einen flüchtigen Blick auf die Namensliste und verließen sich ansonsten mehr oder weniger auf mein Wort. Es schien, als habe der siegreiche Kampf um Hongkong so ausschließlich ihr Denken beherrscht, daß sie nicht überlegt hatten, wie es weitergehen sollte. Sie hatten zwar einen Namen dafür – Großostasiatische Wohlstandsregion –, aber keinen konkreten Plan.

Das führte ironischerweise dazu, daß ich als Pseudobanker extrem viel zu tun hatte. Da alle anderen, denen die Gefangenschaft erspart blieb, echte Bankangestellte höheren Rangs waren, wurden mir natürlich die niederen Tätigkeiten zugewiesen. Praktisch bedeutete das: die Vernichtung der bis dahin gültigen Währung, Kontrolle der Umlaufmittel der Bank und Zählen des neuen, von den Japanern ausgegebenen Geldes. Die neue Währung der Großostasiatischen Wohlstandsregion trug den Namen einer Bank in Yokohama. Die Arbeit war intellektuell nicht sonderlich anspruchsvoll, verlangte aber große Aufmerksamkeit.

Die zu vernichtende Währung zu zählen war eigentlich nicht notwendig, sondern nur eine der üblichen und, wie ich fand, recht aufwendigen Vorsichtsmaßnahmen der Bank. Wochenlang saß ich, zusammen mit einigen chinesischen Angestellten, im fensterlosen Untergeschoß und zählte Geldscheine und wog Münzen. Für uns Bankleute war es jeden Tag das gleiche: in aller Frühe aufstehen – wir weckten uns lieber, als uns von den Wachen aus dem Bett werfen zu lassen –, eine Schale Reissuppe (*congee*) essen und dann in einer Art Formation die anderthalb Kilometer von Wanchai bis zum Bankgebäude in der Queen's Road marschieren. Überall waren Bombeneinschläge zu sehen. Die Stadt schien halb verlassen, halb zerstört. Die Straßenbahnen fuhren nicht mehr, kaum jemand ging zur Arbeit, manche Geschäfte waren geplündert. Überall waren japanische Soldaten, die aber nicht so aussahen, als sorgten sie für Ordnung. Gewalt und Chaos prägten die Atmosphäre. Passanten machten manchmal höhnische Bemerkungen, doch das war eher eine Unterwerfungsgeste gegenüber unseren Bewachern als Ausdruck echter Feindseligkeit. Die meisten Leute würdigten uns keines Blickes, wofür ich dankbar war. Den ganzen Tag verbrachte ich dann im Kellergeschoß der Bank, irgendwann bekam ich, wie die anderen Angestellten auch, eine Schale Reis und manchmal etwas Fleisch. Weil die meisten Angestellten zu Hause noch etwas, wenn auch nicht viel, essen konnten, gaben sie mir, wenn die Wächter nicht hinsahen, oft etwas ab. Gegen sieben kam einer der taiwanesischen Wächter, seltener ein japanischer Soldat, und gab das Zeichen zum Aufbruch. Dann marschierten wir in der Dunkelheit zurück nach Wanchai. Die Tage waren eine Mischung aus Angst und Ungewißheit und Routine.

So ging es mehrere Monate. Dann wurde eines Tages ein Kessel mit dünner Reissuppe in den Keller heruntergeschafft – eine wäßrige Plörre, in der nicht ein Fitzelchen Fleisch oder Gemüse herumschwamm, nun schon zum siebten- oder achtenmal hintereinander. Zwei Kulis schleppten den Kessel, sie schwitzten vor Hitze und Anstrengung, die Wachen machten Platz, entfernten sich ein wenig und rauchten geplünderte amerikanische Zigaretten. Als ich mich anstellte, um mir eine Portion austeilen zu lassen, musterte mich ein Kuli. Er schaute böse, jedenfalls sah es so aus – wer Angst hat, schaut oft böse. Er hatte das flache Gesicht eines Nordchinesen und einen harten Akzent.

»Nacht auf Dach von Wanchai-Haus gehen«, zischte er. Wegen seines Akzents und seiner Stimmlage verstand ich ihn kaum, und erst nach einer Weile begriff ich, was er gesagt hatte. Ich kämpfte den verrückten Impuls nieder, ihn laut zu bitten, die Nachricht zu wiederholen. Ich registrierte, daß ich wie angewurzelt vor den Wartenden stand, riß mich zusammen und entfernte mich, um meine Portion aufzuessen.

Ist es das? fragte ich mich den ganzen Tag. Ich hatte nicht die leiseste Vorstellung, wie Wilsons Plan aussah, vermutete aber, daß es eine Art Kontaktaufnahme geben würde. Ich hatte Angst, aber schließlich war ich aus einem bestimmten Grund in der Kolonie geblieben. Hier, am anderen Ende der Welt, einen Krieg zu verlieren, den wir schon in der Heimat ziemlich stümperhaft führten, war ohnehin ein Witz. Den ganzen Krieg geldzählenderweise zu verbringen, wäre mir – selbst in meiner damaligen Stimmung – als unerträglicher Witz erschienen.

Über die Geschehnisse kurz vor und nach der Kapitulation gab es nur bruchstückhafte Informationen und Gerüchte, aber es hieß, daß einige Leute nach China entkommen seien. Vielleicht war dies also der erste Kontakt mit der Außenwelt. Es konnte aber genausogut eine Falle sein – vielleicht wollte sich jemand bei den Japanern einschmeicheln, indem er einen britischen Plan verriet oder erfand.

»Was meinst du?« fragte ich Cooper. Ich hatte ihn ins Vertrauen gezogen. Mir war klar, was passierte, wenn die Japaner mich erwischten – sie würden mich foltern. Ich machte mir auch keine Illusionen, wie ich in einer solchen Situation reagieren würde – ich würde Namen preisgeben. Warum sollte ich mich da nicht mit Cooper beraten, unter Folter würde ich ihn ja ohnehin verraten. Ich weiß nicht, ob ihm meine Logik klar war, denn wir haben nie darüber gesprochen.

»Dir bleibt wohl nichts anderes übrig«, sagte er. Wir saßen in dem Exbordell auf unseren Betten. Aus irgendwelchen Gründen hatten uns die Japaner zu viert auf jeweils ein Zimmer verteilt. Coopers Ruhe – sehr erstaunlich bei einem Menschen, in dessen Privatleben es so chaotisch zuging – war eine große Hilfe. Diese innere Kraft stand ihm anscheinend immer zur Verfügung, nur nicht, wenn er sie selbst brauchte. Miss Farrington, die Frau, an die er seine Träume verschwendet hatte, war mit ihrem Vater in Stanley interniert. Manchmal dachte er laut darüber nach, wie es ihr wohl ging, und tat dabei, als sei es seine wahre Sorge, sie könne sich im Lager in einen »opportunistischen Schleimscheißer« verlieben. Ich versuchte, ihn diesbezüglich zu beruhigen.

»Na schön«, sagte ich. Und er hatte recht. Es wäre sinnlos, sich theoretisch auf ein Risiko einzulassen und dann bei der ersten praktischen Gelegenheit einen Rückzieher zu machen.

Zwei Wege führten auf das Dach. Gleich neben unserem Fenster war eine Feuerleiter, die aber keinen sehr stabilen Eindruck machte und nicht fest mit der Fassade verbunden, sondern nur lose daran zu hängen schien. Das Gewicht eines ausgewachsenen Mannes würde sie wohl nur knapp tragen. (Mr. Luk war nicht der Typ, der sich groß um Brandvorschriften kümmerte, aber laut Cooper war die Leiter »nicht für die Mädchen da, sondern zur Beruhigung der Kunden«.) Das Nachbarhaus war nur ein, zwei Schritte entfernt, dazwischen verlief eine schmale Gasse. Ein sehr mutiger, sehr athletischer Mann hätte vielleicht sogar einen Sprung riskiert. Von der Gasse stiegen unangenehme Gerüche herauf. Wenn ich die Feuertreppe hochkletterte, hätte ich eine gute Chance, von den Wachen nicht bemerkt zu werden, falls sie mich aber doch sähen, wäre es nicht ganz leicht, ihnen einen einleuchtende Erklärung für mein Tun zu liefern. Die andere Möglichkeit war der direkte Weg über das Haupttreppenhaus, das um einen offenen Schacht herum angelegt war. Unten saßen mindestens zwei Posten und schwatzten und rauchten. Wir konnten uns auf unseren drei Stockwerken im allgemeinen frei bewegen, die beiden Stockwerke darüber waren unbewohnt, und eine halbe Treppe führte schließlich zu einer Tür, durch die man aufs Dach hinaustrat. Das Treppenhaus konnte von den Wächtern eingesehen werden, war aber aus ebendiesem Grund weniger gefährlich. Falls entdeckt, könnte ich einen auf harmlos machen oder so tun, als wollte ich einfach ein wenig frische Luft schnappen.

Ich sah Cooper scharf an und atmete tief durch, dann öffnete ich die Tür und ging langsam und ruhig und ohne Zögern die Treppe hinauf. Die Japaner unterhielten sich in der üblichen Lautstärke. Es war nicht klar, ob sie mich hören konnten, aber wenn sie hochblickten, würden sie mich durch das Treppengeländer sehen. Nichts passierte. Ich kam oben an und legte die Hand auf den Türgriff. Die Tür ließ sich leicht und geräuschlos öffnen. Später, Jahre später, kam mir der Gedanke, daß jemand sie geölt haben mußte. Rechts neben dem Dachzugang lag eine Holzleiter bis zum Nachbarhaus, und am anderen Ende – bereit, die Leiter umzustoßen und wegzulaufen, falls ein Japaner aus der Tür kam – stand jemand, den ich hier zuletzt erwartet hätte: Ho-Yans Bruder Wo Man-Lee.

Als er mich sah, machte er die Zigarette aus, die er geraucht hatte, und schnipste sie auf die Gasse zwischen den beiden Häusern, trat vorsichtig auf die Leiter und ging vorwärts, wobei er nach vorn und nicht nach unten schaute. Für ihn war das wohl auch eine Frage körperlicher Eleganz. Am Ende der Leiter sprang er herunter und strich sich die Ärmel glatt. Er trug einen dunklen Anzug und ein weißes Hemd, dessen Kragen über das Revers reichte.

»Wo«, sagte ich.

»Mr. Stewart.«

»Mit Ihnen hatte ich nicht gerechnet.«

Ich fand, daß ich damit ein gewisses Interesse ausdrückte, doch für ihn war es nur Small talk.

»Ich bringe Nachrichten von Mr. Wilson. Er sagt, Sie sollen mir japanisches Geld für ihn mitgeben. Er sagt, die anderen sollen sich für weitere Aufträge bereit halten. Er sagt, Sie sollen Teile für ein Funkgerät beschaffen. Er sagt, nächstes Mal wird er schriftliche Anweisungen schicken. Diesmal ist es nicht sicher. Sie haben eine Nachricht für ihn?«

Ich schüttelte den Kopf, mir fiel nichts ein. »Äh ... es ist schön, von ihm zu hören.«

Wo nickte, drehte sich um und ging auf Zehenspitzen wieder über die Leiter. Dann zog er die Leiter herüber und versteckte sie unter der Brüstung. Er nickte mir noch einmal zu, freundlicher jetzt, und verschwand durch eine Falltür. Ich atmete noch etwas schlechte Wanchai-Luft ein und ging dann wieder die Treppe hinunter. Höchstens zwei Minuten hatte mein Ausflug gedauert, aber ich fühlte mich zehn Jahre älter. Als ich mich auf das Bett setzte, sah ich, daß ich zitterte.

Wie sich zeigte, waren mir die anderen Bankleute weit voraus. Sie hatten über die Frage eines Funkgeräts bereits nachgedacht. Empfänger waren natürlich leichter aufzutreiben als Sender, und zwei solcher Geräte waren schon in Schubläden im Bankgebäude in der Queen's Road Central versteckt. Im verriegelten Gebäudeteil in der Nähe der ehemaligen Hauptbuchhaltung gab es auch einige Sender. So fing alles an.

Meine erste konkrete Aktion bestand darin, einem Angestellten, der »Wo schickt mich« sagte beziehungsweise flüsterte, ein Bündel japanischer Geldscheine zuzustecken. Ein paar Tage später kam Mitchell, einer der Manager, in mein Zimmer im alten Bordell.

»Das mit dem Funkgerät haben wir geklärt«, sagte er.

Das war das erste, was wir – über Wo und seine Kumpel – in das Internierungslager Stanley schmuggelten. Der Apparat wurde zu diesem Zweck in viele Dutzend Einzelteile zerlegt. Unsere größte Sorge war, daß die Japaner irgendein Teil entdecken oder das ausgeschlachtete Funkgerät selbst, das in einem Wandschrank des Hausmeisters versteckt war.

Ich übermittelte auch Nachrichten von Wilson und anderen im Lager, manchmal schriftlich, meistens mündlich, und die entsprechenden Antworten. Meist ging es darum, wie bestimmte Gegenstände ins Lager geschmuggelt werden sollten. Die Organisation, für die wir arbeiteten, war die British Army Aid Group (BAAG), die in ganz Südchina aktiv war, in Gebieten, die von den Japanern nicht kontrolliert wurden. Die BAAG kümmerte sich um Flüchtlinge und betrieb den Nachrichtenaustausch in beiden Richtungen. Einen Überblick über die Lage hatte ich nicht, aber inzwischen war mir das ganz recht.

Einige Monate später, Anfang 1943, wurden wir aus Wanchai in eine Unterkunft verlegt, die näher beim Hauptgebäude der Bank lag. Wir arbeiteten länger, wurden aber nicht mehr so strikt beaufsichtigt. Die Japaner wußten, daß es keine Fluchtmöglichkeit für uns gab. Mittlerweile wurden wir von taiwanesischen Soldaten bewacht, die nicht so streng und auch nicht so aggressiv waren. Innerhalb des Bankgebäudes konnten wir uns frei bewegen, das Schmuggeln wurde leichter. Unser neues Quartier war angenehmer.

»Solche Arbeitszeiten würde ein normaler Bankangestellter nie und nimmer akzeptieren«, sagte Cooper. »Sobald der Krieg vorbei ist, werde ich eine ganz gewaltige Überstundenrechnung einreichen.«

Als ich mich eines Tages auf mein Bett setzte, fühlte ich etwas Klumpiges neben mir. Ich schlug die Decke zurück, eine löchrige britische Militärdecke, und sah zwei Apfelsinen, von denen die eine wie eine Blüte geschält und aufgefächert war – eines von Ah Wangs Kunststücken. Ich weiß nicht, wie er es schaffte, aber von nun an fand ich alle zehn Tage kleine Essensgeschenke unter oder im Bett – Pak Choi und anderes chinesisches Gemüse, gekochten Fisch, in ein Lotusblatt eingewickelt, gedünstetes Schweinefleisch. Das Essen war immer kalt, und es war nie viel, besonders wenn ich es mit meinen Zimmerkameraden teilte, aber irgendwie schenkte es mir Lebenskraft. Ich dachte voller Rührung und Besorgnis an Ah Wang, der, alles andere als der geborene Held, diese Gefahren unseretwegen auf sich nahm.

Von einem Florieren Hongkongs innerhalb der Großostasiatischen Wohlstandsregion konnte nicht die Rede sein. Es lebten viel weniger Menschen in der Kolonie; die zweite Hälfte des Sprichworts »Wenn Unruhe in Hongkong, geh nach China« bewahrheitete sich. Die Strom- und Wasserversorgung funktionierte nur sporadisch. Es gab keinen Schulunterricht und praktisch keine medizinische Versorgung. Die Japaner waren wirklich erstaunlich unfähige Administratoren. Plünderei und Kleinkriminalität waren an der Tagesordnung, zwar nicht in unserem Stadtteil Victoria, weil es hier so viele Soldaten gab, aber in anderen Teilen der Kolonie. Ausgangssperren wurden kaum beachtet, und immer wieder kam es zu Schießereien. Die Japaner erschossen Leute mehr oder weniger willkürlich und schlugen Passanten ins Gesicht, was fast genauso schlimm war. Um die öffentliche Ordnung halbwegs aufrechtzuerhalten, brauchten sie Unterstützung von Gangsterbanden. Auch in diesem Punkt hatte Wilson recht: Ohne

Polizeikräfte, die geflohen, eingesperrt oder bei den Kämpfen getötet worden waren, war die Aufrechterhaltung von Ruhe und Ordnung ein Riesenproblem. Die fünften Kolonnen, die den Japanern geholfen hatten, sahen es als ihr Recht an, sich zu nehmen, wonach ihnen gelüstete.

Während des Krieges war die Versuchung groß, sich zu fragen, was an anderen Orten passierte. Auch deswegen waren die langen Arbeitszeiten in der Bank so willkommen. Wenn ich um die Ecke bog und die steinernen Löwen vor dem Gebäude Queen's Road Central 1 sah und wußte, daß ich bald in der kühlen hohen Haupthalle der Bank stehe, wurde mir jedesmal leicht ums Herz. Im übrigen machte ich mir Sorgen und verlor mich in Tagträumereien. Wie mochte es David und Großmutter gehen? Wie sah es auf dem europäischen Kriegsschauplatz tatsächlich aus? (Die Japaner gaben eine englischsprachige Zeitung heraus, die *Hong Kong Daily News*, die uns regelmäßig mit Berichten von alliierten Niederlagen fütterte.) Wie sah die Lage in China aus? Wo war Maria? Lebte sie noch? Würden wir in ein Internierungslager kommen? (Solche Gerüchte gab es immer wieder.) Wenn ja, würden wir dort genug zu essen haben? Was passiert, wenn uns die Japaner erwischen? Und dann die immer wiederkehrende Frage – warum ich, warum wir, warum hier, warum Maria, warum das alles? Warum hatte man uns im Stich gelassen?

Vielleicht ist es bezeichnend, daß ich Wo Man-Lee in der einzigen Situation, in der wir so etwas wie ein richtiges Gespräch führten, auch nach seinen Motiven fragte. Ich arbeitete in der Hauptschalterhalle, eine ermüdend anspruchslose Tätigkeit, die hauptsächlich darin bestand, mit den Händen auf dem Rücken und wissender Miene herumzuschlendern und bei Problemen mit unzufriedenen Kunden vermittelnd einzugreifen. Das gehörte zu jenen

Banktätigkeiten, die am ehesten mit dem Job eines Hotelmanagers zu vergleichen waren. Viel zu tun gab es nicht. In der Schalterhalle der Bank war das nie der Fall. Ich ging auf und ab, hörte plötzlich eine laute Stimme, blickte in die Richtung und sah zu meinem großen Erstaunen, daß Wo mit einem Kassierer debattierte. Zum erstenmal sah ich ihn in einer nichtkonspirativen Situation, und vor Schreck wäre ich fast in Ohnmacht gefallen. Der Kassierer schaute zu mir herüber und flehte mich stumm an, einzugreifen.

»Kann ich Ihnen helfen?« sagte ich auf englisch.

»Der Herr hat Problem«, sagte der verschreckte Kassierer, ebenfalls auf englisch.

»Schauen wir mal, ob ich etwas tun kann«, sagte ich und zeigte auf einen Tisch und zwei Stühle in einer Ecke neben den Schaltern, außer Hörweite der Kassierer. Wo folgte mir. Er schien sich zu amüsieren, und zugleich ging etwas Aggressives von ihm aus. Er schritt durch die Schalterhalle, als trage er sich mit dem Gedanken, das Gebäude zu kaufen. Ich schob ihm einen Stuhl hin. Das gefiel Wo. Wir setzten uns.

»Das ist Wahnsinn«, sagte ich.

»Es ist etwas schiefgegangen.«

»Was denn?«

»Ich werde eine Weile weggehen.«

»Die Japaner ...«

Er zuckte mit den Schultern. Ich war einer der wenigen, die ihn verraten konnten, da ich einer der ganz wenigen war, die die Identität unseres wichtigsten chinesischen Kontaktmanns kannten. Heute ahne ich, daß er erwogen haben muß, mich zu bedrohen oder zu töten, diesen Schritt aber aus rein praktischen Gründen verwarf. Er konnte mir kaum Schlimmeres androhen als das, was die Japaner tun würden. Und er konnte nicht wissen, welchem meiner

Kollegen ich von ihm erzählt hatte, also würde ihm mein Tod keine Sicherheit bieten. Sicher wäre er nur, wenn er von der Bildfläche verschwand. Von den sechsunddreißig Möglichkeiten ist Weglaufen immer die beste.

Schweigend saß ich da. Wir können nicht sehr überzeugend wie Bankmanager und Kunde im Gespräch ausgesehen haben. Zweifellos gab es Spitzel unter dem Bankpersonal. Ich sagte laut:

»Also, wenn ich nichts weiter für Sie tun kann ...«

Er strich sich über das Jackett und erhob sich. Ich stand ebenfalls auf. Unsere Gesichter waren ganz nahe. Spontan sagte ich:

»Warum? Warum machen Sie das?«

Wo musterte mich, während er seine Manschetten zurechtzupfte. Er mochte amüsiert sein oder wütend oder beides nicht.

»Vielleicht gewinnen Sie«, sagte er und entfernte sich.

Am nächsten Morgen stürmten Kempetai, japanische Militärpolizisten, unsere Unterkunft. Ein Tritt in den Rücken riß mich aus dem Schlaf. Ein halbes Dutzend brüllender Soldaten, angeführt von zwei, drei Kempetai, stand in dem Zimmer, das ich mit Cooper und zwei anderen teilte. Sie drehten die Matratzen um und zerrissen unsere Sachen. Einer brüllte wiederholt irgend etwas Japanisches. Ich erinnere mich, daß ich dachte, komisch, er flucht – man hat dir doch gesagt, daß es keine japanischen Flüche gibt, das ist ja interessant! Dann wurde mir klar, daß er »Wo Funkgerät? Wo Funkgerät?« brüllte.

Wir hatten nichts in unserem Zimmer verborgen. Wo das Funkgerät versteckt war, wußte ich nicht mehr. Mitchell, unserem Funkspezialisten, hatte ich am Abend zuvor von Man-Lees Warnung berichtet. Er hatte nur genickt.

Bald hörten die Soldaten mit der Durchsuchung auf und begannen, uns zu schlagen. Sie wechselten sich ab, uns zu Boden zu treten und mit dem Gewehrkolben auf uns einzuschlagen. Die Kempetai beobachteten das Ganze. Die ersten Schläge, die mich am Kopf und dann in den Nieren trafen, waren schlimm, aber danach spürte ich nichts mehr. Jemand hat mal gesagt, geschlagen werden ist fast so, wie wenn man etwas ganz Heißes ißt – nach den ersten Bissen spürt man nichts mehr.

Gebrüll und Geprügel dauerten eine ganze Weile. Wenn ein anderer dran war, betete man, daß sie weitermachten.

Dann wurden wir, einer nach dem anderen, hochgezogen. Sie fesselten uns die Hände auf dem Rücken und drängten uns die Treppe hinunter. Cooper, der unmittelbar vor mir stand, fiel den halben Absatz hinunter und stieß unten gegen die Wand. Zwei Wächter traten etwas halbherzig nach ihm und keuchten dabei vor Anstrengung. Mir fiel in diesen Situationen immer auf, daß es für die Prügler anscheinend Schwerarbeit war. Die Soldaten zogen Cooper wieder auf die Füße. Unter vorgehaltenem Bajonett wurden wir gezwungen, auf einen Lastwagen zu klettern. Mehrere Bankleute saßen schon auf der Ladefläche, sie starrten auf den Boden unter den Gewehren hochgradig erregter japanischer Soldaten. Die leitenden Bankangestellten waren nicht dabei. Dann wurde die Plane hinter uns heruntergezogen, so daß im Innern des Fahrzeugs ein sonderbar tropisch-grünes Dämmerlicht war. Der Lastwagen fuhr los, den Hügel hinauf zu einem Gebäude, das ich nicht erkannte. Wir mußten absteigen, wurden wieder geschlagen und getreten und in zwei fensterlose Zimmer geworfen, deren einstige Funktion nicht auszumachen war. Die Türen fielen zu, und wir saßen im Dunkeln.

»Tolle Situation, in die ihr mich wieder gebracht habt«, sagte Cooper in den Raum hinein.

Wir sprachen nur über Belanglosigkeiten, denn jeder von uns wußte, daß die Wachen vermutlich lauschten. Da wir nicht auf frischer Tat ertappt worden waren, mußte uns, unschwer zu erraten, ein Spitzel verraten haben. Daß wir nicht allein waren, war ein Trost – und ein Fehler der Kempetai. Vielleicht einen halben Tag hockten wir in der Zelle, so lange jedenfalls, daß wir den Eimer entdeckten, der in einer Ecke stand.

Zuerst holten sie Walker, den ältesten unter uns. Vier Wachen stürmten herein und zerrten ihn nach draußen. Es war nicht klar, ob es nur zufällig ihn getroffen hatte. Niemand sprach während seiner Abwesenheit; es dürfte wohl eine Stunde gewesen sein. Dann ging die Tür wieder auf, und sie warfen ihn herein. Er lag bewußtlos auf dem Boden, und in dem Tageslicht, das durch die geöffnete Tür fiel – und einem schon nach so kurzer Zeit in völliger Dunkelheit stechend in die Augen fuhr – sahen wir, daß er am Kopf stark blutete. Dann wurde Cooper abgeholt.

Jeder von uns kam an die Reihe. Mich holten sie ganz zuletzt – ich war übrigens auch der Jüngste. Walker war mittlerweile wieder zu sich gekommen. Sie hatten ihm keine Fragen gestellt, ihn bloß geschlagen. Verrückterweise hoffte ich, sie würden mich ähnlich behandeln. Die Einzelheiten erspare ich mir. Nur soviel sei gesagt, daß jeder innerhalb der vermutlich drei Tage dreimal drangenommen wurde. Die bevorzugte Methode der Kempetai bestand darin, das Gesicht mit einem Handtuch zu bedecken und dann Wasser darüber zu kippen. Der Betreffende bekommt keine Luft mehr, fühlt sich wie ein Ertrinkender. Fragen wurden keine gestellt, jedenfalls nicht mir. Einmal am Tag brachten uns die Wachen eine Schüssel

Reis in die Zelle und tauschten den vollen Eimer gegen einen leeren aus.

Wie ich später erfuhr, war meine dritte Foltersitzung mit die längste. Es dauerte einige Zeit, bis ich wieder zu mir kam. Es war, als würde ich aus einer Narkose erwachen. Traumbilder und Realität verschwammen ineinander, Gesichter und Stimmen kamen und gingen. Ich sah meine Eltern, Masterson, meinen Bruder, meine Großmutter, Maria, alle redeten über mich und zu mir. Ich spürte Schmerzen, die aber, so mein Gefühl, irgendwie nichts mit mir zu tun hatten. In dieser Zeit war ich oft wieder zu Hause in Faversham, es war Sonntag morgen, ich lag auf meinem Bett und hörte Geräusche durch das Fenster und Stimmen von unten. Zu wissen, daß meine Eltern auf mich warteten, war beruhigend und zugleich irritierend, denn ich wußte ja, daß sie tot waren.

Achtes Kapitel

Als ich wieder richtig zu mir kam, lag ich auf einem Feldbett, überall hatte ich Schmerzen, und es dauerte eine Weile, sie zu lokalisieren. Über den Schläfen pochte es wie verrückt, beim Einatmen taten die Rippen weh, die ganze Nierengegend schien verrenkt, Knie und Füße brannten, Knöchel und die übriggebliebenen Fingernägel waren schwarz. Zigarettenrauch zog mir in die Nase. Ich drehte den Kopf zur Seite. Das tat furchtbar weh. Masterson saß neben dem Bett auf einem Klappstuhl, mit übereinandergeschlagenen Beinen, und rauchte eine Selbstgedrehte. Er war schon immer dünn gewesen, aber inzwischen hatte er zehn Kilo abgenommen. Er schien um dreißig Jahre gealtert.

»Wo bin ich?«

»Leider nicht in Kent, Tom. Du bist wieder bei uns, in Stanley. Das hier ist das Lagerhospital.«

Zum erstenmal seit Kriegsausbruch weinte ich. Das tat weh. Masterson legte mir sanft eine Hand auf die Schulter, und auch das tat weh. Aber es war schön, nicht tot zu sein.

Obwohl ich mich nicht daran erinnern konnte, daß sie mit meinen Beinen etwas angestellt hatten, mußte ich komischerweise wegen ebendieser Verletzungen zwei Wochen im Bett bleiben. Im Lager gab es keine Schmerzmittel. Wir hatten zwar einiges eingeschmuggelt, aber die Vorräte waren längst aufgebraucht. Das passive Daliegen und Auf-Besserung-Warten fand ich besonders unerträglich.

Cooper hatte sich vor mir erholt. Er bewegte sich an Behelfskrücken, die aus alten Besenstielen bestanden. Er erzählte, daß es den anderen gutging, wenngleich einige so übel zugerichtet worden waren, daß sie im Gefängniskrankenhaus lagen. Wir waren lediglich Internierte, während die Gefängnisinsassen von den Japanern als Verbrecher betrachtet und viel schlechter behandelt wurden.

Cooper war gedämpfter, aber eigentümlich guter Laune. Seine Aktien bei Miss Farrington standen überraschend gut. Eines Tages stellte er mir seine Freundin sogar vor. Sie war ein nettes, sanftmütiges, etwas unscheinbares Kolonialtöchterchen, das nicht die geringste Ähnlichkeit mit dem peinigenden, rätselhaften Phantom seiner Junggesellenträume hatte.

Der Lagerarzt schaute täglich vorbei. Da es an Medikamenten mangelte, konnte er nicht viel tun, aber er kontrollierte, ob meine Knochen korrekt zusammenwuchsen. Richtig gebrochen waren nur Rippen und Finger. Der Zahnarzt erklärte, daß ich eine Kieferprellung hätte, meine Zähne aber intakt seien. Masterson besuchte mich jeden Tag, plauderte mit mir und berichtete Klatschgeschichten, eine Lieblingsbeschäftigung der Lagerinsassen.

»In ein paar Wochen wird ein Stück von Noël Coward aufgeführt«, erzählte er. »Das erste Stück, seit wir hier sind. Weiß nicht, ob es passend ist, aber ich bin ohnehin kein Fan von Coward. Mir zu tuntig.«

Nach zwei Wochen konnte ich aufstehen. Ich nahm mir einen Klappstuhl und setzte mich ans Fenster. Erst jetzt erfuhr ich, was passiert war. Cooper trat ein und setzte sich aufs Bett.

»Dein letzter Tag hier«, sagte er. Ich wußte, daß ich verlegt würde, sobald ich mich bewegen konnte – auch wenn Auf-einem-Stuhl-Sitzen eine sehr weitgefaßte Definition von »bewegen« war.

»Gut«, sagte ich. Coopers dünnes Lächeln deutete darauf hin, daß er etwas anderes auf dem Herzen hatte.

»Tommy«, sagte er, und im selben Moment wußte ich, daß etwas Schlimmes passiert war. Ich dachte sofort an Maria. Als ich schließlich erfuhr, was passiert war, war ich zuerst erleichtert. »Es gibt schlechte Nachrichten. Wir wurden verraten, wie du ja selbst weißt. Wir wollten es dir erst sagen, wenn du wieder bei Kräften bist. Beide Enden der Operation sind aufgeflogen. Die Leute im Lager mit dem Funkgerät und wir. Insgesamt vierzehn Mann. Alles BAAG-Leute. Unter anderem Wilson. Man hat sie gefoltert und dann am Strand hingerichtet.«

Er wandte den Kopf, vielleicht unbewußt, zum Fenster. Von einem Teil des Lagers hatte man einen Blick auf Stanley Beach.

»Warum hast du mir das nicht früher gesagt?« fragte ich, aus keinem bestimmten Grund, eher um überhaupt etwas zu sagen. Es war ohnehin egal. Cooper hatte nichts mehr hinzuzufügen und ich auch nicht. Wir saßen eine Weile schweigend da. Mir fiel nichts ein, was ich sagen oder wissen wollte. Ein, zwei Tage später hörten wir über Bambusfunk, daß Ah Wang, der Koch, hingerichtet worden war. Mehr erfuhren wir nicht. Für mich war das der schlimmste Moment des Krieges. Ein paar Bankleute wurden aus dem Lager ins Gefängnis verlegt. Aber mich holten sie nicht.

Das Lager in Stanley bestand aus einem Wohnhaus, mehreren Bungalows und behelfsmäßig errichteten Baracken auf dem Gelände des ehemaligen St. Stephen's College. An die zweitausend Zivilisten waren hier interniert, ungefähr soviel Männer wie Frauen, und dazu einige hundert Kinder, deren Eltern den Evakuierungsbefehl nicht befolgt hatten oder die später geboren worden waren. Unmittelbar neben dem Lager befand sich das Gefängnis, aber die Japaner hatten Anweisung erteilt, nicht hinzuschauen. Gelegentlich wurden Gruppen von Gefangenen zu einem der Strände gebracht und dort hingerichtet, vorzugsweise durch Enthaupten.

Das Lager für Kriegsgefangene befand sich auf dem Festland, in Sham Shui Po bei Kowloon. Es gab viele Fälle, wo Männer, die sich freiwillig gemeldet hatten, in Sham Shu Po, ihre Frauen dagegen in Stanley festgehalten wurden. Diese Personen durften einander nicht schreiben, aber Geld schicken. Also schickte man sich als Lebenszeichen Fünf-Yen-Scheine der Bank von Yokohama. Der Empfänger schickte das Geld dann zurück. Manche dieser Banknoten gingen bis Kriegsende hin und her.

Nach der Razzia waren die meisten Bankangestellten – nicht nur der Hong Kong Bank, sondern auch anderer Banken – nach Stanley verfrachtet worden. Einige waren noch immer in den Händen der Kempetai, andere im Gefängniskrankenhaus. Mitchell und viele andere starben dort. Ich war einer derjenigen, die Glück hatten. Ich sprach kein Kantonesisch mehr und wies auch nicht mehr auf meine Kenntnisse hin. Dafür war ich den Kempetai allzu knapp entkommen. Mir schien, als hätte ich mein Glück aufgebraucht. Es half, daß die taiwanesischen Wachen einen anderen Dialekt sprachen. Immer wieder mußte ich daran denken, daß wir verraten worden waren und welches Schicksal Wilson und Ah Wang gefunden hatten.

Doch es war ein Trost, in Stanley zu sein. Im Lager ging es weniger eingeengt zu als in dem Exbordell und in der Bank. Das Beste war die frische Luft und das Sonnenlicht. Verglichen mit den anderen Internierten, waren wir Bankleute käsebleich. Das Camp, in einer Bucht, ringsum Hügel, war absurd schön gelegen. Manche von uns, die aus feinerem Holz geschnitzt waren als ich, fanden, daß die schöne Umgebung ihnen Kraft zum Überleben gab. Das Schlimmste in Stanley war die Enge, die fehlende Privatsphäre und das Essen. Ich hatte ein Zimmer in der Hauptbaracke, das ich mit drei anderen teilte, zu denen natürlich Cooper gehörte.

Das Lager wurde weitgehend von uns selbst verwaltet. Die Japaner überließen die Internierten sich selbst – sie hatten nicht die Mittel, sich darum zu kümmern. Es gab eine erstaunlich umfassende Organisation von Komitees und Beauftragten, die sich um alles kümmerten – von der Verpflegung über das Wäschewaschen bis hin zu medizinischer Versorgung und Vorträgen. Das alles war oft ärgerlich und bürokratisch, hatte aber auch etwas Eindrucksvolles. Die Lagerstruktur war eine verblüffend perfekte Kopie ziviler Hierarchien.

Der ganze Tag war um das Essen herum angelegt. Im Chinesischen sind die Bezeichnungen für »Essen« und »Reis« identisch, und genauso sah es auch im Lager aus – morgens gab es Reissuppe, mittags gab es Reissuppe, hin und wieder mit etwas Gemüse. Das Abendessen war der kulinarische Höhepunkt des Tages. Es gab Reis, den die Köche mit irgendwelchen Dingen interessanter machten – einem winzigen Stückchen Fisch oder, gegen Ende des Krieges, einem zähen, alten Stück Büffel aus den New Territories, gelegentlich auch, ebenfalls gegen Ende des Krieges, einer Dose Büchsenfleisch aus einem Rote-Kreuz-Päckchen. Ich mochte den angebrannten, zusammengepappten Reis, der manchmal auf dem Boden des Kochtopfs klebte. Das Angebrannte verlieh ihm eine Illusion von Aroma. Noch heute erinnere ich mich an diesen Geschmack.

Nach dem Frühstück wurden bestimmte zugeteilte Aufgaben und Pflichten erledigt, in meinem Fall Garten- und Reparaturarbeiten. Man arbeitete so langsam wie nur irgend möglich, um seine Kräfte zu schonen. Nach dem Mittagessen gab es eine Ruhepause, und anschließend – nach der Sonne das Beste am Lagerleben – wurden Vorträge gehalten, die eine wichtige Rolle spielten. Mit Hilfe des Lagerarztes, der als junger Mann einige Jahre in Paris gewesen war, frischte ich mein Schulfranzösisch auf. Professor Cobb – nach Aussage seiner Freunde der einzige Lagerinsasse, der während der Internierung nicht abgenommen hatte, weil er ohnehin spindeldürr gewesen war – hielt Vorträge über chinesische Literatur. Die hörte ich am liebsten. Später erfuhren wir, daß die Gefängnisinsassen den ganzen Tag auf einem Schemel saßen und die nackte Wand ihrer Einzelzelle anstarren und »über ihre Verbrechen nachdenken« mußten. Manche wurden darüber verrückt. Mir wäre es bestimmt ähnlich ergangen.

Unsere Ernährung führte zu einer unglaublichen Lethargie. Viele Internierte waren schon gestorben. Die Zuteilungen reichten kaum zum Überleben, und kleinere Beschwerden, Husten oder eine Magenverstimmung, konnten in unserem geschwächten Zustand den Tod bedeuten. Was uns aufrechterhielt, war die Überzeugung, daß der Krieg aufhören und wir freikommen würden. Wer diese Hoffnung verlor, lebte nicht mehr lange.

Sobald ich wieder zu Kräften gekommen war, jedenfalls so weit, wie das bei Reissuppe möglich war, besuchte ich die Menschen, die ich von früher kannte. Die Moral war überraschend gut, nicht zuletzt, weil das Überleben davon abhing. Alle ehemaligen Bankleute waren lieber im Lager als draußen. Der Gedanke an das Schicksal unserer Kollegen, die in den Händen der Kempetai waren, erfüllte uns mit lähmender Sorge. Wir wußten aber auch, daß wir nichts tun konnten. Die große Sorge war, daß die Kempetai mehr über die BAAG herausfinden und noch mehr Leute hinrichten würden, aber diese Sorge hatte uns auch schon vorher gequält.

Als ich eines Tages, nach zeitlupenartigem Unkrautzupfen im Gemüsegarten, in die Baracke zurückkehrte, bemerkte ich eine Gestalt, die mir bekannt vorkam, die ich aber nicht einordnen konnte. Im Lager war das nichts Ungewöhnliches, da die Menschen sich körperlich sehr veränderten. Die Frau kam mir aus der Tür entgegen. Sie hatte ein sauberes blumengemustertes Kleid an, das der abgemagerten Frau offenbar angepaßt worden war. Die Art, wie sie den Kopf neigte und sich bewegte, kam mir irgendwie bekannt vor. In der Armbeuge trug sie einen Eimer, als wäre es eine Handtasche.

»Mrs. Marler?« sagte ich. Sie drehte sich um. Ich hoffe, mein Gesicht verriet nichts. Es war tatsächlich Mrs. Marler, mahagonibraun und so dünn, daß ihr Gesicht nicht von Falten, sondern von tiefen Furchen durchzogen war. Die Mundwinkel zeigten fest nach unten. Sie erkannte mich nicht. »Tom Stewart, von der *Darjeeling*. Derjenige, der wegen einer Wette Kantonesisch gelernt hat.«

»Ah!« Mrs. Marler lächelte jetzt, die Zähne waren gelb und wegen des schwindenden Zahnfleischs ganz lang. »Der Freund der Nonnen! Ja, natürlich!«

Sie berichtete, sie sei »Lagerwart« – Bezeichnung für die Leiter eines der Lagerkomitees. Als ich mich nach ihrem Mann erkundigte, veränderte sich ihr Gesicht wieder.

»Bert ist ... er ist ein bißchen down. Ich, ähm ... vielleicht besuchen Sie uns ja mal. Tut ihm bestimmt gut.« Und dann, wieder entschlossener: »Kommen Sie doch morgen nach den Vorträgen. Und sagen Sie Beryl zu mir.«

Am nächsten Tag, nach Professor Cobbs Vortrag über die Lyrik der Tang-Dynastie, besonders über seinen Lieblingsdichter Wang Wie, schaute ich bei den Marlers vorbei. Sie wohnten mit etwa zwei Dutzend Personen in einem Bungalow. In ihrer Kammer, die wie ein ehemaliger Kesselraum aussah, war Platz für ein Feldbett, das tagsüber zusammengeklappt wurde. Beryl hatte irgendwie heißes Wasser aufgetrieben, es gab also Tee.

Als ich eintrat, saß Marler auf dem Fußboden, den Blick nach unten gerichtet. Ich merkte, daß etwas nicht stimmte mit ihm, nicht nur körperlich, sondern seelisch. Es schien, als wäre die Luft aus ihm gewichen.

»Mr. Marler! Wie schön, Sie zu sehen!«

Er schaute hoch. Vielleicht glaubte er, er lächle. Seine Frau hantierte mit den Tassen.

»Stewart.«

»Sie sehen gut aus«, sagte ich fröhlich auf kantonesisch, um ihm zu zeigen, daß es scherzhaft gemeint war. Zuerst reagierte er nicht, dann sagte er ganz langsam:

»Sie können es also noch.«

»O ja. Das Beste, was ich je gemacht habe. Das verdanke ich Ihnen, Mr. Marler. Ich kann Ihnen gar nicht sagen, wie sehr es mir genützt hat. Hier im Lager vermisse ich vor allem, daß ich es nicht sprechen kann – wenn der Krieg vorbei ist, habe ich bestimmt alles vergessen.« Das klang nicht ganz richtig. »Ich meine, ich habe ein Gedächtnis wie ein Sieb, in Null Komma nichts habe ich alles vergessen.«

»Ich bin sicher, wir werden schon viel früher herauskommen«, sagte Beryl fröhlich. Ihr Mann schwieg. »Haben Sie in den *Hong Kong Daily News* gelesen, daß die furchtbaren Niederlagen der Alliierten immer näher an Japan heranrücken? Sehr ermutigend. Jetzt wird es nicht mehr lange dauern, bestimmt nicht.«

Marler sagte, und es klang, als kämen seine Worte aus einem tiefen Brunnen:

»Vorher werden sie alle Lagerinsassen hinrichten. Niemand von uns wird Stanley lebend verlassen.«

Seine unverhüllte Verzweiflung kam einem Fauxpas gleich. Man hatte Angst, wenn die Leute so zu reden anfingen – alle Lagerinsassen wußten, daß Verzweiflung ansteckend war. Beryl und ich wußten nicht, wo wir hinsehen sollten. Wir redeten zehn Minuten über nichts, und dann ging ich. Eine Woche später war Marler tot. Manchmal konnte es ganz schnell gehen.

»Wir sollten woanders ein Hotel aufmachen«, sagte Masterson einige Monate nach Marlers Tod. Wir hatten Küchendienst, wuschen Gemüse. Das war wichtig, weil Exkremente als Dünger dienten. In Mastersons Brusttasche steckte eine selbstgedrehte Zigarette, die er sich nach der Arbeit als besonderen Luxus gönnte. Es war bekannt, daß er Lebensmittel gegen Tabak eintauschte, was auch zu einer der wenigen richtigen Auseinandersetzungen führte, die wir je hatten.

Cooper, der gerade dabei war, sich über Miss Farringtons Vorzüge auszulassen, guckte ein wenig irritiert, faßte sich wieder und fuhr fort:

»Mary sagt ...«

»Sie meinen, in Kowloon? Wie damals mit Mr. Luk? Eine Konkurrenz zum Peninsula, nur nicht ganz so mondän?«

Masterson schüttelte den Kopf. »Ganz woanders. Ländliche Gegend. Lantao oder auf einer der kleineren Inseln. Vielleicht sogar in Stanley.«

»Nein, nicht in Stanley.«

»Na, dann eben Big Wave Bay oder Repulse Bay oder so.

Wo die Leute hinfahren, wenn sie abschalten oder das Wochenende verbringen wollen.«

»Aber keine Ehebrecher. Hongkong ist nicht groß genug.«

Masterson hatte oft davon gesprochen, wie wichtig fremdgehende Paare für die Hotelbranche seien. Für professionelle Hoteliers sei das eine der Schwierigkeiten in Hongkong.

»Richtig. Aber es gibt noch viele andere Möglichkeiten. Wochenenden. Hochzeitsempfänge. Ausflüge.«

»Mary sagt, wenn der Krieg vorbei ist, kauft sie sich ein Boot und geht jedes Wochenende segeln.«

Für einen Moment glaubte ich die Bewegung des Segelboots unter den Füßen zu spüren. Ein Bad in den Wellen, dann mit einem Bier auf dem Deck sitzen, angeln, tauchen, menschenleere Inselstrände entdecken. Manchmal war der Gedanke an die Freiheit allzu deutlich, allzu schmerzhaft. Hoffnung und Verzweiflung lagen dicht beieinander, wie das bei Gegensätzen so oft der Fall ist, und aus dem einen konnte ganz schnell das andere werden. Man durfte die Balance nicht verlieren.

Das war um so notwendiger, als sich abzeichnete, daß wir den Krieg gewinnen würden. Wir merkten das am Verhalten unserer taiwanesischen Bewacher. Sie flüsterten uns Nachrichten zu, Gerüchte von japanischen Niederlagen und alliierten Siegen. Ein Kuli, der Benzin für den Verbrennungsofen brachte (in dem bakteriell verseuchte Decken verbrannt wurden), berichtete Professor Cobb von der Landung in der Normandie. Wie Beryl schon gesagt hatte, konnte selbst die *Hong Kong Daily News* diese Entwicklung nicht mehr verheimlichen, da die gemeldeten alliierten Niederlagen immer näher an Berlin und Tokio heranrückten. Alliierte Flugzeuge tauchten am

Himmel auf, einige warfen Bomben ab, eine amerikanische Bombe tötete vierzehn von uns. Kanadische Lagerinsassen wurden repatriiert. Der Gedanke an eine baldige Befreiung machte das Lagerleben noch unerträglicher. Angeblich sollten wir gegen japanische Zivilisten ausgetauscht werden, die in Australien interniert waren. Wir lebten von einem Tag zum anderen; ich hielt mich an das Überschaubare.

Anfang August 1945 hörten wir, daß die Russen Japan den Krieg erklärt hätten. Das war der erste Hinweis auf ein Kriegsende. Am 16. August, einem Donnerstag, ging ich nach dem Abendessen hinunter in die Küche, um zu sehen, ob es noch warmes Wasser gab.

»In Japan soll etwas passiert sein«, sagte Beryl Marler. Sie saß an einem Tisch und kontrollierte einen Dienstplan. »Jemand hat es von den Chinesen gehört. Irgendwas mit einer Bombe.«

Mittlerweile waren wir allesamt Experten im Einschätzen von Gerüchten – was klang plausibel, was war offensichtlich Unsinn; wir kannten den Unterschied zwischen Wunschdenken, begründeten Spekulationen und echten Informationen via Bambustelegraph. An das Gefühl, daß es diesmal stimmen könne, erinnere ich mich vielleicht nur im nachhinein. Ich sagte:

»Hoffentlich war es eine richtig große.«

Am nächsten Tag bekamen wir eine Extraration Zigaretten und, zum ersten- und letztenmal in diesem Krieg, eine Rolle Toilettenpapier. Da wußte ich, daß es vorbei war. Ich schenkte Masterson meine Zigaretten.

»Ich hoffe, du hast recht«, sagte er. »Ich werde sie sofort aufrauchen. Wenn dieser Scheißkrieg nicht vorbei ist, werde ich dir das nie verzeihen.«

Tags darauf verkündete die *Hong Kong Daily News*, daß

der Kaiser in seiner unendlichen Liebe für das Volk beschlossen habe, einem Kriegsende zuzustimmen. Uns wurde empfohlen, im Lager zu bleiben, bis sich die Situation geklärt habe, und auf lautstarke Jubelfeiern zu verzichten.

Neuntes Kapitel

The Plough
Faversham
1. September 1945

Lieber Tom,
über Dein Telegramm habe ich mich sehr gefreut. Wir waren in großer Sorge und haben nie so recht daran geglaubt, daß es ein gutes Zeichen ist, wenn man von jemandem nichts hört. Anne und ich freuen uns sehr auf das Wiedersehen mit Dir. Sie findet es witzig, daß sie einen Schwager hat, den sie nicht kennt! Auch die Jungs wollen ihren »neuen« Onkel kennenlernen.

Leider muß ich Dir, neben unserer Freude darüber, daß Du am Leben bist, auch etwas Trauriges mitteilen. Großmutter, der es seit einigen Jahren nicht besonders gut gegangen war, hatte im Sommer letzten Jahres einen Schlaganfall und starb nach kurzer Krankheit. Sie war in all den Kriegsjahren guter Dinge, auch wenn es manchmal schwierig war, und sagte immer, daß sie ein langes und erfülltes Leben hatte. Ich hoffe, daß Dir das ein kleiner Trost bei dieser traurigen Nachricht ist.

Ich schließe jetzt, damit ich Dir noch was zu erzählen habe, wenn Du uns besuchen kommst!

Dein Bruder
David

St. Francis Xavier's Mission
Chung King
Szechuan
19. September 1945

Lieber Tom,
ich kann gar nicht sagen, wie erleichtert ich war, als ich hörte, daß Du lebst und bei guter Gesundheit bist. *Deo gratia.* Am Schlimmsten war, immer nur Gerüchte zu hören. Ich habe oft an Dich gedacht und die Gemeinde gebeten, Dich in ihre Gebete einzuschließen.

Wie Du dem Briefkopf entnehmen kannst, bin ich in unserer Mission in Szechuan. Seit drei Jahren bin ich jetzt hier. Davor war ich meistens in Hunan. Immer wieder fehlt es an Nahrungsmitteln, und die Menschen sind kriegsmüde, aber uns allen hier geht es gut.

Pater Peter Wu, den Du nicht kennst, wird nach Kanton gehen und anschließend wahrscheinlich nach Hongkong, er wird diesen Brief also entweder persönlich überbringen oder, falls er verhindert ist, ein Mitglied unserer Mission darum bitten. Die Situation hier verlangt, daß ich die nächste Zeit in Chung King bleibe.

Ich danke Gott, daß Du lebst.

In der Liebe des Herrn
Schwester Maria

Masterson und ich fuhren auf der *Abergavenny* zurück nach England. Wir hatten Glück, daß das Schiff ein Passagierdampfer gewesen war; Truppentransporter waren weniger komfortabel. Wir teilten uns eine Kabine. Ich nahm die obere Koje. Die Kabine war etwa so groß wie meine auf der *Darjeeling*. Als ich mich erkundigte, ob jemand wisse, was aus der *Darjeeling* geworden sei, erfuhr ich, daß sie bei Kämpfen im Nordatlantik mit allen Mann gesunken sei.

Tagsüber bewegte ich mich soviel wie möglich in der frischen Luft an Deck. Anfangs waren es nur ein paar Runden. Bald schaffte ich eine ganze Stunde am Stück. Ich ahnte, daß es aufwärtsgehen würde. Das war nicht selbstverständlich. Viele Lagerinsassen haben sich nie wieder erholt.

Masterson saß die ganze Zeit in einem Liegestuhl auf Deck und las. In der Schiffsbibliothek gab es eine Auswahl von Klassikern des neunzehnten Jahrhunderts, vor allem Dickens und Trollope. Während wir den Indischen Ozean überquerten, das Rote Meer in Richtung Suezkanal hinauffuhren, hüllte sich Masterson in Jacke und Mantel, manchmal sogar noch in eine Decke, und war so vertieft in seine Lektüre, daß er nur nach wiederholter Anrede aufschaute.

Als wir das Mittelmeer erreichten, war ich zwar noch nicht völlig wiederhergestellt, aber es ging mir schon deutlich besser. Ich konnte mich bewegen, bis ich außer Atem war, ohne daß Herz und Lungen vor Anstrengung hysterisch reagierten. Meine Verdauung funktionierte gut, solange ich Fetthaltiges und Käse mied. Mein Zahnfleisch blutete nicht mehr. Auch andere Exlagerinsassen erholten sich langsam, nahmen zu. Auf den Metallplanken des Schiffs konnte man den Unterschied hören. Um so deutlicher wurde, daß Masterson keine Fortschritte machte, nicht kräftiger wurde. Beim Treppensteigen brauchte er Hilfe, und in Korridoren und Durchgängen trat er zur Seite, um andere vorbeizulassen. Er nahm es mit großer Ruhe und Gelassenheit.

»Tjaja, wir alten Knaben ...« sagte er oft. Ein paarmal hatte er solche Kopfschmerzen, daß er trotz aller Sonnenbräune blaß und grau und um die Augen herum ganz dünnhäutig aussah. Dann mußte ich ihm aus dem Buch vorlesen, das gerade an der Reihe war. Ich versuchte, den Figuren unterschiedliche Stimmen zu geben, bis er mich bat, aufzuhören.

Frühmorgens legten wir in Tilbury an. Über eine Stunde hatte ich, die Tasche war schon gepackt, auf Deck verbracht. Es nieselte, und der Himmel war auf englische Weise bedeckt. Es schien, als habe sich alles Grau aus dem Himmel über die Welt ergossen. Ich hatte mir überlegt, gleich nach Faversham zu fahren, doch nachdem ich schließlich von Bord gegangen war und mit meinem provisorischen Ausweis und der Segeltuchtasche die Zollkontrolle passiert hatte, stellte sich heraus, daß das nicht möglich war. Also fuhr ich mit dem Bus nach London.

Ich habe mich manchmal gefragt, was passiert wäre, wenn es ein strahlend blauer Herbsttag gewesen wäre und ein Mädchen in dünnem Kleid neben mir gesessen und mich angesprochen hätte. Unterwegs nach England war ich mir nicht sicher gewesen, ob ich überhaupt nach Hongkong zurückkehren würde. Ich fand, daß mein Experiment oder Abenteuer in Stanley zu Ende gegangen war. Doch an diesem Morgen, vielleicht sogar durch diesen ersten Eindruck, wurde mir klar, daß ich nicht wieder in England würde leben können. Das Land wirkte öde, langweilig und leblos. Die englischen Stimmen klangen bemüht vernünftig und verständnisvoll, ganz anders als die Kantonesen mit ihrer direkten, aufdringlichen Art. Nirgends sah man Farbe. Es war nicht warm, und mit meinen zweiunddreißig Jahren spürte ich einen dumpfen Schmerz in den Fingern, dort, wo man sie mir gebrochen hatte. Überall Bombenschäden. London sah stellenweise wie flachgetreten aus. Die Stadt erinnerte nicht an die Metropole eines siegreichen Empires.

An der Waterloo Station stieg ich aus. Eigentlich hatte ich im Zentrum herumlaufen, Trafalgar Square und Piccadilly wiedersehen wollen, aber ich war müde und schwach auf den Beinen, und meine Tasche schien auf einmal doppelt so schwer. Ich setzte mich in ein Café unterhalb des Bahnhofs und trank eine Tasse widerlich starken Tee, in dem viel zu viel Milch war.

Am späten Nachmittag gab es einen Zug nach Faversham. Ich benutzte den Freifahrschein, der mir in Hongkong ausgestellt worden war. Da ich vor Jahren zuletzt mit der Bahn gefahren war, fand ich die Fahrt sehr schön. Sobald wir London verlassen hatten, tröstete sich das Auge an der rotgoldenen Färbung des Herbstlaubs. Ich rauchte so viel, daß ich mich wie Masterson fühlte. Vom Bahnhof in Faversham ging ich zu Fuß in Richtung Plough. Die Stadt war mehr oder weniger unversehrt; sie war so weit von den Hafenanlagen entfernt, daß sie von den Luftangriffen verschont geblieben war. Ich sah ein paar bekannte Gesichter, aber mich erkannte niemand.

Als ich den Plough erreichte, ging ich erst in den Hinterhof, um noch etwas zu verschnaufen. Ich stellte die Tasche ab, richtete mich wieder auf und bemerkte in diesem Moment, daß mein Bruder David mich anstarrte. Beziehungsweise es wäre mein Bruder David gewesen, wenn er ein Fünfjähriger gewesen wäre, der die Hände in die Hüfte stemmte und mich mit einem mißtrauischen Ausdruck ansah.

»Du mußt Martin sein«, sagte ich. Das Mißtrauen verstärkte sich. Dann sagte er: »Onkel!«

»Stimmt. Ich bin Onkel Tom.«

Wir gaben uns sehr förmlich die Hand. Dann drehte er sich um, lief hinein und rief: »Er ist da!«

Ich hatte mich davor gefürchtet, aber es war alles gut. David, untersetzt und derb und pfiffig wie eh und je, konnte seine Freude über das Wiedersehen ebensowenig verbergen wie ich. Sein Frau Annie war viel hübscher, als ich erwartet hatte, hochgewachsen (mindestens so groß wie er, wenn nicht ein paar Zentimeter mehr) und sanft und aufgeweckt. Er behandelte sie ein bißchen vorsichtig, so als könne er seinem Glück nicht ganz trauen. Das zu beobachten war rührend und witzig. Martin war genau so, wie David als Kind gewesen war. Tom, der jüngere, war schüchterner und hübscher und wortkarg.

Besonders interessant fand Martin, daß ich in einem Lager gewesen war. Er fragte mich beim Abendessen aus, einer Lammkeule, die zu beschaffen nicht ganz leicht gewesen sein konnte, von der ich aber kaum etwas herunterbrachte. Für Tom war die Aufregung um meine Ankunft abgeklungen, und nun fielen ihm fast schon die Augen zu. Es gab dicke Scheiben Brot und frische Butter.

»Hattet ihr Zelte?« fragte Martin.

David und Anne sahen sich rasch an, doch ich warf ihnen einen beruhigenden Blick zu.

»Nein, eigentlich nicht.«

»Seid ihr auf Bäume geklettert?«

»Nein.«

»Sei ihr angeln gewesen?«

»Nein.«

Die wenigen Male, als wir Lagerinsassen uns am Strand aufhalten durften, hatte der eine oder andere versucht, Fische zu fangen. Aber es verlangte so viel Kraftaufwand, daß die Betreffenden keuchend und hungrig, geradezu gefährlich ausgehungert zurückkehrten. Aus dem gleichen Grund ging auch niemand schwimmen, obwohl das Wasser so einladend aussah. Das alles zu erklären war viel zu kompliziert.

»Hattet ihr Liederabende?«

»Nein – das heißt, ein-, zweimal.«

Er versuchte nicht, seine Enttäuschung zu verbergen.

»Er ist begeisterter Pfadfinder«, sagte David.

»Wir sind in einem Faß Boot gefahren«, erklärte Martin.

»Nimmst du mich mal mit?« sagte ich. Alle vier sagten:

»Es ist gesunken.«

»Ich hab Angst gehabt«, fügte Tom hinzu, leise, aber nachdrücklich.

In den nächsten Tagen besuchte ich Menschen, die ich von früher kannte. Die meisten meiner ehemaligen Mitschüler waren im Krieg gewesen, und viele von ihnen waren noch immer nicht zurückgekehrt. Einige – nicht sehr viele, aber auch nicht gerade wenige – waren im Krieg getötet worden. Am schlimmsten war der Bombentreffer gewesen, den ein Luftschutzraum abbekommen hatte. Etliche Hafenarbeiter waren dabei ums Leben gekommen, darunter vier aus Faversham. Viele Frauen hatten auf den Feldern gearbeitet und sahen ganz erstaunlich aus: gesund und kräftig und leicht sonnengebräunt, aber ihre Haut hatte nicht die lederne Bräune der Tropen, sondern den Ton von reifem Weizen. Es gab Cider und Bier und reichlich zu essen. (Mein Bruder hat nach dem Ende der Rationierung nie wieder Kaninchen gegessen.) Ich gewöhnte mich ein wenig an dieses Leben. Hier draußen auf dem Land war nicht alles so grau. Nachmittags unternahm ich Spaziergänge auf Wegen, die ich seit meiner Schulzeit nicht mehr gegangen war. Sie schienen viel kürzer, als ich sie in Erinnerung hatte, andererseits war ich schwächer, so glich sich das aus.

Drei Monate wollte ich bleiben. Nach der Hälfte der Zeit fing ich an, David zu helfen, abends Bier zu zapfen, auch Fässer abzuladen, sobald ich etwas kräftiger geworden war, und Bürokram zu erledigen. Die Bücher und Ordner zeigten mir, daß Großmutter die Buchführung gemacht hatte. Ihre winzige, rhythmische Handschrift tauchte in verschiedenen Abschnitten auf – erst die junge, verheiratete Frau, dann nach dem Tod meiner Eltern, bis wir uns eine Hilfe leisten konnten und ich selbst die Bücher führte, und schließlich am Ende ihres Lebens, während des Kriegs. Es war gut, daß sie bis zu dem Schlaganfall ihre Fähigkeiten bewahrt hatte.

Zwei Wochen vor meiner Abreise kam David mit auf einen Spaziergang. Wir gingen, in wortloser Übereinkunft, nach hinten hinaus, über die Hopfenfelder und bis zum Obstgarten. Das Mäuerchen stand noch immer halbverfallen da. Wir kletterten hinauf und schlenkerten mit den Beinen. In zehn Jahren hatte sich an dem Ort und der Aussicht nicht viel geändert.

»Na?« sagte David.

»Ich fahre zurück.«

Er atmete aus oder seufzte. Er schüttelte den Kopf.

»Annie hat es geahnt. Du weißt ja, die Kneipe gehört uns beiden. Dir und mir.«

Vielleicht war ich mir erst in diesem Augenblick ganz sicher. Aber der Gedanke an die gemeinsam bewirtschaftete Kneipe brachte Klarheit.

»Nein, ich fahre zurück. Nett von dir, aber ...«

»Gibt noch was zu erledigen«, sagte er. David war immer schon der Fixere gewesen. Dann holte er einen Umschlag aus seiner Jackentasche. »Der sechste Teil des Gewinns bis zu Omas Tod, und von da an bis heute die Hälfte. Es reicht noch nicht, um dich auszubezahlen, aber irgendwann bin ich soweit.«

»David ...«

»Das haben wir vereinbart.«

Ich nahm den Umschlag. Am Abend zählte ich nach: es waren mehr als fünfhundert Pfund darin, mehr als ich in meinem Leben je besessen hatte.

Zwei Tage vor meiner Abreise nach Hongkong traf ich mich in London mit Masterson zum Lunch. Für die letzten Tage hatte ich mir in London ein Hotelzimmer genommen, um einen Eindruck von der Atmosphäre zu bekommen. Wir trafen uns auf Mastersons Vorschlag im Restaurant des Café Royal. Decke und Wände waren bedeckt mit Darstellungen nackter Frauen. Masterson hatte den Mantel nicht abgelegt, saß dick eingemummelt an einem Ecktisch und las in *Brideshead Revisited*. Und rauchte natürlich. Als ich vor ihm stand, blickte er auf und lächelte. Er sah nicht schlechter aus, aber auch nicht besser.

»Bißchen anders hier als in unserer geliebten Bank«, sagte er zur Begrüßung mit einem Blick auf die Gemälde ringsum. »Vielleicht sollten wir unseren Speisesaal ähnlich ausstatten.«

Er lachte hustend. Beim Essen plauderten wir – recht schleppend, was bei Masterson normalerweise nicht der Fall war. Als nach dem Hauptgang abgedeckt wurde, sagte er:

»Tom, ich muß dir was sagen. Ich komme nicht mit zurück.«

Es dauerte einen Moment, bis mir klar wurde, was er da gesagt hatte. Ich weiß nicht, warum ich so überrascht war. Im nachhinein erscheint mir seine Entscheidung naheliegend. Vielleicht lag es daran, daß Masterson und Hongkong für mich eins waren und der Gedanke, es könne ein Hongkong ohne ihn geben, völlig unvorstellbar war.

»Alan, ich ... ich weiß nicht, was ich sagen soll.«

»Mir geht es nicht besonders. Wie du weißt, bin ich gern bei Catherine« – seine Schwester –, »und ich mag ihre Töchter.« Er lächelte. »Ich werde nicht jünger. Du bist sowieso ein besserer Hotelmanager als ich, und ich werde hier in Surrey ein luxuriöses Rentnerdasein führen und die Früchte deiner Arbeit genießen.«

»Aber ...«

»Meine Entscheidung steht fest«, sagte er, kategorisch und ernst. »Ich weiß, es ist nicht ganz einfach, so aus heiterem Himmel. Ich weiß, du bist der richtige Mann, also, wenn du willst, hast du den Job.« Und nach einer Pause sagte er: »Die Entscheidung liegt jetzt ganz bei dir.«

Was sollte ich sagen? Ich erklärte mich einverstanden, mit dem Gefühl, daß sich in meinem Leben gerade etwas Wesentliches verändert hatte. Das Gespräch war nun weniger anstrengend. Um drei registrierte ich, daß jemand von hinten an unseren Tisch herantrat. Masterson lächelte.

»Catherine!«

Ich drehte mich um. Seine Schwester war hochgewachsen und blond und elegant, und sie sah gut zwanzig Jahre jünger aus als er.

»Sie müssen Mr. Stewart sein«, sagte sie. »Hoffentlich hat er Sie überreden können, das Hotel zu übernehmen. Er sagt, Sie sind großartig.«

Ich versuchte nicht einmal so zu tun, als könnte ich ihrem Charme widerstehen.

Zehntes Kapitel

Als ich im Frühjahr 1946 zurückkehrte, ging es mit Hongkong schon wieder bergauf. Wasser und Stromversorgung funktionierten, Busse und Straßenbahnen fuhren, die Straßen waren sauber, Geschäfte und Schulen geöffnet, und die Leute waren aus China zurückgekehrt, wo nun wieder Bürgerkrieg herrschte.

Chung King
21. VI. 1946

Lieber Tom,
will Dir nur kurz Nachricht geben, daß alles in Ordnung ist. Zur Zeit ist es nicht sehr leicht hier in China, wie Du Dir gewiß vorstellen kannst, aber die Arbeit unserer Mission macht trotzdem gute Fortschritte. In schweren Zeiten sind die Menschen empfänglicher für die Botschaft der Kirche. Möglicherweise habe ich Dir gegenüber diese Beobachtung schon einmal gemacht.

Ich freue mich, daß Deine Arbeit im Hotel Empire gut läuft. Gern würde ich Dich einmal besuchen, sofern mein Orden mich nach Hongkong fahren läßt, aber ich weiß nicht, wann das sein wird. Schwester Benedicta kam letzten Monat auf ihrem Weg nach Norden bei uns vorbei und bat mich, Dich zu grüßen.

Deine
Schwester Maria

Es waren die arbeitsamsten Jahre meines Lebens. Hongkong erholte sich wieder, die Wirtschaft kam in Schwung, im Hotel war wieder Betrieb. Ich hatte das Gefühl, den ganzen Tag zu arbeiten, aber ich erinnere mich auch an Wanderwochenenden auf Lantao, wo ich bei Freunden übernachtete, auf Cheung Chau und in den New Territories, ich erinnere mich an Schiffsausflüge, Besuche in Macao, an ein ausgeprägtes gesellschaftliches Leben. Ich nahm auch an einer Studiengruppe unter Professor Cobb teil, der ein Jahr zur Erholung in England gewesen war und anschließend seine Professur an der Universität Hongkong wiederaufgenommen hatte. Thema war die klassische chinesische Literatur, und das hieß, daß ich die Schriftsprache lernte. In meinen Jackentaschen steckten Karteikärtchen, die ich in freien Momenten herauszog, um mir die Schriftzeichen einzuprägen – auf der Peak Tram, der Star Ferry, vor Besprechungen, bei Dinnerpartys auf dem Klo. Die Vorstellung, eine Sprache in der Tasche mit sich herumtragen zu können, gefiel mir sehr gut. Diese Kärtchen waren eine Art Sicherheitsgerüst. Bald kannte ich zweitausend Zeichen und hatte recht brauchbare Grundkenntnisse der chinesischen Schriftsprache.

Und ich hatte eine Freundin. Sie hieß Amanda Howarth und arbeitete bei Jardines. Sie wohnte bei ihrer Tante und ihrem Onkel, der ein großes Tier in dem Unternehmen war. Wir lernten uns Ende 1947 auf einer sonntäglichen Bootsfahrt in der Clear Water Bay kennen. Amanda hatte einen hellen Teint, trug immer Hut und hatte oft einen Sonnenschirm dabei, doch die Hitze gefiel ihr. Ich sah sie im Kreis einiger Leute unter der Heckmarkise sitzen. Mit scherzhaften Bemerkungen drängte man sie gerade, die Geschichte ihres heimlichen Verehrers im Büro zu erzählen, der ihr Blumen schickte und kleine Geschenke machte und in einem roten Neujahrsumschlag unheimlich zutreffende Renntips gab. Sie lachte und die anderen auch. Sie war hübsch, aber besonders attraktiv fand ich ihr auffälliges Talent zum Glücklichsein. Wir sahen uns noch ein paarmal bei Dinnergesellschaften und Tanzpartys, und dann ging alles seinen Gang. Ich lud sie in ein Teehaus ein, um ihre Anpassungsfähigkeit zu testen. Amanda bestellte Kutteln und Qualle. Der Kellner sympathisierte mit mir und versuchte, sie zu warnen.

»Zu stinkig«, sagte er. »Nicht für Engländer.«

Amanda ließ nicht locker, das Gericht kam und war in der Tat sehr schwierig, aber nicht wegen des Gestanks – eigentlich roch es nach nichts –, sondern wegen der glitschigen Beschaffenheit.

»Er muß wohl gelernt haben, daß stinkig ein nützliches Allzweckwort zur Abschreckung von Europäern ist«, sagte ich. Wir hatten etwa ein Drittel des Gerichts gegessen, den Rest versteckte ich zwecks Wahrung des Gesichts in einem Taschentuch. Wir kicherten.

»Danke schön«, sagte Amanda, als der Kellner die leeren Teller abräumte. »Das war exorbitant.« Er warf mir einen mißtrauischen Blick zu. Für uns wurde »zu stinkig« ein Codewort.

»Ich finde sie ganz nett«, sagte Beryl, als sie Amanda kennenlernte. In ihrer Stimme schwang etwas Unausgesprochenes mit, das ich aber ignorierte. Beryl Marler war meine neue Freundin. Sie war ebenfalls auf der *Abergavenny* nach England gefahren. Ich hatte sie seinerzeit kaum gesehen, und die wenigen Male war sie gedämpfter Stimmung, sehr viel mehr, als sie es im Lager gewesen war. Sie war, wie ich auch, an Bord der *Prince of Wessex* nach Hongkong zurückgekehrt, aber in sehr viel besserer Verfassung. Sie würde das Geschäft übernehmen, zumindest eine Weile.

»Albert hätte es so gewollt«, erklärte sie mir an der Bar. Ich hatte es nicht bemerkt – durch die laute und aufdringlichere Art ihres Mann war es verborgen geblieben –, aber sie war eine gewaltige Gintrinkerin. Beryl gehörte zu den Leuten, die ständig trinken müssen, ohne daß es, abgesehen von einer leicht verbesserten Stimmung, irgendwelche sichtbare Auswirkungen hätte. Ich lernte allmählich, Schritt zu halten – ein Glas pro zwei Gläser ihrerseits.

»Ich hatte mir überlegt, nach England zurückzukehren und einfach ein Witwendasein zu führen, aber es hätte nicht funktioniert. Das ist das Problem mit den Kolonien. Wer einmal draußen war, taugt nicht mehr für den Gemeinderat. Bert hätte den Gedanken, daß seine Unternehmen sich einfach in nichts auflösen, unerträglich gefunden. Also werde ich in der Chefetage sitzen und Kommandos geben und ganz allgemein ein Auge auf alles haben.«

Ich muß gestehen, daß ich diese Idee nicht sehr überzeugend fand. Ich glaubte, daß Beryl dem nicht gewachsen war und die Geschäftspartner ihres Mannes sie bei lebendigem Leibe verspeisen würden. Ich behielt diese Prognose aber für mich, und wir wurden Freunde, die sich durch eine gemeinsame Geschichte verbunden fühlten. Wir arbeiteten viel, wie alle Hongkonger, als bestünde eine allgemeine Übereinkunft, Erinnerungen in Arbeit zu begraben. Kipling, der sich Anfang des zwanzigsten Jahrhunderts in Hongkong aufgehalten hatte, war beeindruckt davon, daß er tagsüber nie einen Chinesen schlafen sah.

1949 war das entscheidende Jahr in der Geschichte Hongkongs, das Jahr, in dem alles anders wurde. Mao und die Kommunisten entschieden den Bürgerkrieg für sich. Die Kuomintang packten ihre Sachen und flohen nach Taiwan. Cooper, der 1953 in die Kolonie zurückkehrte, erzählte mir –

sehr viel später, als er schon zu den leitenden Angestellten der Bank gehörte –, daß er die Veränderungen nicht habe glauben können.

»Die Atmosphäre war anders. Ich kann es nur so beschreiben. Es war mehr los, mehr Menschen, mehr Betrieb. Von dieser Zeit an hatte man, wenn man nach längerer Abwesenheit wieder zurückkehrte oder sonstwie eine Antenne dafür hatte, jedesmal den Eindruck, daß alles noch toller geworden war. Noch lauter, noch hektischer, und man hatte immer weniger das Gefühl, daß man wußte, was wirklich passierte. Mehr Kriminalität natürlich und auch mehr versteckte Kriminalität. Triaden. Die ganzen Typen aus Schanghai, die den hiesigen Banden, die unauffällig ihren Geschäften nachgegangen waren, Konkurrenz machten. Kuomintang. Heimliche KP-Mitglieder. Man amüsierte sich mehr. Natürlich galt das nicht für anständige, verheiratete Männer wie mich, aber ganz allgemein.«

Cooper hatte 1946 bei einem England-Urlaub seine Miss Farrington geheiratet. Sie hatten zwei Töchter.

»Du kennst doch die Opiumgeschichte?« fuhr er fort. Er meinte das Opiumverbot, das 1949 erlassen worden war. Das war lustig, denn seine Existenz als Kolonie verdankte Hongkong dem oktroyierten Opiumhandel mit China. Gerüchten zufolge hatten diejenigen Triaden, die den Briten geholfen hatten, namentlich Wo und seine Partner, als Gegenleistung das Verbot gefordert, woraufhin der Preis für Opium natürlich in die Höhe schoß.

»Natürlich.«

»Hab mich bei einem hohen Regierungsbeamten mal erkundigt. Alter Freund meines Schwiegervaters. Du glaubst gar nicht, wie schnell der auf hundertachtzig war. Zornrotes Gesicht. Solche Fragen, meinte er, fallen nur auf denjenigen zurück, der sie stellt. Muß schon sagen, für mich war das ein Eingeständnis.«

Hongkong erlebte einen tiefgreifenden Wandel. Aus China strömten so viele Menschen über die Grenze, daß der Zuzug der dreißiger Jahre dagegen wie ein Rinnsal anmutete. Viele von ihnen hatten gute Gründe, vor den Kommunisten zu fliehen. Manche hatten gute gute Gründe, andere hatte schlechte gute Gründe. Überall auf der Insel und in Kowloon entstanden Slumviertel, deren Bewohner wir als Squatter bezeichneten. Das klang nicht so endgültig. Unternehmen in Schanghai verlegten ihr Geschäft nach Hongkong. Aus Schanghai kam eine ganze Reihe Kaufleute, Spione, ehemaliger Internierter, Bankleute und anderer Europäer, die Hongkong, wie Cooper erwähnt hatte, ein bestimmtes Flair gaben. Ein Franzose und ein Russe stießen zu Professor Cobbs Studiengruppe – Prévot, ein schlampiger Linker, und Schukowski, ein gepflegter Rechter –, und beide konnten heftige Diskussionen führen, was in diesem Kreis bis dahin nicht üblich gewesen war. Und man hörte von den Triaden.

Ganz neu war das natürlich nicht, doch während man früher über die Triaden wie von etwas Komödienhaftem gesprochen hatte, waren sie nun sehr viel konkreter, auch wenn sie für Europäer mehr oder weniger unsichtbar blieben. Beryl Marler war eine selbsternannte Expertin auf diesem Gebiet, weil ihre Firma in der Baubranche tätig war. Beryl hatte, allen Empfehlungen zum Trotz, den größten Teil von Marler Ltd. veräußert. Ihr Vater war Bauunternehmer gewesen, und sie fand – zu Recht, wie sich zeigte –, daß sie wisse, wie es in der Baubranche zugeht. Das enorme Bevölkerungswachstum bedeutete mehr Bautätigkeit und mehr billige Arbeitskräfte, und beides war positiv für Beryl, die viele Schanghaier Arbeiter beschäftigte und mehrere Schanghaier Poliere hatte. Einige mögen Angehörige von Triaden gewesen sein oder auch nicht, jedenfalls verbreiteten sie entsprechende Geschichten und Gerüchte, die Beryl gern aufschnappte, weil es sie einfach interessierte und weil es ihr außerdem Spaß machte, gruselige Geschichten zu erzählen.

»Die Leute glauben, es geht um mysteriöse Initiationsriten, um solche Sachen wie ›die Qing stürzen und die Ming wieder an die Macht bringen‹. Damit hat es überhaupt nichts zu tun. Diese Männer beherrschen China. Sun Yat-Sen war Mitglied einer Triade, Chiang Kai-Shek ist das auch. Es ist kein pittoreskes Überbleibsel von früher, das nur zum Selbstzweck veranstaltet wird. Es ist eher eine Kreuzung aus Mafia und Freimaurern und Hongs.«

»Na prima, Beryl, sie werden uns alle im Schlaf ermorden.«

Im November 1949, kurz nach dem Sieg der Kommunisten, traf ich mich mit Beryl im Empire zum Lunch. Unser neuer Schanghaier Chefkoch, Ah Ng – der sich lieber mit seinem englischen Namen Peter anreden ließ –, gewöhnte sich gut ein. Es gab Zwiebelsuppe und Barsch *à la meunière.* Anschließend gingen wir ein wenig spazieren, in Richtung Kennedy Town, Beryl wegen der körperlichen Bewegung und ich, um nach drei großen Gin Tonics einen klaren Kopf zu kriegen. Es war nicht warm. Überall Straßenhändler mit ihren Karren und Ständen. Hinter dem Central Market wurde es verwinkelter, die Häuser standen eng beieinander. Wir gingen Arm in Arm. In den Gassen roch es nach Fischöl, über uns hing Wäsche an der Leine. Der Wind wirbelte eine einzelne, billig gedruckte Zeitungsseite auf, die an meinem Hosenbein hängenblieb. Erst nach mehreren Versuchen gelang es mir, sie abzustreifen.

»So was Blödes!« sagte ich.

»Auch so eine Triadengeschichte«, sagte Beryl, aber nicht mit schaudererregender Stimme, sondern ganz nüchtern. »Eine Art Glücksspiel. Wie bei Damon Runyon. Die Leute kaufen die Zahlen in einer Lotterie, dann werden die Zeitungen gedruckt, in denen die Ergebnisse stehen. Es sind keine richtigen Zeitungen, sondern nur ein Vehikel für die Lotteriezahlen.«

»Beryl!« sagte ich, »woher du das alles weißt, das ist ja wie bei Agatha Christie!«

»Das Ganze ist ein gigantisches Geschäft«, sagte sie zufrieden. Wir kehrten um und gingen zurück in Richtung Central.

Eine Woche später, nach der montäglichen Studiengruppe bei Cobb, kehrte ich gegen neun ins Empire zurück. Barkeeper Ah Lo – von Masterson entdeckt und nach Ansicht der Stammgäste Herr des besten Martinis östlich von Venedig – sah mich hereinkommen und machte mir mit hochgezogenen Brauen ein Zeichen. Ich ging zu ihm.

»Missy gekommen, mit Ihnen sprechen, Chef«, sagte er. Wie die meisten Angestellten redete er mich gewöhnlich auf englisch an und überließ es mir, ob wir zum Kantonesischen übergingen.

»Wann? Welche Missy?«

»Glaube, sie ist noch da«, sagte er und wandte sich taktvoll wieder seinem Cocktailmixer zu, den er sorgfältig mit einem Geschirrtuch trockenrieb. An der Bar saß Chief Inspector Watts von der Royal Hong Kong Police. Wir nickten uns zu. Watts war in Uniform, hatte einen Pink Gin vor sich und ein Exemplar der *South China Morning Post*. Masterson fand, daß ein Hotel immer ein, zwei Hauspolizisten haben sollte. Sein Mann, Superintendent Putnam, war ein cleverer Alkoholiker, der in Stanley (Polizisten waren mit den Zivilisten interniert) eine wichtige Rolle gespielt hatte und wenig später in Pension gegangen war. Watts war nach dem Krieg in die Kolonie gekommen. Seine Hautfarbe und sein Temperament erinnerten an Teakholz. Er war der klassische Kolonialpolizist. Ich hatte ihn noch nie leiden können.

Ich ging in mein Büro. Auf meinem Stuhl hinter dem Schreibtisch saß Amanda, der anzusehen war, daß sie furchtbar geweint haben mußte. Einen Moment dachte ich, daß es mit uns zu tun hatte – wir hatten uns zuletzt bei einem Tanz gesehen und waren, nach einem kleinen Mißverständnis, wann wir den nächsten Walzer miteinander tanzen, halb im Streit auseinandergegangen. Doch dafür war sie viel zu betroffen. Ihre Nasenspitze war rot, als hätte sie Schnupfen.

»Amanda, Schatz ...«

»Entschuldige«, sagte sie. »Es tut mir furchtbar leid ... ich weiß nicht, warum ... Entschuldige bitte.«

»Was ist denn? Kann ich was für dich tun?«

»Ich ...« Sie brach wieder zusammen. Ich reichte ihr mein Taschentuch und schenkte uns zwei große Sherrys ein. Sie ging ins Bad und machte sich wieder zurecht. Dann erzählte sie mir ihre Geschichte.

»Der heimliche Verehrer. Erinnerst du dich, ich hab dir von ihm erzählt, die Blumen, das Parfüm und so weiter. Zuerst fand ich es ganz witzig. Diese kleinen Geschenke am Montag morgen. Und dann manchmal Renntips für Happy Valley, eine Karte auf meinem Schreibtisch, immer war der Name eines bestimmten Pferdes bei einem bestimmten Lauf angekreuzt. Nie mehr als ein Name. Erst hielt ich das für einen Witz. Nach dem dritten- oder viertenmal studierte ich die Ergebnisse. Das betreffende Pferd hatte gewonnen. Noch zweimal hab ich es überprüft, jedesmal das gleiche. Und die Geschenke wurden ein bißchen größer – einmal ein Paar Jadeohrringe. Ich hatte den Leuten schon davon erzählt, wie an dem Tag auf dem Boot, auch Mr. Grafton«, das war ihr Chef. »Aber inzwischen war es mir viel zu peinlich. Ich wußte nicht, wie die Leute reagieren. Die Geschenke kamen nicht regelmäßig. Manchmal lag eines da, dann wieder nicht. Kein System. Das war es, was mich auch so irritiert hat. Ich spürte, daß mich jemand beobachtet, wußte aber keine Erklärung.«

Fast hätte ich ihr an dieser Stelle ein Kompliment gemacht – so nach dem Motto, ich kann mir gut vorstellen, warum dich jemand beobachtet, Amanda –, verkniff es mir aber.

»So ging das dann eine ganze Weile. Eines Tages bekam ich ein Exemplar der *South China Morning Post*, der Name eines Pferdes war unterstrichen. Ich dachte mir, was soll's, ich versuch's mal. Aber ich wußte nicht wie, also habe ich Sally gebeten«, ihre Freundin, »Tony«, Sallys Freund, »soll zehn Dollar für mich setzen. Das Pferd hieß Starboard View, es siegte 8:1. Tony war beeindruckt, und ich war sprachlos. Zwei Wochen später bei Fever Heat das gleiche, 12:1. Und immer so weiter, immer in unregelmäßigen Abständen. Ich dachte schon, ich werde verrückt. Ich konnte niemandem davon erzählen. Ich steckte zu tief drin.

Letzte Woche bekam ich dann wieder einen Tip, zum erstenmal seit Wochen. Schwarz unterstrichen. Helfpful Secretary und 9:1. Ich setzte zwanzig Dollar, und in meiner Phantasie hatte ich den Gewinn schon für diese Truhe ausgegeben, die wir mal gesehen haben, weißt du noch? Am Samstag hatte mein Kandidat aber nicht nur nicht gesiegt, sondern war mit Abstand als letzter durchs Ziel gegangen. Zwanzig Dollar futsch.

Na ja, zuerst fand ich es komisch, aber auch ein bißchen bizarr. Konnte mir keinen Reim darauf machen. Dann kam ich eines Tages ins Büro, und auf dem Aktenschrank liegt die Zeitung. Dann fällt mir wieder der Name des Pferds ein. Und in dem Moment wurde mir alles klar ...«

Wieder schnürte es ihr die Kehle zusammen. Ich nahm ihre Hand. »Es war der Aktenschrank. Unterlagen von Mr. Grafton. Zum Teil sehr wichtige Dokumente. Firmengeheimnisse und so. Und eigentlich muß der Schrank immer verschlossen sein, aber ich nehme das nicht genau, besonders unter der Woche, denn es gibt ein kompliziertes Doppelschloß, und die Tür ist ja auch abgeschlossen ... na, jedenfalls, das war's, die Geschenke kamen immer dann, wenn ich den Schrank nicht abgeschlossen hatte. Die Größe der Geschenke hatte wohl damit zu tun, wie wertvoll die Geheimnisse waren. Den Leuten war klargeworden, daß ich das Prinzip nicht verstanden hatte, also wollten sie mir eine Lektion erteilen. Und jetzt habe ich die Nase voll von Jardines und von Hongkong und ...«

Ich nahm ihre andere Hand und sagte:

»Willkommen in Hongkong.«

Das kam falsch heraus. Es sollte klug, erwachsen, beruhigend und tröstlich sein, klang aber wichtigtuerisch und aufgeblasen. Amanda brach in Tränen aus. Ich versuchte, sie zu trösten. Am Ende des Gesprächs waren wir verlobt.

Im Grunde rechnete ich schon nicht mehr damit, doch im selben Jahr, eine Woche vor Weihnachten, kehrte Maria wieder nach Hongkong zurück. Sie tauchte einfach in meinem Büro auf. Mein Sekretär Ah Wing klopfte und schaute mit merkwürdigem Gesichtsausdruck herein. Ich arbeitete mich gerade stöhnend durch einen Stapel Papiere, es ging um Personalgehälter, guckte hoch und bemerkte hinter Ah Wing Maria, die auf den ersten Blick genauso aussah wie vor acht Jahren, als wir uns das letztemal gesehen hatten, irritierend unverändert.

»Danke, Ah Wing«, sagte ich. Die Fähigkeit, seine Neugier zu zähmen, gehörte nicht zu Ah Wings Tugenden, doch er verzog sich. Ich trat um den Tisch. Irgendwie war klar, daß wir einander nicht berühren würden, aber Maria lächelte breit und, so schien es, ganz spontan.

»So, so, so!«

Aus der Nähe bemerkte ich feine Linien um Mund und Augen, keine Falten, nur Andeutungen. Sie war ein bißchen dünner geworden. Jemand, der sie nicht kannte, hätte ihr angesehen, daß sie schwierige Zeiten hinter sich hatte. Das war neu. Sie trug wieder eine modifizierte Ordenstracht, eine Art Krankenschwesteruniform.

»Du bist älter geworden, Tom. Siehst aber gut aus.«

»Tugendhaftes Leben, gute Gedanken. Du siehst mehr oder weniger unverändert aus. Das ist ein Kompliment.«

»Einer Schwester muß man keine Komplimente wegen ihres Aussehens machen«, sagte sie, noch immer lächelnd, und setzte sich. Einen kurzen Moment dachte ich, sie wird wie Schwester Benedicta.

Es klopfte an der Tür. Ah Wing trat unaufgefordert ein und servierte Tee. Ich ärgerte mich und war zugleich dankbar für die Störung.

»Schwester Maria ist eine alte Bekannte aus der Zeit vor dem Krieg«, sagte ich zu ihm. »Sie hat mir Kantonesisch beigebracht ...«

Natürlich sprach sich das sofort im Empire herum. Ah Wing ging, und ich schenkte Tee ein.

»Was wirst du jetzt machen?« fragte ich Maria. »Die Lage in China muß doch ziemlich düster sein.«

»Es ist komplizierter. Die Kommunisten sind in gewisser Weise einfacher im Umgang, als die Nationalisten es waren. Sie sind berechenbarer und weniger korrupt. In vielen Bereichen ist das schon deutlich geworden. Wir sind also mit Blick auf die kommenden Jahre nicht pessimistisch. Nach dem Regimewechsel wurde aber deutlich, daß hier viel tun ist. Und der Orden hielt es für sinnvoll, mich nach Hongkong zu schicken.«

»Du warst lange weg«, sagte ich, vergeblich bemüht, meine Stimme nicht bitter klingen zu lassen.

»Angesichts der Umstände nicht so lange«, sagte Maria. »Ein Weltkrieg, vorher und anschließend Bürgerkrieg, dazu die Tatsache, daß ich meinem Orden totalen Gehorsam schulde – da sind acht Jahre nichts Besonderes.«

»Es ist natürlich ziemlich dumm von mir, etwas anderes zu erwarten.«

»Es ist keine Frage von Dummheit. Wir haben einfach andere Lebensperspektiven«, sagte sie, etwas milder. Und dann, noch sanfter: »Acht Jahre sind eine lange Zeit.«

»Ich bin verlobt«, sagte ich.

»Ah. Darf ich erfahren, wie sie heißt?«

»Amanda Howarth. Arbeitet bei Jardines. Wohnt bei Tante und Onkel auf dem Peak. Bowen Road. Nette Aussicht, wenn kein Dunst ist. Lebt seit gut zwei Jahren hier. Wir haben uns auf einer Bootsfahrt kennengelernt. Sie ist ... sehr nett.«

Maria hatte völlig unbewegt und schweigend zugehört und blieb noch eine Weile so sitzen. Schließlich sagte sie: »Also, es war schön, dich zu sehen und unsere Bekanntschaft zu erneuern«, stand auf und ging hinaus. Ich hatte das Gefühl, daß etwas für mich sehr Wichtiges zerbrochen war.

St. Francis Xavier's Mission
Wan Chai
19. Dezember

Lieber Tom,
mir wurde nach unserer Begegnung klar, daß ich auf die Nachricht von Deiner Verlobung recht unhöflich reagiert habe. Bitte entschuldige meine Taktlosigkeit und nimm meinen aufrichtigen Glückwunsch entgegen.

Am 23. Dezember findet hier in der Mission ein Weihnachtskonzert statt, das Pater Ignatius organisiert hat. Ich würde mich freuen, Dich und Miss Howarth als meine Gäste begrüßen zu können. Anschließend gibt es einen Imbiß.

Es ist eigenartig, wieder in Hongkong zu sein. Ich kann nicht so tun, als wäre es nach den Entbehrungen der Kriegsjahre in China nicht auch eine Erleichterung.

In alter Freundschaft
Schwester Maria OABV

»Stimmt's, Hongkong ist für dich Heimat?« sagte Amanda auf dem Weg zum Weihnachtskonzert.

»Darüber hab ich noch nicht nachgedacht. Vermutlich.«

»Ich weiß nicht, ob ich mich hier jemals richtig zu Hause fühlen könnte. Es ist zu ...« Sie sah sich um und machte eine ausholende Handbewegung. Für mich hieß das: zu chinesisch, zu fremd, zu weit weg, zu subtropisch.

»Zu stinkig«, sagte sie. Ich lachte.

»Ich weiß, was du meinst«, sagte ich. Sie hakte sich bei mir ein.

Wir trafen in der Mission ein. Es war jenes Gebäude, das ich am Tag des Kriegsausbruchs bei meiner verzweifelten Suche nach Maria betreten hatte, und für einen Moment fühlte ich mich zurückversetzt in die damalige Situation. Nur zehn Minuten schienen seitdem vergangen zu sein, aber bei der Erinnerung an all das, was in der Zwischenzeit passiert war, kam es mir eher wie hundert Jahre vor. Dieses Gefühl legte sich, als wir das Gebäude betraten. Den Eingang schmückten zwei riesige chinesische Weihnachtsbäume aus Filz, mit Glitzersternen und handgemalten Engeln in den Zweigen. Die Bäume sahen sehr chinesisch aus, vielleicht hatten ja auch chinesische und nicht europäische Tannen Modell gestanden. Im Saal vor der Bühne saßen viele Leute auf Klappstühlen. Pater Ignatius, der die Gäste an der Tür begrüßte, erkannte mich.

»Ein schönerer Anlaß als unsere letzte Begegnung, Mr. Stewart.« Das war eine Beerdigung im Lager gewesen, die er abgehalten hatte.

»Ganz recht, Pater. Sie sehen gut aus!« Das stimmte. Er war etwas rundlicher geworden und hatte das volle Gesicht, das man bei Priestern mittleren Alters oft sieht. Er hielt mit beiden Händen meine Hand und drückte sie aufrichtig.

»Gehen Sie doch hinein. Maria hat Ihnen vorn in der ersten Reihe Plätze reserviert«, sagte er.

Wir taten, wie uns geheißen. Zu Pater Ignatius, beziehungsweise zu den Katholiken ganz allgemein, kam immer viel Publikum. Erstaunlich viel Hongkonger Prominenz war erschienen. Ich erkannte den Direktor der Elektrizitätswerke, einen irischstämmigen Richter, einen französischen Geschäftsmann. Einer der führenden Wirtschaftsberater des Gouverneurs in der ersten Reihe sah auf seine Uhr. Auch einige Portugiesen und Macauer waren anwesend sowie Mr. Yamashita, ein Katholik aus Nagasaki, der in den Zwanzigern nach Amerika ausgewandert war und den Krieg in einem Internierungslager in Arizona verbracht hatte. Mr. Yamashita, immer auf der Suche nach einem bekannten Gesicht, bemerkte mich und nickte mir zu, während wir zu unseren Plätzen gingen. Er war von seiner Firma, einem Ölkonzern, taktloserweise nach Hongkong entsandt worden und zu dieser Zeit der einzige japanische Zivilist in der Kolonie. Ich fand ihn sympathisch, und er war ein guter Kunde, er mußte viele Geschäftskontakte pflegen, und im Hong Kong Club wurde noch an der Rassenschranke festgehalten. Zu unserem Rivalen, dem Hong Kong Hotel, konnte er nicht gehen, weil dessen Vorkriegscoiffeur sich als Offizier des japanischen Marinenachrichtendienstes entpuppt hatte.

Das Programm, das auf jedem Stuhl lag, verhieß Chorgesang, die Darbietung von Zaubertricks und schließlich die Aufführung eines Weihnachtsspiels. Auf meinem Zettel stand in Marias Handschrift: »Bis später!«

Ein besonderes Merkmal von Pater Ignatius' Veranstaltungen, von denen ich im Laufe der Jahre etliche miterlebte, war das schwankende Niveau. Man könnte annehmen, daß er regelmäßig eine gewisse Qualität erreichte, doch ganz im Gegenteil: einige Aufführungen hätten ohne weiteres als professionelle Darbietung durchgehen können, während andere so dürftig waren, daß die Zuschauer nicht so recht erkennen konnten, ob ihnen *Oklahoma!* auf englisch oder auf kantonesisch geboten wurde. An die Einzelheiten der Aufführung an jenem Abend kann ich mich nicht mehr erinnern, zum Glück, wie ich vermute. Ich erinnere mich an eine chinesische Maria, wunderschön anzusehen und echt schwanger, der Star des Abends, und an eine verlegene Amanda, die von Gran Miracolo, einem brasilianischen Jesuiten (sein richtiger Name war Pater Augustinus), der bei Kindergeburtstagen als Zauberer auftrat, auf die Bühne gebeten wurde und eine Karte ziehen mußte. Höhepunkt seiner Darbietung war, als er eine *South*

China Morning Post in Streifen riß und sie auf wundersame Weise zu einer *Macao Gazette* wieder zusammensetzte.

»Das war wirklich toll«, sagte ich anschließend zu Maria, hinter der Bühne, in dem umgebauten Klassenzimmer, umringt von anderen Gästen, die tranken und sich laut unterhielten. Maria schien zufrieden mit dem Abend. Amanda lächelte angestrengt und sagte wenig.

»Ja, die Aufführung lief gut, wir waren alle ein bißchen nervös.«

»Muß sonderbar sein, hier in Hongkong öffentlich auftreten zu können, nach all den Jahren, in denen es … in denen es schwieriger war«, sagte Amanda, zunächst selbstsicher, doch dann stockend.

»Was meinen Sie mit ›schwieriger‹?« sagte Maria. Bevor ich intervenieren konnte, sagte Amanda:

»Ach, Sie wissen schon, China und der Krieg und die Japaner … na, Sie wissen schon.«

»Nein, ich weiß nicht.«

»Maria …« hob ich an.

»Nein, ich meine nur, es kann doch nicht einfach gewesen sein, und Hongkong ist nicht perfekt, aber es ist bestimmt einfacher, das ist alles.«

»China hat eine sehr unruhige Zeit hinter sich, es hat eine Invasion fremder Truppen erlebt, wurde besiegt und von einem Bürgerkrieg heimgesucht«, sagte Maria. »Viele Menschen sind gestorben. Das Leiden Christi wiederholt sich gegenwärtig in vielen Gegenden der Welt, auch in China. Ich verstehe nicht, inwiefern die Vorstellung von Einfachheit eine Rolle spielt. Wir sind Missionare.«

»Komm schon, Maria, sie hat doch völlig zu Recht …«

»Und was die vermeintliche Überlegenheit von Hongkong angeht, so muß ich Ihnen sagen, daß sich hier die unschönsten Elemente Chinas treffen, vor allem Korruption und Bandenwesen, unter einer dünnen Fassade von Recht und Ordnung und Statusdenken, eine der schlimmsten Untugenden der Chinesen, in der man ihnen nacheifert, sie sogar noch übertrifft. Und gleichzeitig versagt man allen Nichteuropäern jede Würde. Diese Haltung nach dem Motto ›Kein Zutritt für Hunde und Chinesen‹ und das grundsätzliche Eigeninteresse der britischen Kolonialmacht führen zu einer beispiellosen Kombination aus Kriminalität, Heuchelei und einem erbitterten Kampf zwischen zwei unterschiedlichen Imperien.«

»Maria, das ist der größte …«

»Warum gehen Sie dann nicht zurück?« sagte Amanda. »Wenn es hier so furchtbar ist.«

Ich bemerkte ein Funkeln in Marias Augen. Sie sagte: »Wollen Sie Menschen sterben sehen? Unschuldige Menschen?«

»Unschuldig woran?« sagte Amanda. Ich muß gestehen, ich war beeindruckt.

»Wir beide wissen, was gemeint ist. Hongkong ist in vielerlei Hinsicht korrupt und korrumpierend, aber es ist letztlich viel sicherer als China, und daß wir im Auftrag unserer Mission hier tätig sind, hat mit ebendiesem Umstand zu tun.«

»Es ist also nicht alles schlecht hier?«

»Wie gesagt, in dieser Hinsicht …«

»Klingt eigentlich genau wie das, was ich vorhin mit dem einfacher gemeint habe.«

»Ich wiederhole, einfach ist ein Begriff, den ich im Zusammenhang mit der Arbeit unserer Mission für irrelevant halte.«

»Meine Damen, also wirklich«, sagte ich.

»Entschuldigt mich bitte«, sagte Maria. »Senhor Pesquera sieht aus, als wäre er gestrandet.« Sie ging durch den

Raum und wandte sich einem Mann zu, der Punch trank und zu Boden starrte.

»Soso«, sagte Amanda. »Das war also deine Freundin.«

»Ich, ähm, ja«, sagte ich. »Tut mir leid, sie ist manchmal ein bißchen ...«

»Ein bißchen?«

»... schwierig ist wohl das Wort.«

Amanda lächelte und drückte meinen Arm.

»Ich mag sie. Komm, wir gehen zum Buffet, bevor sich die anderen darüber hergemacht haben.«

An diesem Abend empfand ich eine große Wärme für Amanda. Und mir wurde klar, daß ich nicht der Typ für eine Beziehung war. Je länger ich die Verlobung fortdauern ließ, desto schmerzhafter würde es für Amanda sein. Also trennte ich mich von ihr. An unser Gespräch erinnere ich mich lieber nicht. Drei Monate lang wurde mir von ihrem gebrochenen Herzen berichtet. Dann kehrte sie nach England zurück, ohne daß ich sie noch einmal gesehen hätte. Während der Reise lernte sie einen jungen Offizier der Grenadier Guards kennen, der in Australien Dienst getan hatte. Nur wenige Monate später heirateten sie. Ihr Onkel, der Jardines-Mann, tauchte nicht mehr im Empire auf. Mit ihm verloren wir einen guten Kunden.

Elftes Kapitel

1953 wurde ich vierzig. Mein Geburtstag fiel auf einen Sonntag. Ein Kellner weckte mich mit Tee und einem Telegramm:

ALLES GUTE ZUM GEBURTSTAG STOP MEIN ANTEIL PLOUGH ETWA ZWEITAUSEND VORHANDEN BIST DU INTERESSIERT STOP HIER ALLES BESTENS GRUSS DAVID

Eigentlich war ein Bootsausflug zur Silvermine Bay mit anschließender Wanderung und Picknick auf Lantao geplant gewesen, aber viele Teilnehmer hatten in der vorangegangenen Woche Grippe bekommen, so daß die Tour am Freitag abgesagt worden war. Ich steckte das Telegramm in die Tasche und beschloß, einen ganzen Tag auf der Insel Hongkong zu wandern, was ich schon eine ganze Weile nicht mehr gemacht hatte. Ich ließ mir in der Hotelküche ein paar Brote zurechtmachen, die ich mit einer Flasche Wasser (abgekocht und gekühlt) und einigen Tomaten in einen Rucksack packte. Im Lager hatte ich eine sonderbare Sehnsucht nach Tomaten entwickelt, und nun aß ich sie, sooft es ging. Aus irgendeinem Grund mögen Chinesen keine Tomaten.

Zuerst ging ich die Old Peak Road entlang, die fast senkrecht ansteigt. Ich mußte öfter stehenbleiben, damit sich die Beinmuskeln und mein rasendes Herz beruhigten. Bei diesen Pausen kam ich wieder zu Atem und konnte den Ausblick genießen. Das Gebäude der Hong Kong Bank mit seinen etwa zwölf Stockwerken beherrschte noch immer das Zentrum. Im Hafen war so viel Betrieb wie vor dem Krieg, wenn nicht mehr. Ich hatte einen schönen Blick auf Government House mit seinem eigentümlichen japanischen Turm.

Eine Stunde brauchte ich bis zur Bergstation der Peak Tram, die in knapp vierhundert Meter Höhe liegt. Einige Spaziergänger waren unterwegs, Leute, die auf dem Peak wohnten oder mit der Tram zu einem Verdauungsspaziergang heraufgefahren waren. Da sich die St. John's Church unweit der Talstation befindet, waren wohl auch einige Kirchgänger direkt nach dem Gottesdienst heraufgekommen, in Anzug und Sommerkleid und Hut und mit den geschrubbten Kindern, das einzige Mal in der Woche ohne ihre Amah. In meinem kurzärmeligen Hemd, den Shorts und den zünftigen Wanderstiefeln fiel ich einigermaßen auf.

Ich beschloß, den Weg hinunterzugehen, der zum Pok Fu Lam Reservoir führte. Bald traf ich auf ein Elternpaar, das einen Jungen tröstete, der vorausgelaufen und hingefallen war und sich die Knie aufgeschlagen hatte, daß das Blut in seine weißen Söckchen lief. Am Reservoir legte ich eine Pause ein, aß ein Schinken-Sandwich und ein paar Tomaten und ging dann weiter in Richtung Aberdeen. Es war hektisch, viele Menschen waren unterwegs, aber ich war noch immer nicht erschöpft, ging weiter, die Straße entlang, auf und ab, und kam schließlich zur Deep Water Bay. Hier beschloß ich, im Golfclub ein Bier zu trinken und mich von einem Taxi nach Hause fahren zu lassen, denn inzwischen taten mir die Füße richtig weh.

Und beim Abstieg hinunter in die eigentliche Bucht sah ich es: ein großes, neues, beinahe fertiges Haus und mehrere chinesische Bauarbeiter, die vor dem Grundstück standen. Von dort aus hatte man einen weiten Blick über die Bucht. Das Haus hatte eine lange Veranda mit geöffneten Terrassentüren. Und obwohl es nur etwa fünfzig Meter oberhalb des Strands lag, verfügte es über einen Swimmingpool, eine Seltenheit im damaligen Hongkong. Die Architektur war europäisch inspiriert und nicht britischer Kolonialstil.

»Was ist los?« fragte ich den ältesten Arbeiter, der im Unterhemd dastand, die Arme in die Hüfte stützte und bedrückt schaute.

»Amerikaner will Haus bauen, heute wir hören, er bankrott«, sagte er in einem Kantonesisch, das noch schlechter war als meines. »Nicht wissen, ob Lohn kriegen.«

»Das ist ja blöd«, sagte ich. »Lebt dieser Amerikaner in Hongkong?«

»Singapur. Oder Amerika.«

»Kann ich mich mal umsehen?«

Er wandte sich an die anderen und zuckte mit den Schultern. Ich trat durch das Tor und ging die kurze, kreisförmig angelegte Auffahrt hinauf. Der Blick über die Deep Water Bay – etwa eine Minute Fußweg entfernt – war traumhaft. Im Innern war das Haus viel größer, als es von außen wirkte. Es erstreckte sich nach hinten und den Hang hinauf und war so groß, daß man sich nicht recht vorstellen konnte, an welche Verwendung der Besitzer gedacht hatte. Später fand ich heraus, daß dem Mann einige Jahre zuvor die Aufnahme in den Royal Hong Kong Yacht Club verweigert worden war und er nun, in einer Mischung aus Groll und Rache und verletzter Eitelkeit beschlossen hatte, für sich und seine Freunde gewissermaßen seinen eigenen Jachtclub zu gründen – und das erklärte auch, weshalb jedes Zimmer Meerblick hatte.

Beryl gab die Chefskeptikerin. Auf den Spazierstock gestützt, den sie inzwischen benötigte und wohl auch als Bühnenrequisit benutzte, sagte sie:

»Die Frage ist nicht, ob es hier schön ist, was zweifellos der Fall ist, sondern ob jemand herkommt.«

»Die Leute gehen gern aus. Hier ist es wie auf Lantao oder in Fanling, nur viel näher. Man kann nach der Arbeit auf einen Drink herkommen.«

»Wir sind hier nicht in Indien«, sagte Beryl.

»Beryl, ich hab keine Ahnung, worauf du hinauswillst.«

Wir standen vor dem Tor des Hauses, das ich zwei Tage zuvor entdeckt hatte. Vom Meer her wehte ein wunderbar frischer Wind.

»Sieht aus wie Schottland am Mittelmeer«, sagte sie, etwas milder.

»Danke.«

Ich hatte Erkundigungen eingezogen. Der Eigentümer, Jackie Lee, war ein amerikanischer Geschäftsmann, der im China der dreißiger Jahre mit Ölspekulationen sehr viel Geld gemacht und verloren hatte. Er war nach Amerika zurückgekehrt, hatte am Krieg nicht schlecht verdient, war dann wieder nach Schanghai gekommen und hatte sein ganzes Geld verloren, weil er auf einen Sieg Chiang Kaisheks gesetzt hatte. Dieses Haus, geplant als Hongkonger Refugium, war in dem unfertigen Zustand zwar nicht ganz billig, für Hongkonger Verhältnisse aber ein Schnäppchen.

»Gutes *feng shui*«, sagte Maria. Ich war mit ihr zum Tee verabredet gewesen. Als ich anrief, um ihr zu sagen, daß ich wegen dieser Hausgeschichte verhindert sei, fragte sie, ob sie mitkommen könne. Mir war nicht klar, ob sie je in einem Hotel übernachtet hatte, doch für Maria wäre das ohnehin kein Hinderungsgrund gewesen, entschiedene

Ansichten zu diesem Thema zu vertreten. Das Schauspiel zwischen mir und Beryl, mit der sie sich gut verstand, schien ihr zu gefallen.

»Als katholische Nonne darfst du doch gar nicht an *feng shui* glauben«, sagte ich, irritiert über ihre Belustigung.

»Es gibt einen Unterschied zwischen Aberglauben und Glauben. Viele europäische Geistliche klopfen auf Holz und gehen nicht unter einer Leiter hindurch.«

»Das ist überhaupt nicht ...« fing ich an.

»Wie sieht die Verkehrsanbindung aus?« fragte Beryl. Wir sprachen noch eine Weile über diese Dinge. Urplötzlich ging die tropische Sonne unter, es wurde dunkel, in der Bucht gingen da und dort Lichter an. Wir bestiegen die Hotellimousine, die ich bestellt hatte, und fuhren ins Empire zurück. Es gab Krabbensalat und Shepherd's Pie, Ah Ngs Angebot des Tages (eine alte Idee von Masterson: »Die Leute mögen es heimelig«). Ich hatte den großen Speisesaal aufgeteilt, so daß es nunmehr einen europäischen Raum gab, dunkel getäfelt und mit dunklen Vorhängen, und einen chinesischen, mit goldenen Drachen auf schwarzem Lack und raffinierten Spiegeln wie in einem Bordell. Wir saßen im europäischen Teil.

Schon seit einiger Zeit wollte ich Maria etwas fragen. Aus irgendeinem Grund war ich nervös. Ich wartete, bis wir beim Shepherd's Pie waren und Maria eines ihrer seltenen Gläser Rotwein getrunken hatte.

»Maria, hast du mal von Ho-Yan gehört?«

Sie legte Messer und Gabel hin.

»Wo Ho-Yan war in unserer Mission in Kanton, ich hab ihn zu Thomas geschickt«, sagte sie zu Beryl. »Er arbeitet nach wie vor für seinen Bruder. Ich kannte die beiden aus ihrer Kindheit.«

»Ach nee«, sagte Beryl. »Wo Ho-Yan? Der Bruder von Wo Man-Lee? Die größten Gauner von ganz Hongkong.«

»Er ist ein Gangster«, sagte Maria. »Es ist genau das passiert, was ich seit unserer Begegnung vor vielen Jahren in Kanton befürchtet habe. Aber vielleicht habe ich mir etwas vorgemacht. Man kann den Menschen helfen, aber ohne die Gnade Gottes kann man sie nicht verbessern. Und wenn sie diese Gnade von sich weisen, kann man nichts machen.« Sie wandte sich zu mir, sah mir in die Augen: »Ich weiß, du hast Ho-Yan nach Kräften geholfen, Thomas. Mehr war nicht möglich.«

»Ho-Yan war ein netter Kerl, und ich glaube auch nicht, daß sein Bruder durch und durch schlecht ist«, sagte ich. »Jedenfalls hat er während des Krieges ein paar Dinge für uns getan, und damals waren wir für seine Hilfe dankbar.«

»Alles, was er tut, tut er für sich«, sagte Maria. »Du weißt nicht, wovon du redest.«

»Also, ich muß schon sagen, das ist ein starkes Stück«, sagte Beryl. »Davon hast du mir nie erzählt, Tom. Ich wette, du hast keine Ahnung, daß Wo Man-Lee mehr Zeitungen gehören als sonst jemandem hier in Hongkong. Alles chinesische, versteht sich. Ergreift keine Partei – dafür ist er zu clever. Einige sind probritisch, andere extrem anti. Hat sich alles aus dem Lotteriegeschäft entwickelt. Erinnerst du dich an diese Zeitung, die wir neulich sahen, die mit den Zahlen? Das ist sein Ding. Und noch vieles andere. Angefangen hat es mit diesen Blättern, auf denen die Zahlen stehen. Dann kam das Anzeigengeschäft. Dann haben sie gemerkt, daß sie bessere Anzeigenkunden kriegen, wenn sie richtige Artikel bringen, und am Ende waren es richtige Zeitungen. Wenn das nicht ein Widerspruch in sich ist. Und natürlich alle von Triaden kontrolliert. Bringt sicher nicht soviel Profit wie Drogen und Mädchen, trotzdem keine schlechte Einnahmequelle. Ho-Yan vertritt die legale Fassade des Geschäfts, Baugewerbe und Zeitungen. Bei einigen Bauaufträgen haben wir mit ihnen konkurriert und natürlich den kürzeren gezogen. Ist nicht ganz leicht, mitzuhalten, wenn der Bauherr Schiß hat, irgendwann ohne den einen oder anderen Körperteil aufzuwachen. Und im Machtzentrum sitzen nur Leute aus einer Gegend. Harte Burschen aus Fukien. Wo Man-Lee traut im Grunde nur Leuten aus seinem Dorf. Wenn sie nicht spuren, knöpft er sich die Verwandten vor. Sehr raffiniert, sehr unangenehm. Der Shepherd's Pie ist heute aber besonders gut!«

Ich versuchte, mir Wo Man-Lee als Chef mehrerer Zeitungen und diverser Unterabteilungen eines Verbrechersyndikats vorzustellen. Es fiel mir nicht schwer. Bei Ho-Yan schon eher – aber nur, wenn ich es abstrakt sah: Ho-Yan, der Verbrecher. Wenn ich es mir als Familienunternehmen dachte, das auf Loyalität gründete, wurde es plausibel.

Das waren die Jahre, in denen oft von den Triaden geredet wurde, meist mit einem Schauder der Faszination und immer im Zusammenhang mit irgendwelchen grauenvollen Metzeleien. Daß unter den kleineren, gewöhnlicheren Banden gern zum Hackebeil gegriffen wurde, tat ein übriges. Chief Inspector Watts war ein besonders guter Lieferant solcher Horrorgeschichten. Er pflegte an der Bar zu stehen und einen wachsenden Kreis erregt lauschender Gäste zu unterhalten. Ich weiß noch, daß er einmal von einem Restaurant erzählte, wohin er nach einem Notruf gefahren sei. An der Türschwelle habe er über einen Haufen abgetrennter Arme hinwegsteigen müssen. So sah die Hongkonger Gangsterwelt in der Phantasie der Leute eben aus. Das hatte mit diesen Geschichten von Hackmessern und Initiationsriten zu tun. Aber die Bauwirtschaft

Hongkongs stützte sich zum größten Teil auf das legale Glücksspiel. Wenn das illegale Glücksspiel ebenso verbreitet und ebenso lukrativ war, wohin floß dann dieses Geld? Und es gab ja noch die Drogen und die Mädchen und die »legalen« Geschäfte der Triaden. Daran dachte man lieber nicht.

»Mannomann«, sagte Beryl. »Reden wir von was anderem, Tom. Mit welcher Auslastungsquote rechnest du, und ab wann wird es rentabel?«

Wir sprachen über finanzielle Dinge und aßen dabei unseren Shepherd's Pie.

Zwölftes Kapitel

Am Ende kaufte ich das Haus von Jackie Lees Konkursverwalter. Ich nannte es Hotel Deep Water Bay. Zwei Jahre dauerte es, bis die juristischen Dinge erledigt und einige Hindernisse überwunden waren, die aufzuzählen viel zu ermüdend wäre, bei denen aber jedesmal das ganze Projekt zu scheitern drohte. Was die Finanzierung anging, so verwendete ich meinen Anteil der Plough-Einkünfte von David, nahm bei der Bank noch einen Kredit auf, gewann Beryl als stille Teilhaberin und schrieb einen schwierigen Brief an Masterson. Ich erklärte mein Vorhaben, bot ihm einen Geschäftsanteil als stiller Teilhaber und wies darauf hin, daß ich das Empire weiterhin führen würde – immerhin ein sehr viel größeres Hotel. Ah Wing würde mein Geschäftsführer sein. Die Chance, daß Masterson einwilligte, schätzte ich auf fifty-fifty ein. Ungefähr einen Monat nach meinem Brief erhielt ich folgende Antwort:

The Elms
Godalming
12-2-56

Lieber Tom,
Dein Brief hat gemischte Gefühle in mir ausgelöst, ganz wie bei Pygmalion, als sein Geschöpf zum erstenmal etwas Unerwartetes tat. Ich will gar nicht leugnen, daß es mir, beziehungsweise uns, der Familie Masterson, lieber wäre, Du stündest auch in Zukunft uneingeschränkt als Direktor des Empire zur Verfügung. Aber wir haben dieses Pri-

vileg über ein Jahrzehnt lang genießen dürfen und sind sehr gut dabei gefahren, und natürlich ist uns klar, daß das Leben weitergeht, daß Menschen und Protégés sich weiterentwickeln. Dein Angebot, das Empire weiterhin zu führen, nehmen wir gern an, und zugleich möchten wir Dir mitteilen, daß wir uns, gemäß den von Dir genannten Bedingungen, mit 20 Prozent an Deinem neuen Projekt beteiligen werden.

Die englischen Winter, finde ich, werden nicht einfacher. Besuch uns bald einmal!

Herzlich
Alan

Die eigentlichen Bauarbeiten gingen dann überraschend schnell. Die Bauleitung übernahm Beryls Firma. Ich bat sie, die Leute weiterzubeschäftigen, die bis dahin an dem Haus gearbeitet hatten. Beryl reagierte unwillig (»Ich muß meinen eigenen Leuten Arbeit geben«), akzeptierte aber meinen Hinweis auf Fairneß und Vertrautheit der Leute mit dem Projekt. Allerdings bestand sie darauf, daß der Polier – der Mann im Unterhemd – ihrem Polier und der wiederum ihr persönlich unterstehen solle.

»Das können wir unmöglich von ihm verlangen. Da verliert er das Gesicht.«

»Spricht er Englisch?«

»Weiß nicht. Sicher nicht viel.«

»Dann sagen wir eben, daß wir einen Oberpolier brauchen, der Englisch kann. Ansonsten unterstehen seine Männer nur ihm. Wird schon klappen.«

Als ich sah, wie Beryl auf der Baustelle den beiden Vorarbeitern Anweisungen erteilte, wurde mir klar, warum sie als Chefin von Marlers Firma so erfolgreich gewesen war. Diese Männer akzeptierten sie sofort als Autoritätsperson – sie war ein Drachen, streng, autoritär, durchsetzungsfähig, selbstbewußt. Daheim in England hätte sie bei dieser Arbeit niemals diese Rolle und diesen Status gehabt. Die Männer folgten ihren Anweisungen, wie es englische Arbeiter nie getan hätten. Es war seltsam, und in gewisser Weise auch erschreckend, daß sie erst durch den Tod ihres Mannes frei geworden war und ein neues Leben gefunden hatte.

Als das Hotel Deep Water Bay fertiggestellt und schon eine ganze Weile in Betrieb war, fuhr ich zum erstenmal seit fünfzehn Jahren wieder nach England. Ich glaubte mir das erlauben zu können. Das Hotel lief besser als erwartet und das Restaurant noch sehr viel besser. Wenn es so weiterging, würde ich meine Schulden in zwei, drei Jahren zurückzahlen können und in vier Jahren erstmals schwarze Zahlen schreiben.

Etwas war anders an dieser Englandreise. Beim letztenmal hatte ich das Gefühl, ich fahre nach Hause. Diesmal fuhr ich zurück. Außerdem nahm ich das Flugzeug. Zum erstenmal in meinem Leben würde ich fliegen. Ein bißchen peinlich war mir das schon, und ich erzählte niemandem davon. Die Maschine, eine BOAC Boeing 707, war viel größer, als ich es mir vorgestellt hatte, und der Flug, mit Zwischenlandungen in Singapur, Delhi, Bahrein und Rom, dauerte einen ganzen Tag. In Delhi kaufte ich mitten in der Nacht zwei indische Uhren als Geschenk für Davids Söhne. Der Besitzer des Ladens, des einzigen, der geöffnet hatte, war ein Sikh, und beim Anblick seines Turbans, als er sich über die Vitrine beugte und die Uhren herausnahm, hatte ich Heimweh nach Hongkong. Bei jedem Zwischenstopp – die Flughäfen sahen noch nicht so gleichförmig aus wie heute – vertrat ich mir die Beine. Im Gegensatz zu den Passagieren wurden Piloten und Kabinenpersonal regelmäßig ausgetauscht. Dadurch schien die Reise noch anstrengender, als sie tatsächlich war.

In Heathrow holte David mich ab. Wir hatten uns hin und wieder Fotos geschickt, so daß ich auf Veränderungen eingestellt war, doch die Realität war ein Schock. Dieser etwas ältere Mann, groß und schwer, grauhaarig, eine pausbäckige Karikatur meines Bruders – das war David? Auch der Hüne neben ihm schien sich lebhaft für meine Ankunft zu interessieren. Dann wurde mir klar, daß es Martin war. David hatte in seinen Briefen von einem »aufgeschossenen« Jungen gesprochen. Er bemerkte meinen Blick.

»Annes Brüder sind alles Riesen«, sagte er, als wir uns umarmten. Er war so massig, daß ich die Arme nur halb um ihn legen konnte, aber er wirkte nicht dick, eher kompakt, kräftig.

»Zumindest bist du nicht auch noch größer geworden«, sagte ich. Martin nahm meine Tasche. Er war schlaksig, man hätte ihn eher für meinen Sohn halten können. Er war still, hatte lebhafte Augen. David und ich zwängten uns in den Morris Minor, Martin setzte sich ans Steuer.

»Dad ist ein furchtbarer Fahrer«, sagte er. »Viel zu ungeduldig.« David brummte amüsiert. Als Vater war er längst nicht der strenge Patriarch, als den ich ihn mir vorgestellt hatte.

Wir fuhren los in Richtung Kent, durch die Londoner Außenbezirke, in denen England groß und weit und provinziell schien. Stundenlang ging die Fahrt – für mich ein neues Gefühl. Wir ließen die Stadt hinter uns. Martin erkundigte sich nach dem Flug und stellte Fragen über das Leben in Asien, während ich hinausschaute auf die vielen verschiedenen Grüntöne.

Anne erwartete uns. Bevor sie mich begrüßte, wischte

sie die Hand an der Schürze ab. David ist durch dich sympathischer geworden, dachte ich. Sie sah noch immer klug und hübsch aus und überhaupt nicht müde.

»Wir haben uns soo lange nicht gesehen«, sagte sie mit Tränen in den Augen.

Der Plough war unverändert, nur noch voller, blinkender, sauberer und insofern irgendwie moderner. Das Geschäft ging ausgezeichnet. Tom stand hinterm Tresen, Martin arbeitete bei einem Immobilienmakler in Faversham und lief vermutlich Mädchen hinterher. Ich blieb zwei Wochen und reiste anschließend zwei Wochen durch Frankreich. Ich hatte das Gefühl, daß dies der allererste richtige Urlaub in meinem Leben war. Von den Hotels konnte ich nicht mehr viel lernen, aber das Essen und die Züge und die Lebensart gefielen mir sehr. Ich fuhr in den Süden und vertrödelte ein paar Tage an der Küste. In Marseille blieb ich eine Nacht, es war das erste Wiedersehen mit der Stadt seit damals, seit der Reise auf der *Darjeeling*, seit dem Tag, an dem ich Maria begegnet war.

Die Côte d'Azur gefiel mir gut. Ein wenig erinnerte es mich an Macao. Mein Schulfranzösisch ging mir unerwartet leicht von der Zunge. Die Zeitungen, die ich mit Hilfe eines Wörterbuchs las, waren voll von Berichten über die Probleme Frankreichs in Algerien.

Am Tag vor dem Rückflug nach Hongkong fuhr ich mit der Bahn nach Godalming, um Masterson zu besuchen. Wieder dieser Eindruck von üppigem Grün und Weite. Seine Schwester hatte mir den Weg beschrieben. Vom Bahnhof aus zehn Minuten bergan, zu einem Haus, das er mehr als einmal als »klassisches Börsenmakler-Tudor« bezeichnet hatte. Ich fand »The Elms« sofort. (Ulmen sah ich nicht.) Eine kurze Auffahrt führte zu einem breiten doppelgiebeligen Haus, weiß verputzt mit schwarzen Balken. Nervös trat ich vor die Tür und klingelte.

Eine von Mastersons Nichten öffnete. Sie war hübsch und unbefangen und trug Tennissachen.

»Onkel Alan ist im Wohnzimmer«, sagte sie und führte mich durch die Diele, in der ein Regenschirmständer in Form eines Elefantenfußes stand. Wir betraten das Wohnzimmer. Von hier aus konnte man den Rasen sehen, der sehr viel größer war, als ich gedacht hatte, am hinteren Ende bunte Büsche, zartrosa und blau, und hinter einer Hecke ein Tennisplatz, auf dem, zu hören, aber nicht zu sehen, ein Spiel im Gang war. Masterson saß mit dem Rücken zur Sonne in einem Sessel. Nach einem kurzen Moment stand er auf. Im Gegenlicht konnte ich nicht gleich erkennen, wie er aussah. Vielleicht war das ja auch von ihm beabsichtigt – kein plötzlicher Schock. An solche Sachen dachte er. Er war alt geworden, fast nicht wiederzuerkennen. Daß er sich von Stanley nie mehr erholt hatte, stand ihm ins Gesicht geschrieben. Er war nicht mehr derselbe seit dem Krieg. Das sah man auf den ersten Blick.

»Tom«, sagte er. Auch seine Stimme war die eines alten Mannes geworden, heiser und brüchig. Sie klang larmoyant, was er nicht war beziehungsweise nicht gewesen war. »Darling, wie fändest du es, wenn morgen in der Zeitung steht, daß unser Gast verdurstet ist?«

»Entschuldigung, Mr. Stewart«, sagte sie sofort. »Kann ich Ihnen etwas bringen?«

»Danke, im Moment nicht.«

»Sie will unbedingt raus auf den Tennisplatz, den wir mit Hilfe deiner Dividenden angelegt haben«, sagte Masterson. Es sprach für die Nichte, daß sie einfach kicherte und hinausging.

»Essen um eins«, rief sie über die Schulter.

Alles in allem kam ich mir an diesem Tag fast wie bei einem Krankenbesuch vor. Die gleiche Peinlichkeit, nicht recht zu wissen, was man sagen soll, das gleiche Gefühl, daß der andere sich schont, seine ganze Kraft für den so wichtigen Genesungsprozeß aufhebt. Masterson neigte bedauerlicherweise dazu, seine Schwester, seine beiden Nichten und deren junge Freunde nachdrücklich auf meine Tätigkeit in Hongkong hinzuweisen und daran zu erinnern, daß ihr aller Wohlstand davon abhing. Alle fünf, zehn Minuten kam er darauf zu sprechen. Mir blieb bald nichts anderes übrig, als mich jedesmal betreten umzusehen. Des langen und des breiten mußten wir uns anhören, wie wenig es ihm in England gefiel, er klagte über das Wetter, die Unfreundlichkeit, die Ineffizienz, die Trägheit, die drückenden Steuern, die Heuchelei, die Engstirnigkeit und die »Kleinkariertheit« – in dem letzten Wort steckte etwas von dem alten Masterson. Seine schmallippig lächelnde Schwester schien das alles persönlich zu nehmen, und vielleicht war es ja auch so gemeint. Sobald es der Anstand erlaubte – also nicht sehr bald, nach einem Essen, das sich von geräuchertem Lachs bis zu Kaffee erstreckt hatte –, verließen die Frauen und ihre Gäste das Zimmer. Aus der Küche ertönte das Klappern von Geschirr und später vom Tennisplatz her fröhliches Lachen.

Masterson und ich zogen ins Wohnzimmer um. Immer wieder schauten Catherine oder eine ihrer Töchter herein und fragten, ob wir etwas brauchten. Um Viertel nach vier erklärte ich, daß ich zum Bahnhof müsse. Masterson stand auf.

»Du weißt ja, was du mir bedeutest und wie wichtig deine Arbeit für mich ist«, sagte er. »Ich hoffe, du fandest sie nicht undankbar.« Plötzlich begriff ich: er sprach von sich, davon, daß seine englische Familie nicht wußte, was er geleistet hatte, wer er gewesen war. Hier war er ein anderer, seine Vergangenheit spielte keine Rolle. Es war gewissermaßen der umgekehrte Grund des Weggehens. Man ging ins Ausland, weil sich dort niemand dafür interessierte, was man früher gewesen war; kehrte man wieder heim, interessierte sich auch niemand dafür, wer man draußen gewesen war. Für jemanden wie Masterson gab es nichts Belastenderes, als in anderer Leute Schuld zu stehen, sich ständig dankbar zeigen zu müssen.

»Ich hoffe, du läßt dich bald mal bei uns blicken«, sagte ich.

»Ja«, sagte er. »Auf Wiedersehen.« Sobald ich am unteren Ende der Auffahrt außer Sicht war, lief ich los. Ich wollte den Zug unter keinen Umständen verpassen.

Der Kalte Krieg war gut für die Hongkonger Hotelbranche. Es war die Zeit der Boomjahre – die Bevölkerung nahm explosionsartig zu, die Wirtschaft blühte, die Slumviertel verschwanden, Wohnblöcke traten an ihre Stelle. Bald war Hongkong die Metropole mit dem weltweit höchsten Anteil an Sozialsiedlungen, deren Bau weitgehend durch Steuern auf das legale Glücksspiel finanziert wurde. Erwähnen sollte ich noch, daß für Chinesen die Inanspruchnahme von Sozialhilfe einem peinlichen Gesichtsverlust gleichkommt, weshalb der Staat in diesem Bereich nicht viel Geld aufwenden muß. Wie ich höre, sieht das in anderen Teilen der Welt etwas anders aus.

Aber auch unmittelbar profitierten wir vom Kalten Krieg. Hongkong war ein wichtiger Beobachtungsposten für alle Westler, die mit China zu tun hatten. Dies garantierte einen unablässigen Strom von Hotelgästen in Gestalt von Soldaten, Spionen, Soldaten-Spionen, Geschäftsleuten,

Kompradoren, Möchtegern-Kompradoren, hoffnungsvollen Unternehmensgründern, Dieben, Freibeutern, Flüchtlingen, Reportern, Handelsreisenden, Geschäftemachern und Opportunisten jeglicher Couleur. Das Empire und das Deep Water Bay florierten. Amerikaner mußten feststellen, daß sie im Hong Kong Club nicht übermäßig willkommen waren – aus den absehbaren Gründen und auch, weil Präsident Roosevelt sich bei Kriegsende für eine Rückgabe Hongkongs an China ausgesprochen hatte. Aber es wimmelte von amüsierwilligen Amerikanern (während des Vietnamkriegs verbrachten viele Soldaten hier ihren Urlaub, abgesehen von all jenen, die in der Zeit des Kalten Kriegs aus anderen Gründen kamen). Wir sorgten dafür, daß sie sich im Empire wohl fühlten. Einer unserer besten Kunden war ein CIA-Mann, der ins Hotel kam, wenn er bei bestimmten Dingen in der Öffentlichkeit gesehen werden wollte. Das war gut fürs Geschäft. Auch die Rassenschranke, die im Hong Kong Club weiterhin bestand, nützte uns. Chefkoch Ng wurde immer besser. Für mich erreichte er nie die Qualität des armen Ah Wang, aber vielleicht färbten Gefühle anderer Art mein Urteil. Ich wohnte quasi in Deep Water Bay und fuhr entweder zur Arbeit ins Empire – was im Hongkong der Sechziger noch ohne Nervenzusammenbruch möglich war – oder ließ mich von einem der beiden Hotelchauffeure abholen. Einmal wöchentlich übernachtete ich im Empire, in irgendeinem Zimmer, das gerade frei war – Mastersons Methode, um Badezimmer, Klimaanlage oder Matratzen auf eventuelle Mängel zu testen.

Professor Cobbs Studiengruppe schlief in diesen Jahren langsam ein. Unser französischer Intellektueller, Prévot, hatte mittlerweile zwei kleine Kinder und las, wie er einmal erklärte, »nur noch Babar«. Madame Prévot, die vormalige Miss Simmons, hatte sich bemüht, eine gepflegte Erscheinung aus ihm zu machen, was ihr aber nur partiell gelungen war. Auf ein frisches, gebügeltes Hemd kamen gewöhnlich zwei getragene, zerknitterte. Bei einem seiner letzten Besuche bei Cobb trug er ein frisches weißes Hemd und eine Krawatte, die so aussah, als hätte jemand ein komplettes Eigelb darüber gekippt. Prévot wirkte glücklich und sprach oft von einer Rückkehr nach Paris.

Cobb arbeitete fast nur noch an der Übersetzung eines chinesischen Werks mit dem Titel *Lebensbeschreibungen der Kaiser*. Statt würdevoll-steifer Geschichten und Legenden präsentierte es ein Panorama von Mord, Ehebruch, Trunksucht, Intrigen, Attentaten, Schwärmereien und beispielloser Grausamkeit, so daß der Eindruck entstand, die Geschichte des chinesischen Reichs sei eine stinkende Kloake offener Geheimnisse. Cobb hielt es für seine Aufgabe, diese wenig ansehnliche Sicht der chinesischen Geschichte einer breiteren Öffentlichkeit vorzustellen. »Nicht daß sich ein Verleger dafür finden wird«, sagte er. »Selbst die Kommunisten sind in diesem Punkt heikel, könnte ja sein, die Leute ziehen Parallelen zu Mao. Typisch China. *Plus ça change* ...«

Eines Tages bemerkte er beiläufig, daß er wieder in die Kirche gehe, zum erstenmal, seit er Anfang Zwanzig gewesen sei.

»Weiß nicht genau, warum«, sagte er. Wir saßen in seinem Büro nach einem der letzten Treffen der Lesegruppe. Er hatte erklärt, daß er uns nichts mehr beibringen könne – was natürlich nicht stimmte. Mein Eindruck war eher, daß er seine Kräfte schonen wollte. Er muß Ende Sechzig gewesen sein, und die *Lebensbeschreibungen* sollten sein letztes großes Projekt sein.

»St. John's gefällt mir eigentlich nicht besonders«, sagte

er. »Irgendwie nicht sehr überzeugend ... für mich zumindest ... Aber auf die Ästhetik kommt es letztlich nicht an ... Jane findet es verrückt, daß ich mich wieder der Religion zuwende. Sie kommt nicht mit. Aber hinterher treffen wir uns oft zu *dim sum*, also, wenn Sie Lust haben, an einem der nächsten Sonntage ...«

Wir verabredeten uns. Ich war neugierig auf Jane, der ich nur ein paarmal begegnet war. Der sanfte Cobb legte großen Wert darauf, Beruf und Privatleben konsequent voneinander abzuschotten. Jane war zehn Jahre jünger, lebhaft und extrovertiert. Sie war im Juni 1940 dem Evakuierungsbefehl für Frauen und Kinder gefolgt und hatte daher das Internierungslager Stanley nicht erlebt. In vielen Ehen war das ein Problem, nicht so bei den Cobbs. Jane hatte einen gewissen Namen in Hongkong, denn sie betreute eine wöchentliche Radiosendung für Gartenfreunde. Mit der Einladung, die Cobbs gemeinsam zu treffen, schien unsere Freundschaft eine neue Stufe erreicht zu haben.

Aus Gründen der Höflichkeit beschloß ich, mich schon vor dem Gottesdienst mit Cobb zu treffen, statt einfach zum Lunch aufzukreuzen. Ich muß aber auch ein niedrigeres Motiv bekennen: ich war neugierig, wollte ihn beim Beten knien sehen. Irgendwie konnte ich mir diesen Anblick nicht vorstellen.

Ich traf vor Cobb ein und wartete draußen, während die Gottesdienstbesucher hineingingen. Unter den vielen bekannten und weniger bekannten Gesichtern bemerkte ich eines, an das ich mich vage erinnerte, ein Mann mit tief zerfurchtem, mürrischem Gesicht, der in zerknittertem Anzug mit ausgebeulter Hose näher kam und eine letzte Zigarette rauchte. Etwas an ihm schien vierzig Jahre jünger als sein tatsächliches Alter. Bei diesem Gedanken fiel es mir wieder ein: es war der Dichter Wilfred Austen.

»Mr. Austen?« sagte ich, als er an mir vorbeiging. Er blieb stehen, und einen Moment guckte er noch mürrischer. »Sie erinnern sich bestimmt nicht mehr an mich. Mein Name ist Tom Stewart, ich habe Ihnen und Mr. Ingleby ein paar Tempel und andere Sehenswürdigkeiten gezeigt, als Sie 1938 auf der Durchreise nach China waren.«

Seine Miene hellte sich auf. Sein zögerndes Lächeln hatte etwas sehr Charmantes und Sanftes.

»Ja, natürlich! Sie sind der Taoist. Aus unserem Hotel. Wunderbar! Wenn ich gewußt hätte, daß Sie noch immer hier sind, hätte ich mich bei Ihnen gemeldet. Mache gerade eine Tour mit dem British Council. Kalkutta, Hongkong, Tokio. Hat sich ja alles sehr verändert seit dem letztenmal, und meist zum Besseren, bis jetzt jedenfalls. Das Bemerkenswerte an zerfallenden Imperien ...«

In diesem Moment trat Cobb von hinten hinzu. Er trug einen sonntäglichen Panamahut und blinzelte mir erwartungsvoll zu.

»Mr. Austen, verzeihen Sie, daß ich Sie unterbreche, darf ich Ihnen Professor Raymond Cobb von der Universität Hongkong vorstellen? Professor Cobb, das ist Wilfred Austen.«

»Wenn Splitter von Zeit vergehen,
Diamanten gleich, im weiten Raum,
Und unsre Träume, unsre Schmerzen,
Wird eine große Gnade erstehen«

rezitierte Cobb – strahlend, verlegen, resolut. »Entschuldigen Sie«, fügte er hinzu. »Ich hatte noch nie die Gelegenheit, einem Dichter eigene Zeilen vorzutragen.«

»Es ist mir eine doppelte Ehre. Wie ich gerade zu Mr.

Stewart sagte, das Bemerkenswerte an zerfallenden Imperien ...«

Die Orgel von St. John's ertönte. Wortlos verständigten wir uns, daß es Zeit sei, hineinzugehen. Austen schritt voran.

»Das Interessante am Ahnenkult«, sagte Austen etwa viereinhalb Stunden später, »ist ja, daß es eine so rationale, befreiende Religion ist. Christus hat das völlig falsch gesehen. ›Lasset die Toten die Toten begraben.‹ Nein, nein. Völliger Quatsch. Wenn die Menschen zu den Ahnen beten, haben sie nicht den üblichen Wunsch, die Vergangenheit anzubeten, denn sie tragen die Vergangenheit in sich. So können sie sich der Zukunft zuwenden. Die Zukunft ist wichtiger als die Vergangenheit. Es ist die Aufgabe der Religion ...«

»Eine ihrer Aufgaben«, warf Cobb ein. Ein prächtiger Konter. Austen gab den Punkt mit einem Kopfnicken.

»... eine ihrer Aufgaben, die Menschen auf die Zukunft zu orientieren. Schauen Sie – sie hocken mit ihrem Picknick auf den Gräbern der Großeltern und denken an morgen. Wunderbar, wunderbar!«

Wir saßen auf einer Anhöhe in den New Territories. Austen, in der rechten Hand ein Roastbeef-Sandwich, vom dem er hin und wieder ein tüchtiges Stück abbiß, redete ununterbrochen. Er schien die ganze Zeit zu essen, zu trinken und zu reden. Drei Stunden zuvor hatten wir unseren Lunch beendet. Irgendwann hatte sich das Tischgespräch dem Ahnenkult zugewandt und dem Brauch, Gräber zu besuchen, und Austen war plötzlich Feuer und Flamme, wollte sich einen unmittelbaren Eindruck davon verschaffen. Ich hatte im Empire angerufen und einen Wagen zum Fähranleger in Kowloon bestellt, der uns in die New Territories gebracht hatte. Nun saßen wir auf der Erde, in diskretem Abstand zu einigen Gräbern, auf denen Familien fröhlich ihr Sonntagspicknick hielten. Inmitten jeder Gruppe saß, majestätisch wie ein Kaiser, ein bunt angezogenes Baby.

»Nun ja, nein, das stimmt nicht immer«, sagte Cobb. »Man kann nicht behaupten, daß der römische Familienkult besonders zukunftsorientiert war oder daß er die Tugenden vermittelte, auf die das Imperium so großen Wert legte. Die ganze Idee der Laren und Penaten ...«

»Ja, in einem Weltreich herrschen natürlich andere Verhältnisse«, sagte Austen. »Sie müssen Tugenden einfordern, weil alle langsam überschnappen. Sie vergiften sich an der Macht. Die Römer, die Holländer, die Briten, als nächstes die Amerikaner. Diese Geschichte in Vietnam, es zeichnet sich ja alles schon ab. Die Frage ist natürlich, ob die Welt eine imperiale Macht überhaupt braucht. Unter dem Strich wahrscheinlich schon. Brauchen ist vielleicht übertrieben. Sagen wir, die Welt hat etwas davon. Und für imperiale Mächte ist die Vergangenheit ganz wichtig. Anders als für diese Menschen da.« Er biß wieder in das Roastbeef und fuhr mit dem Sandwichrest durch die Luft.

Das Mittagessen war eine dieser gelungenen Veranstaltungen gewesen, die zunächst nach einer Katastrophe aussehen. Jane Cobb, die im Yuen Kee Tea House auf uns wartete, war über das unangekündigte Erscheinen unseres prominenten Gastes sichtlich irritiert. Wenn Austen es bemerkte, so ließ er jedenfalls nichts erkennen, sondern monologisierte einfach weiter, unbeirrter als zuvor. Wir bestellten mehrere Gerichte, und er langte zu wie ein ausgehungerter Bursche nach einer langen Wanderung, weniger wie ein in die Jahre gekommener Dichter, der gerade in der Kirche gewesen war. Mit zunehmendem Alter war

Austen immer dogmatischer geworden, ein besserer Unterhalter und ein schlechterer Zuhörer. Doch von seinem Charme hatte er nichts verloren, und nun saßen wir hier auf einem chinesischen Friedhof, wo ein Vater seinem laut protestierenden fetten Baby sanft eine Thermoskanne entwand.

»Nun ja, wir stehen vor einem asiatischen Jahrhundert«, sagte Austen, nachdem er sein Sandwich aufgegessen hatte, im Mundwinkel ein Stückchen Meerrettich wie ein Schönheitsfleck. »Ich hoffe, sie behandeln uns besser als wir sie. Und daß der Sturm nicht allzusehr wütet, wenn es dann losgeht.«

Niemand fragte, was er damit meinte. Wir gingen zum Auto und fuhren zurück zur Star Ferry. Am Taxistand verabschiedete ich mich von Austen. Die Cobbs gingen zur Peak Tram – sie wohnten in der Bowen Road –, nachdem der Professor uns die Hand geschüttelt und mehrmals »großartiger Ausflug« gesagt hatte. Später erwähnte er noch einige Male diesen »unvergeßlichen« Tag, aber ich lernte Jane nicht näher kennen, und unsere freundschaftliche Beziehung kam nicht über den Punkt hinaus, den wir schon erreicht hatten. Mir war, als hätte unsere potentielle Freundschaft durch diesen ungewöhnlichen Tag einen Dämpfer abbekommen. Ich habe die Cobbs nur an diesem einen Tag als Paar erlebt. Tags darauf nahm ich mit Austen an der Bar des Empire noch einen Drink, bevor er sich nach Kai-Tak bringen ließ und von dort nach Tokio flog.

Dreizehntes Kapitel

Masterson starb wenig später an einer inneren Blutung, im Schlaf. Insofern war es ein plötzlicher Tod. Andererseits war es ein schleichender Tod gewesen, zwanzig Jahre lang, seit Stanley. Mastersons Schwester teilte es mir in einem anrührenden und warmherzigen Brief mit. Sie hatte ihren Bruder verstanden, worüber ich sehr froh war. Sie sprach von seinem »trockenen, wilden Humor« und seiner »höflich unterdrückten Verwunderung über die Komik der Menschen«. Diesen Brief schrieb sie am Tag nach seinem Tod. Eine Woche später erhielt ich einen zweiten, förmlicheren Brief von ihr, in dem sie mitteilte, daß Masterson mir eine Geldsumme zugedacht habe sowie Anteile am Hotel – allerdings nicht genug, als daß ich die Familie hätte überstimmen können, deren Anteil künftig von Anwälten in London und Hongkong treuhänderisch verwaltet würde. Ich kannte Rathbone, ihren Mann in Hongkong, ein exquisit gekleideter Fettwanst mit sanfter Stimme und legendären Kenntnissen der Schlupflöcher im britischen Steuerrecht. Ich rechnete nicht mit Schwierigkeiten.

Damals beschäftigten mich andere Dinge. Es schien sich einiges zusammenzubrauen, wie Inspector Watts es bei einem seiner üblichen Pink Gins formulierte.

»Ein bestimmter Blick. Oder die Leute schauen weg. Eine mürrische Miene. Tausendmal gesehen. Palästina, Malaya. Man erkennt es sofort. Jemand ist sauer auf seine Schwiegermutter, im nächsten Moment geht er mit dem Hackebeil auf seinen Nachbarn los. Blind vor Wut. Anschließend bringt er sich um, oder wir kommen und knallen ihn ab. Seine Kumpel erklären dann immer, sie hätten es kommen sehen. Ist doch klar, in einem Land, in dem alle Leute mit unglaublichen Macheten herumlaufen, muß man hin und wieder mit Unruhen rechnen. Nehmen Sie Indonesien, brodelt vor purer Aggressivität. Eines Tages, ich hab gerade Dienst, kommt ein Kerl rein, sein Diener ist mit einem Messer auf den Koch losgegangen. Ernste Sache, riecht man sofort. Der Kerl trennt die beiden. Geht mit ihnen auf die Wache, läßt alle aussagen, dankt dem Diener für seine langen treuen Dienste, entläßt ihn, gibt ihm seinen Lohn und legt noch etwas drauf, schreibt ihm ein gutes Zeugnis, alles vor unseren Augen. Diener zieht ab, alle sind zufrieden. Zwei Tage später fliegt das halbe Haus in die Luft. Ein Wunder, daß es keine Toten gibt. Der Diener hatte Paraffin statt Benzin in den Boiler gekippt. Ward nie mehr gesehen. Das ist Indonesien, das gefährlichste Land, das ich je erlebt habe.« Watts trank theatralisch von seinem Pink Gin. »Bis gestern. Da war ich in Mongkok.«

Seine Zuhörer, ein halbes Dutzend Stammgäste, stießen ein kollektives Raunen aus. Watts wollte Eindruck schinden, aber es war etwas dran. China spielte verrückt. Alle hatten Angst, die Kulturrevolution könne nach Hongkong übergreifen. In Macao gab es schon erste Anzeichen. Portugiesisches Militär hatte auf Rotgardisten geschossen. Ich glaubte die Atmosphäre förmlich spüren zu können. Vor einem Taifun ist der Himmel ein, zwei Tage lang völlig klar, völlig still. Alles ist ruhig, aber in Wahrheit braut sich etwas zusammen. So war die Atmosphäre dieser Zeit. An der Grenze gab es Truppenbewegungen und kleine Scharmützel. Die chinesischen Zeitungen waren voll von Berichten über Korruption und eine drohende Katastrophe.

Eines Tages fuhr ich nach Mongkok hinaus, wo ich mit Maria verabredet war. Ich sollte mit ihren Abendschülern, die vor einer Prüfung standen, Diktat und Nacherzählen üben. Pater Ignatius, ihr englischer Muttersprachler, war wegen einer Blinddarmgeschichte verhindert. Wir wollten uns in der katholischen Schule in Mongkok treffen. Ich fuhr also an diesem schwülen Sommerabend mit der Fähre hinüber und mit dem Bus weiter. An beiden Fähranlegern wimmelte es von Streikenden und Demonstranten. Nach einer Preiserhöhung für die Überfahrt war es zu heftigen Protesten gekommen – ziemlich bizarr, da die Erhöhung nur für die Preise der ersten Klasse galt.

Der Bus fuhr die Nathan Road hinauf, die so hektisch und betriebsam war wie eh und je. Jedesmal sah man hier neue Geschäfte: Taiwoo Sewing Machine Emporium. Wishful Cottage Tea Shop. Cheng Kee Electronics. Sam's Tailors. Auspicious Festival Men's Tailoring. Eine große Filiale von China Arts and Crafts, wo Produkte aus dem kommunistischen China verkauft wurden. Prosperous Future Watch Repairs – Cheaper Faster Better. Auf den Gehsteigen drängten sich Fußgänger. Nur ein einziges Mal hatte ich die Nathan Road nicht in diesem Gewusel erlebt, das war am Tag nach der japanischen Invasion.

Die letzten hundert Meter zur Schule ging ich zu Fuß. Die Häuser standen dicht an dicht, wie überall in Hongkong, so daß es manchmal schien, als würden sich die Balkone berühren. Ein paarmal wurde ich angerempelt. Männer standen herum oder hockten auf der Straße. Das Hotel Empire war weit weg.

Maria erwartete mich vor dem Schultor, sie machte einen ungewohnt besorgten oder nervösen Eindruck.

»Alles in Ordnung?« fragte ich.

»Jaja. Alles bestens. Ich dachte nur, hoffentlich wirst du nicht von Demonstranten oder sonstwie aufgehalten.«

»Nein, nein. Nur ein paar erhobene Fäuste. Leute, die das kleine rote Buch schwenken. Sieht ja fast wie ein Sparbuch aus, was?«

Maria tippte mir mit einer zusammengerollten religiösen Broschüre vorwurfsvoll auf den Arm. Wir betraten das Klassenzimmer, alle Schüler waren da. Der Unterricht dauerte anderthalb Stunden. Ich war nicht mehr in Übung. Die Luft war verbraucht, der Abend warm und schwül und das Unterrichten ein bißchen anstrengend. Wegen eines Gesprächs mit einem Schüler mußte Maria anschließend noch eine Weile bleiben. Ich hatte ihr versprochen zu warten. Wir wollten zusammen per Bus und Fähre zurück nach Victoria fahren. Das Gespräch mit dem Schüler zog sich hin.

»Entschuldige bitte«, sagte Maria schließlich, »es ging um mehr, als ich gedacht hatte.«

Es war schon dunkel geworden, als wir die Schule verließen. Ich spürte sofort, daß etwas nicht in Ordnung war. Es waren viel mehr Menschen als sonst auf der Straße, erwartungsvoll standen sie herum, rauchten und schauten. Es war nicht ganz leicht, sich durch die dichte Menge zu schieben und der Versuchung zu widerstehen, übertrieben schnell zu gehen. In kritischen Situationen keinesfalls laufen. Das war die Standardempfehlung.

Wir hatten vielleicht ein Drittel des Weges zur Nathan Road zurückgelegt, als aus den Gassen weiter unterhalb Lärm drang. Es hörte sich wie ein Sturm oder das Rumoren eines Erdbebens an, jedenfalls nicht wie ein menschliches Geräusch. Die Leute wandten sich alle in eine Richtung, weg von uns, liefen in die Richtung, aus der wir gekommen waren, zunächst einzeln oder zu zweit, als hätten sie sich an etwas Dringendes erinnert, bald in einer großen wogenden Masse. Wir kehrten um und liefen mit. Uns blieb gar nichts anderes übrig, die Leute hätten uns sonst zu Boden gerissen. Manche Männer fluchten, manche riefen nach ihrer Mutter, ihre Gesichter waren bleich und angespannt vor Angst. Jemand stieß mich von hinten so heftig an, daß ich stolperte, doch Maria bekam meinen Arm zu fassen und zog, bemerkenswert kräftig, so daß ich das Gleichgewicht wiederfand. Es gelang uns, in eine Seitenpassage abzutauchen. Segeltuchplanen, hoch über uns angebracht, hielten das Tageslicht ab. Ein paar Männer waren da, manche keuchten, vornübergebeugt, die Hände auf die Knie gestützt. Direkt vor mir übergab sich jemand, ein Mann in weißem kurzärmligen Hemd mit Stiften in der Brusttasche. Niemand sprach. Der Lärm in der Gasse hinter uns wurde leiser, der wilde Sturm entfernte sich. Wir warteten eine Weile. Der Mann richtete sich wieder auf, lehnte sich mit beiden Armen an die Wand und murmelte: »Scheiße, Scheiße, Scheiße, Scheiße«.

»Alles in Ordnung?« fragte Maria ihn. Der Mann machte eine unwirsche Handbewegung. Maria schien ratlos und irritiert, zu meiner Überraschung aber nicht völlig verstört.

»Und wohin jetzt?« fragte ich. Mein Gefühl sagte mir, daß wir auf einer der Hauptstraßen sicherer waren als in dem Gassengewirr.

»Weiter?« fragte Maria. Ich zuckte mit den Achseln, war einverstanden. Einige der Männer die sich mit uns in die Gasse geflüchtet hatten, waren inzwischen verschwunden, einige folgten uns. An der Ecke schaute ich in die Passage, aus der wir gekommen waren. Sie war leer, absolut menschenleer. Kein Geräusch war zu hören. In der dichtestbesiedelten Stadt der ganzen Welt machte das angst. Wir bogen um die Ecke, die anderen verloren sich, liefen in die entgegengesetzte Richtung, während wir zur Nathan Road gingen, so schnell wie nur irgend möglich. Von den oberen Stockwerken aus wurden wir beobachtet. Nach ein paar hundert Metern machte die Gasse eine Biegung nach rechts, und ein Höllenlärm empfing uns. Etwa fünfzig Meter vor uns, auf einem kleinen offenen Platz, an dem sich vier Gassen trafen, lief eine Menschenmenge hin und her. Zuerst konnte ich mir nicht erklären, was da vor sich ging, dann sah ich, daß sie mit vollbeladenen Armen hin- und herliefen, alle möglichen Sachen schleppten – Kisten, Stiegen mit Flaschen –, und dachte mir, da wird ein Gebäude evakuiert. Dann wurde mir klar, daß es Plünderer waren. Die einzelnen Gesichter waren deutlich zu sehen – hier ein vorstehender Zahn, dort eine Glatze –, und gleichzeitig ging jedes individuelle Merkmal in der erregten Masse unter.

»Am besten wieder zurück«, sagte Maria. »Wir müssen zur Nathan Road.«

Wir kehrten also um, auch diesmal bemüht, nicht zu laufen. Ich spürte die Blicke der Leute in meinem Rücken. Ein Mann, der einen Korb mit toten, ungerupften Hühnern davonschleppte, starrte uns mit leeren Augen an, und einen Moment schien es, als wollte er uns den Weg verstellen, doch er merkte, daß ich ihn beobachtet hatte, und in der Sekunde waren Maria und ich schon vorbeigegangen. Die Gasse machte abermals eine kleine Biegung, dann noch eine und wurde etwas breiter, so daß die Häuser nicht mehr über uns zusammenzuwachsen schienen, und auf einmal hörten wir in der Nähe das gleiche Donnern wieder, drei, vier Jugendliche rannten vorbei, die Gesichter starr vor Angst, sie fielen hin und brüllten und rappelten sich wieder hoch wie Stehaufmännchen. Es sah wie ein Ulk aus, wenn da nicht die Angst in ihren Gesichtern gewesen wäre.

Gleich rechts war ein Möbelgeschäft, dessen Schaufenster zufällig oder in weiser Voraussicht verbarrikadiert worden war. Der Aufmerksamkeit der Plünderer war es aber nicht entgangen, denn die Tür war aufgebrochen und hing schief in den Angeln.

»Dort rein«, sagte ich und nahm Marias Arm. Wir traten ein. Ich schloß die Tür. Ich hatte ein Werk der Verwüstung erwartet, doch im Innern herrschte nur leichte Unordnung, und es roch stark nach Kampferholz. Kommoden und Büromöbel waren hin und her gerückt, aber nicht zerstört worden. Am hinteren Ende des Raums, der halb Verkaufs- und Ausstellungsraum und halb Werkstatt war, stand ein Schreibtisch mit herausgerissenen Schubladen. Sie hatten Geld gesucht.

Draußen wurde es immer lauter. Durch Ritzen im verrammelten Schaufenster sahen wir eine Menschenmenge, die schreiend und fluchend vorbeistürmte. Unversehens trat jemand gegen die Tür, aber mit solcher Wucht, daß sie zurückschnellte und dem Betreffenden ins Gesicht schlug. Schließlich wurde sie aus den Angeln gestemmt und donnerte hintenüber in den Laden. Fünf oder sechs Männer drangen herein. Sie keuchten, schienen wütend, erregt. Einer trug eine Mao-Anstecknadel, das einzige Abzeichen dieser Art, das ich an diesem Tag sah. Sie wußten ganz offensichtlich nicht, was sie wollten. Aber jedenfalls Gewalt ausüben. Draußen vor dem Laden tobte eine ungeheure Kakophonie von Stimmen, während sich im Innern Stille ausbreitete.

Maria, die einen Schritt hinter mir gestanden hatte, trat vor und wartete einen Moment, damit die Männer sie richtig wahrnehmen konnten. Vielleicht war ihnen nicht bewußt, daß eine Nonne vor ihnen stand, aber vermutlich spürten sie, daß diese Frau etwas Offizielles ausstrahlte. Ein Hauch von Magie. Maria deutete auf den geplünderten Schreibtisch und sagte ganz ruhig:

»Geld ist keins mehr da. Aber wenn ihr Möbel wollt, bedient euch einfach.«

Der Anführer, der mit dem Mao-Abzeichen, brummte nur. Er lächelte nicht. In sein Gesicht kam wieder etwas Farbe. Die Männer schienen erleichtert, wie ich plötzlich bemerkte. Was immer sie im nächsten Moment getan hätten, sie waren nicht die Gewalttäter, die wir in ihnen gesehen hatten. Der Mann mit dem Mao-Abzeichen schaute sich in der chaotischen Werkstatt um und drängte sich dann an den anderen vorbei nach draußen. Die anderen folgten ihm, wohl ein bißchen eingeschüchtert. Dann merkte ich, daß ich die ganze Zeit den Atem angehalten hatte.

»Jesus«, sagte ich.

»Keine Gotteslästerung!« sagte Maria. Wir warteten noch eine halbe Stunde und erreichten dann ohne weitere Zwischenfälle die Nathan Road.

Mit dieser Episode begannen die »Unruhen«, wie sie genannt wurden. So hautnah war ich später nie mehr in diese Dinge verwickelt. Es gab vergleichbare Zwischenfälle, zahlreiche Bombenanschläge und nicht wenige Tote. Viele Menschen gerieten in Panik. Ich sah das anders, denn ich wußte, wenn die Chinesen Hongkong zurückhaben wollten, brauchten sie nur die Wasserversorgung zu sperren. Von ein paar wild gewordenen Rotgardisten mit Mao-Bibel mußte man sich nicht irremachen lassen. Schließlich wurden Gurkhas nach Hongkong entsandt, und allmählich kehrte wieder Ruhe ein. Ich fand ein Haus auf Cheung Chau, ebenjenes, in dem ich noch heute wohne. Masterson, dachte ich, hätte mein Verhalten wahrscheinlich als »Aussitzen der Unruhen« bezeichnet. Die eigens eingesetzte Untersuchungskommission gab all jenen die Schuld, die öffentlich von Korruption in der Kolonie gesprochen und auf diese Weise Unruhe geschürt hatten.

Vierzehntes Kapitel

Cooper, mein alter Freund von der *Darjeeling*, aus Kriegs- und Internierungszeiten, gehörte inzwischen zu den leitenden Angestellten der Bank. Er hatte einige Jahre in Amerika und England verbracht und war Ende der Sechziger wieder in die Kolonie zurückgekehrt, um dort die verbleibenden Jahre bis zu seiner Pensionierung zu verbringen. Er und seine Frau, die ehemalige Miss Farrington, besuchten mich gelegentlich am Wochenende auf Cheng Chau. Er hatte kaum noch Haare auf dem Kopf, war ansonsten aber schlank und fit und intelligent und brachte für seinen Job wie eh und je kein Interesse auf. Seine Frau schien noch verliebter als in früheren Jahren. Die beiden Töchter, Teenager inzwischen, besuchten englische Privatschulen. Es rührte mich immer, wenn ich sah, um wieviel glücklicher er in den Schulferien war.

Eines Sonntagnachmittags erwartete ich die Coopers mit ihren Töchtern und ein paar Freunden zum Tee. Am Vormittag räumte ich auf und ging ins Dorf hinunter, um ein paar Dinge einzukaufen – ich hatte versprochen, daß es Mondkuchen geben würde. Ich kam bei meinem Nachbarn Ming Tsin-Ho vorbei, der auf seiner Terrasse saß. Dieser Bereich seines Hauses war ein kleines, aber sehr wirksames Ärgernis, da er dort, besonders an Wochenenden, manchmal laute kantonesische Musik hörte. Als ich vorbeiging, grüßte er mich, was keineswegs die Regel war.

»Mr. Stewart«, rief er, »erstaunliche Nachrichten!«

»So?« Die Unruhen waren noch nicht lange vorbei. Ich

vermutete, daß es irgendwo wieder zu Krawallen gekommen, eine Bombe explodiert war oder eine Menschenmenge sich vor Government House zusammengerottet hatte. Im Grunde war es mir ziemlich egal.

»Wo Man-Lee ist verhaftet worden! Großer Skandal!«

Ich spürte, wie mein Herz plötzlich sehr schnell schlug.

»Verhaftet?«

»Mord, Drogenhandel, Verschwörung, Erpressung. Ganz, ganz großer Skandal!«

Er grinste über das ganze Gesicht. Ich fragte mich, wieso. Später fand ich heraus, daß die Wos eine Mehrheitsbeteiligung an dem Filmstudio hatten, in dem die meisten Filme seines Bruder produziert wurden. Daher also seine Zufriedenheit. Alles, was seinem Bruder schadete, war für ihn Anlaß zu Freude.

Meine Gäste waren am Nachmittag mit der Bankjacht herübergekommen und nach dem steilen Weg ein bißchen außer Atem. Die Erwachsenen waren überwiegend Bankangestellte mit ihren Frauen. Es war die übliche Mischung, aufgekratzt und scheinbar sorglos die einen, clever unzufrieden die anderen. Alle rochen nach Sonnencreme und Alkohol und Salzwasser. Coopers Töchter und deren Freunde und Freundinnen – schwer zu sagen, wie viele es waren, ich nahm eigentlich nur braungebrannte Körper und Badesachen wahr – gingen sofort vors Haus.

»Sie versuchen, einander zu hypnotisieren«, sagte Mrs. Cooper. »Geht schon den ganzen Tag so.«

Ming hatte recht mit seiner Bemerkung, daß die Verhaftung ein großer Skandal war. Meine Gäste redeten von nichts anderem, in dem Tonfall gruseliger Erregung, der beim Thema Triaden üblich war.

»Hat direkt mit den Unruhen zu tun«, sagte jemand.

»Sie mußten irgendwo durchgreifen. Es wird ziemlichen Wirbel geben und ein paar aufsehenerregende Verhaftungen, und dann geht alles seinen üblichen Gang.«

»In England ist es doch nicht anders, denken Sie nur an die Kray-Zwillinge und so«, sagte jemand anderes. Cooper rutschte auf seinem Stuhl herum und sagte, zögernd fast:

»Bei den Triaden geht es schon um etwas mehr. Das sind doch nicht bloß Leute, die mit dem Hackebeil herumlaufen. So fängt es an, ganz unten, aber Geld sucht immer die Legalität. Fast von allein. Solche Leute wie Wo sind heutzutage altmodisch, für die neuen Typen fast peinlich. Warum unter großem Risiko illegal Geld mit Drogen und Glücksspiel machen, wenn man im Immobiliengeschäft auf ganz legale Weise reich werden kann. Natürlich sind Drogen und Mädchen und Glücksspiel gute Einnahmequellen, aber die Zukunft liegt darin, möglichst ehrbar aufzutreten. Im Grunde nicht viel anders als bei Jardines. Wo hat seinen Sohn nach Harvard geschickt. Das beweist doch alles.« Cooper munterte mich mit einem Blick auf, meine Ich-weiß-noch-als-Wo-Geschichte zu erzählen, doch ich signalisierte ein Nein.

»Jedenfalls dürfte der Prozeß ziemlich spannend werden«, sagte einer der Männer. »Frage mich nur, welche Beweise sie haben. Dachte immer, diese Leute schweigen wie ein Grab.«

Ich weiß noch, daß ich das für eine gute Frage hielt. Das Gespräch wandte sich dann wieder dem Thema Golf und Klatschgeschichten über die Frau des Gouverneurs zu.

Am nächsten Tag berichteten sämtliche Zeitungen über den Fall – in Andeutungen und Auslassungen, dem typischen Hongkong-Stil. Die Wos figurierten als »prominente hiesige Geschäftsleute«, was bei dieser Anklage (Drogenhandel) eindeutig nach Triade roch. Wo Man-Lee hatte um Freilassung gegen Kaution ersucht, die Entscheidung darüber war noch nicht gefallen. Gegen Wo Ho-Yan war überhaupt keine Anklage erhoben worden. Wahrscheinlich würde er, der legale Repräsentant, das Unternehmen nunmehr führen.

»Interessant«, sagte Beryl, die sich an diesem Tag im Empire mit Geschäftskunden traf. »Sie müssen ihre Protektion verloren haben. Na, wir werden sehen. Hinter den Kulissen ist jetzt bestimmt einiges los. Meine Jungs waren noch nie so aufgeregt.«

»Was wird deiner Meinung nach denn passieren?«

»Hmmm ...« Beryl zog ein Gesicht. So reagierte sie manchmal, um stoische Gelassenheit angesichts der Mysterien Asiens auszudrücken. »Sie glauben nicht, daß Wo Man-Lee verurteilt wird. Sagen wir mal so. Ah, da kommt mein Mann.« Sie trank ihren ersten Gin Tonic aus und erhob sich, um einen kleinen, etwas älteren Herrn zu begrüßen, der mit ausgestreckter Hand auf sie zukam.

In dieser Woche mußte ich einige Male erleben, daß immer dann, wenn ich im Hotel einen Raum betrat, alle Anwesenden plötzlich verstummten. Besonders erfreulich fand ich das nicht. Daß ich Ho-Yan kannte, war ja kein Geheimnis, und es gab auch ein paar Hotelangestellte, die sich noch an ihn erinnerten, ihn vielleicht sogar kennengelernt hatten. Ich flüchtete mich, wie üblich, in die Arbeit und dachte nicht darüber nach, was aus den Brüdern Wo geworden war, jedenfalls nicht mehr als unbedingt notwendig. Zweimal rief ich in der Mission an, um mit Maria zu sprechen, und beide Male bat ich darum, ihr auszurichten, sie möge bitte zurückrufen, aber sie meldete sich nicht. Vermutlich wollte sie sich in dieser Situation bedeckt halten.

Heute wird mir klar, wie sehr ich mein Leben damals reduzierte, den Kontakt zu anderen Menschen einschränkte.

Ich zog mich einfach zurück. Damals war mir das nicht bewußt. Am Wochenende fuhr ich wieder hinaus nach Cheung Chau, ganz allein, hatte nicht vor, irgendwelche Leute zu besuchen. Ich nahm ein paar Bücher und Platten mit und eine Tüte Lebensmittel und trank auf der Fähre wie üblich eine Flasche Bier. Ich freute mich auf zwei ruhige, angenehme Tage des Alleinseins. Außerdem wollte ich den Herd reparieren, der in den unpassendsten Momenten ausging. Ich hatte mir vorgenommen, ihn anhand der Konstruktionszeichnung des Herstellers auseinanderzunehmen und wieder zusammenzubauen.

Am Samstag morgen, noch bevor die Dschunken und Motorboote der ersten Wochenendausflügler eintrafen, saß ich mit einem Kaffee auf der Terrasse, schaute hinunter auf die Bucht und studierte die *South China Morning Post*. Ich war schon unten im Dorf gewesen. Es war heiß und klar und windstill, nicht ganz wie vor einem Wirbelsturm, aber ähnlich. Es klingelte, und gleich anschließend klopfte jemand an die Tür, laut, kräftig, selbstbewußt. Ich dachte, vielleicht ein Telegramm, aber so klopft kein Briefträger. Ich ging durchs Haus, legte die Sicherheitskette vor und öffnete. Das Gesicht draußen war so unerwartet, daß ich Chief Inspector Watts nicht gleich erkannte. Er trug Shorts und weiße Kniestrümpfe und ein frisches, kurzärmeliges Hemd, ein uniformartiges Zivil, so daß nicht ganz klar war, ob er in offizieller Funktion gekommen war. In der linken Hand hatte er einen halbzerknautschten Panamahut, den er sich, als ich die Tür öffnete, an den Schenkel klopfte. Sein Gesicht war von einem eindrucksvollen Kolonial-Rotbraun. Er hatte etwas Rigides an sich, das bei jemand anderem peinlich gewesen wäre.

»Oh, hallo. Einen Moment bitte«, sagte ich und löste die Türkette. Watts antwortete selbstbewußt:

»Ja, hallo. Ich hoffe, Sie sind mir nicht böse. Bin rausgekommen, um mich ein bißchen zu bewegen. Ärztlicher Rat, man will ja fit bleiben. Na, muß ich Ihnen nichts von erzählen, sind ja selbst ein großer Wanderer. Dachte, ich schau kurz auf eine Tasse Kaffee herein. Hätte vorher natürlich anrufen sollen.«

»Nein, nein, ich bitte Sie, kommen Sie rein. Ich hab gerade Kaffee gemacht.«

»Kein Personal hier draußen? Schön für Sie!«

Er trat ein, die Hände jetzt auf dem Rücken, und sah sich ganz ungeniert um. Polizisten sind auch in ihrer Freizeit Polizisten, sie können einfach nicht anders. Wer gelernt hat, mißtrauisch zu sein, wird feststellen, daß ihm das Leben keinen überzeugenden Grund liefert, von dieser Gewohnheit zu lassen. Watts betrachtete eine Tischuhr, die Beryl mir zehn Jahre zuvor zu Weihnachten geschenkt hatte.

»Hab mich ein bißchen mit diesen Dingern beschäftigt. Kommen meist aus Paris, wie Sie wissen. Die Mandarine im achtzehnten Jahrhundert waren verrückt danach. Ich denke immer, wenn ich ein bißchen mehr Grips hätte, könnte ich etwas über die chinesische Denkweise erfahren. Die hier ist nicht übel. Wenn Sie wollen, könnte ich sie schätzen lassen. Kenne da jemanden in Tsim Sha Tsui. Ziemlicher Schlawiner, aber bei mir ist er ganz reell.«

Seine Botschaft war ungefähr die: Ich bin vielleicht nicht schlau, aber mir stehen andere Dinge zur Verfügung, weshalb ich auch nicht schlau sein muß. Watts richtete sich auf und betrachtete andere Gegenstände, während ich hinausging, um den Kaffee zu holen. Als ich wieder zurückkam, war er verschwunden. Er saß auf der Veranda in einem der Rattansessel und blätterte in meiner *South China Morning Post*. Er rauchte und ließ die Asche auf den

Verandaboden fallen. Ich holte sofort einen Aschenbecher aus der Küche.

»Hübsch haben Sie's hier. Kann mir schon denken, warum Sie gern hier draußen sind. Frische Luft, gut für die Lungen.«

»Danke.«

»Wir hatten ein Haus in Malaya, in den Bergen. Es war wie in Schottland. Es gab überhaupt so viele Jocks in der Gegend, daß man sich tatsächlich wie in Schottland fühlte. Gute Luft. Billig. Vor allem nicht so schwül. Waren aber nicht sehr oft dort, leider, na, und besonders sicher war es auch nicht gerade ... Aber ein schönes Land. Komisch, obwohl Bürgerkrieg war, ging es dort viel direkter zu als hier in Hongkong. Man wußte eigentlich immer, was Sache war. Nicht so wie hier, stimmt's?«

So abstrakt hatte ich Watts noch nie erlebt. Verschlossene Männer haben manchmal diese Art, wenn sie sich langsam zu einem Geständnis vorarbeiten wollen.

Er schien auf eine Antwort zu warten.

»Genau, hier geht es um die verborgenen Schichten«, sagte ich.

»Verborgene Schichten, gute Bezeichnung.« Watts stand auf und ging zu dem Mäuerchen am Ende der Veranda. Darunter lag ein Garten, etwa fünfzig Meter bis zu der Stelle, wo der Hang noch steiler abfiel. Werktags kam eine *fah wong*, die die Pflanzen goß und versorgte, doch abgesehen davon war es mein Garten.

»Ihnen gefällt es hier, was?« sagte er. »Ich meine wirklich. Bei vielen Leuten ist es das Gehalt oder es sind die Steuern oder die Mädchen oder weil sie von zu Hause weg sein wollen oder es ist der Ferne Osten ganz allgemein, aber Sie fühlen sich wohl hier in Hongkong. Einfach so. Ungewöhnlich.«

»Ab einem bestimmten Alter ist man durch seine Geschichte mit einem bestimmen Ort verbunden. Dort ist man dann zu Hause. Ich habe den größten Teil meines Lebens in Hongkong verbracht, und hier sind alle meine Freunde.«

»Ja, Sie haben viele Freunde hier. Diese Party neulich …« Watts lächelte. Er war auf dem Fest gewesen, das ich zur Eröffnung des Deep Water Bay gegeben hatte. »War nett. Hab mich zum erstenmal mit Champagner betrunken, würd ich sagen. Hab am nächsten Tag aber nichts gemerkt.«

Er verlor sich in Gedanken und sah über den Garten hinweg in Richtung Hongkong.

»Freunde aus den unterschiedlichsten sozialen Schichten, dieser Professor da und Mrs. Marler und die Nonne, mit der Sie befreundet sind, Schwester Maria.«

»Die beiden Frauen sind eigentlich nicht so weit auseinander. Beide habe ich auf der *Darjeeling* kennengelernt, damals, als ich nach Hongkong kam. Schwester Maria hat mir während der Reise Kantonesisch beigebracht. Und Beryl und ich waren später zusammen im Internierungslager.«

»Das wußte ich nicht«, sagte Watts. »Aber komisch, daß Sie Schwester Maria erwähnen. Mich beschäftigt da etwas im Zusammenhang mit ihr. Liegt mir auf der Seele. Weiß nicht so recht, was ich tun soll. Schwierig. Nicht ganz klar, wo meine Pflicht liegt, als Freund und als Polizist.«

Er lehnte sich zurück.

»Die Sache ist die: Schwester Maria hat uns geholfen. Nicht mir persönlich, sondern Kollegen von mir. Es ging um eine schwierige Übersetzung. Wir haben Bänder von abgehörten Gesprächen. Alle in Dialekt. Eine Art Fukienesisch. Sie wissen ja, wie es in China ist, man geht die

Straße ein paar hundert Meter entlang, und schon sprechen die Leute eine ganz andere Sprache. Das Problem war, daß uns niemand die Bänder übersetzen wollte. Die meisten Leute sprechen diesen Dialekt nicht, und wer ihn versteht, wollte uns nicht helfen. Wir haben nämlich jemand Wichtiges verhaftet. Jemand sehr Wichtiges. Und jeder hat Angst vor ihm, vor allem Leute mit Familie oder Angehörigen drüben in der Heimat. Der Fall ist bekannt, stand in allen Zeitungen.«

»Wo Man-Lee«, sagte ich. Watts nickte.

»Wir haben also dieses ganze Beweismaterial und können nichts damit anfangen. Sehr frustrierend. Doch dann findet irgendein schlaues Kerlchen heraus, daß die Kirche in dem Teil Chinas eine Mission betreibt, er hört sich ein bißchen um und gerät an eine Ihnen bekannte Person, die diesen Dialekt spricht und, viel entscheidender, uns helfen will. Mit ganz erstaunlichen Resultaten.«

Ich spürte, wie ich erstarrte.

»Maria hat Ihnen geholfen.«

»Die von uns überwachte Person bedient sich bei Geschäftsbesprechungen mit zuverlässigen Untergebenen ausschließlich dieses Dorfdialekts. Die Struktur dieser kriminellen Organisation geht völlig in der Hierarchie dieses alten Dorfs auf. Jeder kennt jeden. Alles sehr verschwiegen. Völlig abgeschottet. Es war ein unglaubliches Glück, daß wir jemanden gefunden haben, der die nötigen Sprachkenntnisse besaß und uns helfen wollte. So konnten wir einen ganz unerwarteten Durchbruch erzielen. Die Frage ist nur – ähm, die Frage ist, offen gestanden, ob unsere Helferin ebensoviel Glück hat wie wir.«

»Ich verstehe nicht ganz.«

»An unseren Mann ist schwer heranzukommen. Daß er nicht schon vorher verhaftet wurde, ist kein Zufall. Niemand will gegen ihn aussagen. Nicht weil alle ihn lieben, sondern weil alle Schiß vor ihm haben. Wer über ihn redet, kann sicher sein, daß er tot aufwacht. Ihre Freundin redet aber nicht nur über ihn, sie ist unerläßlich, wenn wir ihn für den Rest seines Lebens hinter Gitter bringen wollen. Eine außerordentlich riskante Sache.«

»Und Sie wollen, daß ich … daß ihr das bestelle?«

»Ich habe ein Gewissen. Für einen Polizisten nicht immer sehr nützlich, aber was soll man machen. Wir stützen uns auf ihre Hilfe. Sie riskiert ihr Leben. Ich weiß nicht, ob sie das weiß. Ich bin nicht sicher, ob ihr das klar ist.«

»Verstehe.«

Ich dachte nach.

»In wessen Auftrag sind Sie hier?« fragte ich.

»Wie bitte?«

»Wer hat Sie geschickt? Was sollen Sie mir ausrichten?«

Mir kam es vor, als wäre ich mein Leben lang kurzsichtig gewesen und hätte plötzlich eine Brille aufgesetzt.

»Worauf wollen Sie hinaus?« Watts lief rot an. Er stand auf.

»Sie wurden geschickt, um mir etwas zu bestellen. Sie spielen den Besorgten, tatsächlich aber sollen Sie eine Drohung übermitteln.«

»Ich höre mir das nicht länger an.«

»Sehr gut. Verschwinden Sie!«

Ich ging zur Haustür und riß sie auf. Watts blieb auf der Schwelle stehen und musterte mich sonderbar. Sein Gesicht war verzerrt, aber nicht vor Wut. Es war, als kämpfe er mit einem Gefühl, das nahe an Trauer war. Und er sah zugleich verbittert aus. Er sagte:

»Sie sind zu lange hier.«

Ich schlug ihm die Tür vor der Nase zu.

Anschließend setzte ich mich sofort an den Wohnzimmertisch und fertigte ein möglichst detailliertes Gedächtnisprotokoll unseres Gesprächs an. Mein Atem ging schnell und flach, doch im Verlauf der Niederschrift beruhigte ich mich allmählich. Und ich überlegte, was zu tun war. Watts Botschaft weiterzuleiten, in wessen Auftrag auch immer, kam mir wie Verrat vor – ich würde das Geschäft schlechter Menschen betreiben. Andererseits hielt ich es für falsch, Maria nicht von der Warnung zu berichten. Auf sehr geschickte Weise hatte man mich in die Zwangslage versetzt, anderer Leute Drecksarbeit zu erledigen. Ich spürte eine teuflische Macht am Werk.

Ich beschloß, mir übers Wochenende Zeit zum Nachdenken zu lassen. Doch sooft ich mit einer körperlichen Tätigkeit aufhörte, ob im Garten oder bei der Reparatur des Herds, meldete sich die Drohung wieder. Am späten Nachmittag ging ich ins Dorf hinunter und ans Wasser, schwamm die ganze Strandlänge hinauf und hinunter, bis ich erschöpft war und sich die ersten Krämpfe in Armen und Beinen bemerkbar machten. Dann stieg ich wieder hinauf zu meinem Bungalow und sank aufs Bett. Ich schloß die Augen, aber das Gespräch mit Watts ging mir nicht aus dem Kopf. Ich stand auf und legte eine Louis-Armstrong-Platte auf und trank einen Whisky. Dann ging ich in die Küche und werkelte ein wenig am Herd herum. Dann legte ich mich wieder aufs Bett und versuchte zu lesen. Dann machte ich das Licht aus und versuchte zu schlafen. So verging das Wochenende.

Am Montag fuhr ich los, um mit Beryl zu sprechen. Ihr Büro befand sich draußen in North Point, wo sie ein großes Bauprojekt mit zahlreichen Subunternehmern betreute. Sie hatte sich, zum Zeichen ihres guten Willens, wie sie sagte, bereit erklärt, ihr Büro bis zum Abschluß der ersten Projektphase an die Baustelle zu verlegen. Als ich eintrat, besprach sie sich gerade mit Leung, einem Angehörigen ihrer Prätorianergarde junger, gutgekleideter Kantonesen. Er hatte Papiere auf dem Tisch ausgebreitet, die mit lauter Zahlen bedeckt waren. Beryl umgab sich gern mit tüchtigen Männern, die ihrer Arbeit nachgingen.

»Ah Chan, würden Sie uns bitte einen Moment allein lassen«, sagte sie. Leung lächelte und verschwand. Ich zog einen Stuhl heran, berichtete ihr von der Sache mit Watts und fragte, was ich ihrer Ansicht nach tun solle. Beryl blies die Backen auf, eine alte Angewohnheit von ihr, was jetzt aber etwas seltsam aussah. Nach dem leichten Schlaganfall, den sie im Jahr zuvor gehabt hatte, konnte sie die linke Gesichtshälfte nicht mehr richtig bewegen.

»Chief Inspector Watts, hm? Wer hätte das gedacht. Watts. Es sind doch die Drogenfahnder, denen man am ehesten krumme Sachen zutraut. Die alten Kolonialtypen, bei denen weiß man ja, daß sie gelegentlich ein Auge zudrücken, und so genau will man es auch gar nicht wissen, trotzdem ... Bert hat immer gesagt, er kennt keinen Polizisten, der nicht in gewissem Maß korrupt ist.«

Wenn Beryl ihren Mann erwähnte, dauerte es immer ein Weilchen, bis man wieder beim Thema war. Ich wartete.

»Tja, das ist Hongkong«, sagte sie lebhaft. »Sie stellen sich wohl vor, daß du die Warnung weitergibst, ohne den Eindruck zu vermitteln, als wüßtest du, daß es eine Warnung ist. Das wäre ein Ausweg. Du kannst einfach sagen, du hattest eine merkwürdige Unterhaltung mit einem Polizisten, und dir einreden, daß du nicht mehr weitergibst. Solange Maria die Botschaft erhält, ist ganz egal, was du dabei denkst. Du wahrst dein Gesicht. Clever.«

Sie hatten mir die Möglichkeit gelassen, mir etwas vorzumachen. Das war klar. Ich sagte:

»Aber wenn etwas passiert?«

»Bert«, sagte Beryl und räusperte sich, »Albert hätte Watts bestimmt rausgeschmissen und es abgelehnt, sich für ihn die Finger schmutzig zu machen. Ich höre ihn förmlich. Und dann wäre er ins Grübeln gekommen und hätte sich furchtbar zermartert, aber natürlich keinen Ton gesagt.«

»Ja.«

»Nur mal angenommen, Watts sagt tatsächlich die Wahrheit und sorgt sich um Maria, weil sie angeblich nicht weiß, welches Risiko sie eingeht, dann ist das ziemlicher Schwachsinn, was er da alles erzählt. Maria weiß genau Bescheid. Sie kennt diese Leute seit Ewigkeiten.«

»Ja, vielleicht, aber Maria hat auch eine naive Seite. Klingt bescheuert – sie ist ja nur eine Nonne! –, aber du weißt schon, was ich meine. Maria würde es vielleicht für ... für dummes Gerede halten.«

Beryl schüttelte den Kopf.

»Nein, glaube ich nicht.«

»In dem Fall weiß sie, daß sie in Gefahr ist.«

»In dem Fall wäre es sinnlos, ihr etwas zu sagen. Schaden kann es aber nicht.«

Ich lehnte mich zurück. Wir sahen uns an.

»Ich weiß, du wirst es nicht wollen«, sagte Beryl, »aber ich könnte es für dich tun.«

Jetzt war ich es, der den Kopf schüttelte.

»Tut mir leid«, sagte Beryl zum Abschied.

In den nächsten achtundvierzig Stunden konnte ich mir nicht darüber klarwerden, ob Maria in Todesgefahr war oder ob ich die halbfreundliche Warnung eines halbehrlichen Polizisten bloß überinterpretiert oder völlig falsch verstanden hatte. Ich nahm keinen Kontakt zu Maria auf, stürzte mich in die Arbeit. Mindestens zweimal täglich fuhr ich vom Deep Water Bay ins Empire. Ich hatte eine lange, anstrengende Besprechung mit Rathbone in seiner Eigenschaft als Vermögensverwalter der Mastersons. Ich muß bestimmt einen verwirrten Eindruck auf ihn gemacht haben, denn er mußte mir alles mindestens dreimal erklären.

Am späten Mittwoch vormittag saß ich an der Bar, um nach dem Rechten zu sehen und einen neuen, ziemlich schlechten Restaurantführer von Hongkong zu studieren. Beide Hotels waren darin mit großen Anzeigen und ausführlichen Beschreibungen vertreten. Jim Connor, Starreporter der *South China Morning Post*, trinkfreudiger Ire und leidgeprüfter Stammbesucher von Pater Ignatius' Veranstaltungen, kam mit Hut, Notizbuch und einer Ausgabe seiner Zeitung eilig in die Bar geschlurft.

»Großen Powers mit Wasser bitte, Arthur«, rief er. Arthur war der englische Name von Barkeeper Ah Lo. Der Drink kam. Connor leerte das Glas in einem Zug, bedeutete Ah Lo mit einer Handbewegung, es anzuschreiben, nickte mir zu und stieg schon wieder von seinem Barhocker.

»Rekordverdächtig«, sagte ich. »Was Besonderes los heute an diesem wunderschönen Tag?«

Connor neigte zu flapsigen Übertreibungen, deren Charme sich seine Gesprächspartner selten entziehen konnten. Schon halb an der Tür, atemlos, eine Wolke von Whisky verströmend, rief er mir zu:

»Wo Man-Lee ist gerade auf Kaution freigelassen worden. Größte Sensation seit Golgatha« – einer von Connors Lieblingsausdrücken. »Hatte unwahrscheinliches Glück. War nur so zur Verhandlung gegangen, auf Verdacht. Wie gewissenhaft kann ein Arschloch sein? Mortimer Troy ist

Wos Anwalt, aalglatter Typ, den kriegt man nicht mal mit 'ner Zange zu packen. Läuft in einem Anzug herum, der teurer ist als meine Wohnung. Die ganzen üblichen Tricks. Geschätztes Mitglied hier, angesehener Bürger dort. Sozial engagiert, wichtige Stellung, Pipapo. Anklage ganz fadenscheinig. Keinerlei konkrete Beweise. Der gute Ruf meines Mandanten, das Gewicht seiner Unternehmen. Und Wos Sohn hockt die ganze Zeit vorn in der ersten Reihe, als würde er für sein Examensfoto posieren. Und der Staatsanwalt steht da und guckt dumm aus der Wäsche. Oberfaule Kiste, das glauben Sie gar nicht!«

Ich saß wie gelähmt da, unfähig, mich zu rühren, einen Gedanken zu fassen. Was mochte das bedeuten? Gutes oder Schlechtes? Vielleicht nahm die Regierung Wo Man-Lee nicht richtig ernst und hatte sich juristisch übertölpeln lassen. Doch das konnte ich mir nicht recht vorstellen. Eher hatte Wo vermutlich seine Beziehungen spielen lassen und ein paar Besuche jener Art arrangiert, wie ich einen erlebt hatte. Das konnte nur ein ganz schlechtes Zeichen sein. Aber ich hielt es noch immer für besser, Maria nicht von Watts Besuch zu erzählen. Es hatte sich ja nichts Wesentliches geändert – bis auf die Tatsache, daß Wo eventuell freigelassen würde.

So schien es jedenfalls. Schon am nächsten Abend kam die nächste größere Neuigkeit. Beryl rief mich im Büro an. Da sie nicht gern telefonierte, ahnte ich sofort, daß etwas Wichtiges vorgefallen sein mußte.

»Beryl, was gibt's?« Seit dem Schlaganfall sprach sie etwas nuscheliger, was man am Telefon hörte, aber nicht im direkten Gespräch.

»Tom, ich habe gerade etwas gehört, was meine Jungs über den Bambustelegraphen aufgeschnappt haben. Wo Man-Lee hat sich verdünnisiert.« Zuerst dachte ich, daß sie die Entlassung auf Kaution meinte, doch im nächsten Moment wußte ich, daß es das nicht gewesen sein konnte.

»Wie – er hat sich abgesetzt?«

»Niemand weiß, wo er sich aufhält, aber es müßte schon mit dem Teufel zugehen, wenn er nicht auf Taiwan ist. Aus den naheliegenden Gründen. Er hat eine Erklärung verbreiten lassen, in der er seine Aktion bedauert, sie sei aber notwendig gewesen, da er kein Vertrauen in die Hongkonger Justiz habe.«

Taiwan. Die Kuomintang an der Macht. Keine Auslieferung. Ein angenehmes Leben, garantiert ohne juristische Scherereien.

»Mein Gott. Und was bedeutet das jetzt für ... für unsere Freundin?« Wir lauschten dem Knacken in der Telefonleitung.

»Vielleicht wäre es nicht schlecht, wenn ihr euch mal zusammensetzt«, sagte Beryl.

Ich folgte ihrem Rat. Da beide Hotellimousinen unterwegs waren, drängelte ich mich am Taxistand des Empire vor – ziemlich unschön für einen Hoteldirektor, Masterson würde sich im Grab umdrehen – und ließ mich zur Mission in Wanchai bringen. In Central war alles ruhig, aber dort draußen war noch viel Betrieb, die Straßen waren belebt, alle Geschäfte geöffnet. An der Straßenecke neben dem Missionsgebäude hatte sich ein Juwelier etabliert, und ein eindrucksvoller Sikh mit Turban, pechschwarzem Bart und Gewehr stand davor und musterte grimmig die Passanten. Ich mußte an damals denken, als ich bei Kriegsausbruch in wilder Panik und mit flauem Magen hierhergekommen war, um nach Maria zu suchen. Ich sagte mir, daß es diesmal nicht so schlimm würde.

Natürlich war Maria nicht da. »Schwester weg«, erklärte, sehr geduldig und sehr langsam, der Mann, der in der Eingangshalle als eine Art Pförtner Dienst tat. Er trug Pyjamahose und Weste, rauchte und saß vor einem chinesischen Schachbrett, das auf einer umgestürzten Gemüsekiste aufgebaut war.

»Wann ist sie wieder zurück?«

»Sehr bedaure.«

»Mist«, sagte ich auf englisch, worauf er höflich kicherte. Maria konnte überall sein: bei Schülern, bei einem der Drogenabhängigen, um die sich die Missionsschwestern kümmerten, bei Pater Ignatius, in der neuen Zweigstelle der Mission in der Walled City in Kowloon, in den New Territories, überall. Ich beschloß zu warten. Ich setzte mich auf einen Klappstuhl, der in der Halle stand. Der Pförtner versuchte nicht, seine Neugier zu verbergen, konzentrierte sich aber bald wieder auf das Spiel, das er gegen sich spielte. Aus dem Obergeschoß hörte ich Stimmen und Fernsehlärm. Gelegentlich kamen oder gingen Leute, die mich jedesmal anstarrten. Einige fragten sogar: »Wer ist das?«, doch der Pförtner tat schwerhörig. Wahrscheinlich hielt er mich für einen geistig verwirrten Verehrer.

Um halb acht war ich gekommen. Um Mitternacht wollte ich gehen, denn ich sagte mir, daß Maria bestimmt woanders übernachtete, wenn sie bis dahin nicht zurück war. Der Pförtner hatte offenkundig beschlossen, aufzubleiben und so lange zu warten, bis Maria kam oder ich ging. Er war beim soundsovielten Spiel, als Maria um fünf vor zwölf eintrat, so rasch und so leise, daß sie fast schon auf der Treppe war. Der selbsternannte Wächter ihrer Tugend und ich standen auf.

»Maria.«

Sie sah mich an, überrascht, geistesabwesend und fern.

»Tom«, sagte sie freundlich, aber so, als wäre ihr mein

Name erst nach einer ganzen Weile eingefallen. Weshalb ich gekommen sei, fragte sie nicht.

»Wir sollten miteinander reden«, sagte ich. Das klang grotesk englisch, sogar in meinen Ohren, schon damals.

»Laß uns nach oben gehen. Gute Nacht, Ah Tung!« rief sie dem Pförtner zu. Für sie hatte er ein Lächeln, für mich ein Stirnrunzeln.

Wir gingen hinauf. Seit Kriegsausbruch war ich nicht mehr im Wohnbereich der Mission gewesen. Es roch nach Essen und Desinfektionsmitteln und Waschräumen. Auf den Korridoren war es still, ein, zwei Lichter brannten noch. Maria öffnete eine Tür. Das Zimmer war erschreckend leer. Ein Bett stand darin, auf dem Kopfkissen lag ein Exemplar der *Imitatio Christi*, wie hingeworfen, als habe jemand das Buch auf diese Weise zurückgegeben. Ansonsten gab es nur einen Tisch nebst Stuhl, ein Kruzifix an der Wand sowie ein schmales Regal mit Büchern für den Sprachunterricht. An der Decke brannte eine nackte Glühbirne.

Maria setzte sich auf das Bett und zeigte auf den Stuhl. Ihre schwerfälligen Bewegungen zeigten mir, daß sie erschöpft war.

»Maria, ich muß dir von etwas berichten, was vor ein paar Tagen passiert ist«, fing ich an. Ich erzählte von Chief Inspector Watts. Stumm und ausdruckslos hörte sie zu.

»Das hat dich gewiß in eine schwierige Lage gebracht«, sagte sie, sehr höflich, sehr förmlich, als ich geendet hatte.

»Darum geht es doch nicht, Maria«, sagte ich. »Die Frage ist, was wirst du machen? Erst wird Wo auf Kaution freigelassen, was nur beweist, wieviel Macht er hat oder wie wenig die Regierung bereit ist, etwas zu unternehmen, oder beides, dann taucht er unter, das heißt, man kann ihn nicht mehr belangen, er kann tun, was er will. Hier bist du in Gefahr. Einen Gesichtsverlust kann er sich nicht erlauben, und wenn der Eindruck entsteht, daß bei den polizeilichen Ermittlungen gegen ihn jemand mithilft, ohne daß demjenigen etwas passiert, dann wird das als Zeichen von Schwäche wahrgenommen. Das kann Wo nicht zulassen. Du mußt etwas tun, was so aussieht, als hättest du Angst vor ihm. Sorg dafür, daß dich der Orden versetzt! Nach Rom, du könntest Sprachen lernen, irgend etwas. Geh auf die Philippinen und kümmere dich um Waisenkinder. Nimm eine lange Auszeit! Ich weiß nicht, irgend etwas halt – aber verschwinde aus Hongkong, du mußt! Bitte!«

»Du sagst, ich soll aus Hongkong verschwinden, aber die Gründe, die du dafür nennst, verlangen von mir, daß ich bleibe. Es ist ganz einfach. Ich kann nicht anders.«

»Das ist der reine Stolz, Maria. Hierbleiben ist Selbstmord. Pure Halsstarrigkeit. Du hast doch schon bewiesen, wie mutig du bist. Hierbleiben wäre ein Ausdruck von Schwäche und, ich sage es noch einmal, von Stolz.«

»Du wirfst mir nur deswegen ein Verhalten vor, das in unseren Augen eine Todsünde ist, weil ich nicht tue, was du sagst.«

»Schon wie du das sagst, riecht nach Stolz. Steig herunter vom hohen Roß und sei dieses eine Mal vernünftig, verdammt noch mal.«

»Du begreifst einfach nicht, worum es hier geht. Du redest über Dinge, von denen du nichts verstehst.«

»Ich kenne dich, das ist das Entscheidende. Und durch dich kenne ich auch Wo Man-Lee und weiß, wozu er imstande ist. Das weißt du ganz genau. Maria, wenn du in Hongkong bleibst, läßt du ihm keine andere Wahl. Er und seinesgleichen kennen kein Pardon, wenn sie sich verraten sehen und der Verräter ungeschoren davonkommt. Schlag dir das aus dem Kopf.«

Wir brüllten uns fast an, aber es war eher ein Gezische, wie das bei scharfen persönlichen Auseinandersetzungen üblich ist. Meine Erregung war ebenso stark wie der Wunsch, nicht gehört zu werden.

»Du vergißt, wer ich bin und wen ich repräsentiere«, sagte Maria. »Selbst wenn ich es wollte, würde ich nicht davonlaufen, als wäre ich die Verbrecherin. Ich verstecke mich nicht. Das hat mir der Herr verboten.«

Mir war schon vorher klar, daß ich, wenn sie auf Gott zu reden käme, keine Chance hätte, sie umstimmen zu können. Doch ich ließ nicht locker.

»Mach nicht den lieben Gott für deine Sturheit verantwortlich. Was hat das mit ihm zu tun. Er hat uns beide erschaffen, dich und mich auch, anscheinend hast du das vergessen. Er würde es bestimmt viel lieber sehen, du bleibst am Leben und tust deine Arbeit, statt daß du sinnloserweise den Kopf in den Käfig steckst und den Löwen aufforderst, dich zu fressen.«

Maria seufzte und schüttelte den Kopf, schwieg aber. Ich merkte, daß meine Wut sich legte und zu Traurigkeit gerann, und vielleicht spürte Maria das auch.

»Und deine Gemeindemitglieder, dein Orden?« fragte ich, etwas ruhiger.

Im selben Moment, aber ebenso ruhig, kam ihre Antwort: »Es ist also in deren Interesse, wenn ich verschwinde, mich davonstehle?«

»Wenn dir ... etwas zustößt, ist das in niemandes Interesse, nur Wo Man-Lee hat etwas davon. Das muß dir doch einleuchten. Wenn du bleibst, lieferst du ihm einen Anlaß, die Zähne zu zeigen. Du benimmst dich wie ein Westernheld, allerdings ohne guten Grund.«

»Und als du in Hongkong geblieben bist und dann nach Stanley kamst, gab es da einen guten Grund?« Ihre

Stimme hatte sich völlig verändert. Es war, als habe ein großer Druck diese Worte aus ihr herausgepreßt. Sie klang bitter – was ich bei ihr nie erwartet hätte. Als wäre das alles einen Tag her und nicht ein Vierteljahrhundert. Ich war ratlos.

»Das ist etwas anderes«, sagte ich schließlich. »Die Zeit, die Umstände, alles. Mein Gott, Maria, es war Krieg. Ich hatte ein Versprechen gegeben. Das weißt du doch alles. Und außerdem, wenn ich bei dir geblieben wäre, hätte das leicht den Tod bedeuten können. Viele Menschen sind damals im besetzten China ums Leben gekommen. Ich verstehe überhaupt nicht, warum du diese Geschichte wieder aufwärmst.«

»Vielleicht würdest du es verstehen, wenn du eine Ahnung davon hättest, in welcher Situation ich damals war. Wenn dir das klargewesen wäre, hättest du mich bestimmt nicht verlassen.«

Das war eine so ungeheuerliche Behauptung, daß es mir die Sprache verschlug. Es erschien mir sinnlos, weiterzudiskutieren. Schweigend saßen wir eine Weile da.

»Es soll eine Untersuchung stattfinden«, sagte Maria, noch immer bitter oder jedenfalls sarkastisch, aber zum Glück nicht gegen mich gerichtet. »Wurde bereits bekanntgegeben.«

»Na, wenigstens etwas.«

»Ja? Ich weiß nicht. Es wird die üblichen wolkigen Floskeln geben, und man wird alles daran setzen, unangenehme Tatsachen in einem Dunst von Heuchelei und noblen Vorsätzen zu verschleiern.«

»Aber ein paar Dinge werden doch wohl herauskommen.« Sie schüttelte den Kopf. Ich versuchte es ein letztes Mal:

»Du mußt vernünftig sein, Maria. Es ist sinnlos, zu bleiben. Sieh's mal so: Wo hat Hongkong verlassen, als Justizflüchtling wird er nie wieder zurückkehren können. Du gehst ebenfalls. Ihr seid quitt, aber er hat mehr verloren als du, und du bist noch am Leben.«

»Ich könnte mir ja das Leben nehmen«, sagte sie, und in ihrer Stimme war wieder diese Bitterkeit. »Das wäre doch, was sie wollen.«

Man hätte noch einiges dazu sagen können, aber mir fiel nichts ein.

»Erinnerst du dich an Fanling?« fragte Maria, jetzt sehr weich.

»Natürlich. Ich denke die ganze Zeit daran.«

Sie lächelte. »Ich auch. Das ist schön. Und nun mußt du gehen.«

Diesmal ging ich tatsächlich.

Zwei Tage später verschwand Maria. Am Morgen verließ sie die Mission, um zur Walled City zu fahren, wo die Schwestern eine Klinik für Drogenabhängige unterhielten. Schwester Euphemia, die sie ursprünglich begleiten sollte, ließ sich in letzter Minute wegen einer Magenverstimmung entschuldigen. Ein paar Leute sahen Maria auf der Star Ferry, in der zweiten Klasse, aber in der Klinik traf sie nicht ein, und die Polizei fand niemanden, der sie in Kowloon gesehen hatte. Maria war einfach verschwunden.

Am selben Abend erfuhr ich davon. Pater Ignatius teilte es mir telefonisch mit. Ich hörte seiner Stimme an, daß er nicht nur über den unmittelbaren Vorfall informiert war, sondern auch über den Hintergrund. Die Polizei, meinte er, tue alles in ihren Kräften Stehende, ich selbst könne nichts tun.

Marias Verschwinden war zunächst eine Sensation, ein

paar Tage später eine Meldung am Rande und bald nur noch eine Erinnerung an etwas Skandalöses. Fast sofort kamen Gerüchte über sie und die Triaden auf. Wo wurde nicht genannt, es hieß, sie habe sich mit lokalen Dealern angelegt. Ungefähr einen Monat lang glaubte ich auf Anschlägen überall ihr Gesicht zu sehen. Von Verfolgungswahn war das nicht weit entfernt. Dann wurde ihr Gesicht überklebt mit den Bildern anderer vermißter Personen, bis man es nirgendwo mehr sah.

Wann habe ich akzeptiert, daß sie ein für allemal verschwunden war? Ein Teil von mir wußte es sofort, als ich die Nachricht hörte. Der Teil, der damit gerechnet hatte, konnte es ebenfalls akzeptieren. Ein anderer Teil von mir hat das Geschehene nie akzeptiert, nie verstanden, nie geglaubt, bis heute nicht. Ich sehe Maria ganz deutlich, an einer Straßenecke in Central, auf dem Oberdeck einer Straßenbahn oder abgebildet in einer Zeitung, die jemand liest. Aber es ist immer das Gesicht, wie es vor langer Zeit aussah, Jahre vor ihrem Verschwinden.

Lange habe ich versucht, mir den genauen Ablauf des Geschehens nicht vorzustellen. Ich hatte Alpträume, wachte in Tränen auf, und zuweilen schien ich nichts anderes zu tun, als mich darauf zu konzentrieren, nicht an Maria zu denken. Also beschloß ich, die Sache anzugehen und die Frage, was passiert ist, so gut es ging zu beantworten. Ich bin zu folgendem Ergebnis gelangt. Weil Maria sich bestimmt lautstark gewehrt hat, war es notwendig, sie sofort und ganz schnell zum Schweigen zu bringen. Also wurde sie vermutlich mit Chloroform oder einer Spritze betäubt und in ein Auto gepackt. All das dürfte unweit des Fähranlegers in Kowloon passiert sein, während anderswo zur Ablenkung irgendein Auflauf inszeniert wurde. Dann fuhren sie irgendwohin, wahrscheinlich hinaus in die New

Territories, ermordeten sie und beseitigten die Leiche. Es ging alles sehr schnell und ohne Aufwand.

Drei Monate nach ihrem Verschwinden fand die offizielle Untersuchung statt. Ich wollte das Gedächtnisprotokoll vorlegen, das ich nach der Unterhaltung mit Chief Inspector Watts angefertigt hatte, doch es wurde als unerheblich bezeichnet. Der Fall blieb ungeklärt. Nach allgemeiner Auffassung war es zum Streit zwischen Maria und einem der Drogenabhängigen gekommen, mit denen ihre Arbeit sie so häufig zusammenbrachte.

Fünfzehntes Kapitel

Trauer ist das am schwersten zu beschreibende Gefühl, weil es weitgehend aus Erstarrung besteht. Außerdem ist es etwas Passives, etwas, das man erleidet. Man handelt nicht, man spürt sich nicht mehr. Nach Marias Verschwinden verschwand auch ein Teil von mir. Meine Fähigkeit zu lieben, die selbst mir immer etwas vage und wenig eindeutig erschienen war, hatte sich völlig in der Beziehung zu Maria erschöpft. Das wurde mir nach ihrem Tod klar. Ich hatte es nicht gewußt. Es ist eine bekannte Geschichte. Schmerz ist nichts Ungewöhnliches.

Haß kann natürlich ein Trost sein. Wo soll sich in Taiwan sehr unwohl gefühlt, sich nach einer Rückkehr in die angenommene Heimat gesehnt haben. Die von den Wos kontrollierten Zeitungen brachten kleine Artikel über die Fadenscheinigkeit des Verfahrens gegen ihn und machten Andeutungen über namenlose korrupte Feinde in der Polizei. Gelegentlich hieß es, daß Wo zu einer Wiederaufnahme seines Prozesses womöglich zurückkehren werde. Ich wußte, daß das nie geschehen würde. Den Skandal um seine Flucht hatte man mit Mühe und Not übertüncht, doch seine Rückkehr wäre ein Skandal, der die Regierung von Hongkong zu Fall bringen würde. Ich stellte mir vor, wie Wo in seiner Villa in Taipeh verfaulte. Ich hoffte, er würde bald sterben.

Beryl nahm mir gegenüber eine sehr entschiedene Haltung ein. Sie war ungeheuer wütend über das, was geschehen war, sah alles sehr klar und sprach darüber nur mit mir und ihren engsten und vertrauenswürdigsten Mitarbeitern. Andererseits betrachtete sie die ganze Sache auch als einen Erfolg.

»Maria hat Wo vernichtet. Sie sieht jetzt auf uns herunter und lacht ihn aus. Hätte sie sich still und leise nach Singapur verzogen und in einer Opiumklinik oder Leprakolonie gearbeitet, hätte Wo ein paar Jahre in Taiwan geschwitzt, und irgendwann wäre er zurückgekehrt, nachdem sein Bruder in der Zwischenzeit genügend viele Leute geschmiert hat. So wird er bis an sein Lebensende dort drüben vor sich hin schmoren.«

»Der Coroner hat das nicht so gesehen. Kein kritisches Wort über die Wos.«

»Unsinn, Tom. Du weißt genau, daß es in Hongkong nicht so funktioniert. Jeder weiß, was passiert ist. Sie hat ihn gezwungen, zu weit zu gehen. Sie hat gewußt, was sie tat.« Beryl dachte eine Weile nach und sagte dann, weniger forsch: »Das macht es irgendwie noch schwerer zu ertragen.«

»Sie war so eigensinnig, so verdammt eigensinnig.«

Etwa eine Woche nach Marias Verschwinden hatte ich mich gezwungen, von ihr in der Vergangenheitsform zu reden.

»Sich leise davonzustehlen wäre nicht ihr Stil gewesen«, sagte Beryl.

Als die Mission sechs Monate nach Marias Verschwinden und drei Monate nachdem sie offiziell für tot erklärt worden war, einen Gedenkgottesdienst abhielt, kam Beryl mit mir. Pater Ignatius spielte bei den behördlichen Dingen und der Vorbereitung des Gottesdienstes eine wichtige Rolle. Er war gut in praktischen, organisatorischen Fragen.

Ich holte Beryl in einer der Hotellimousinen ab. Sie

wohnte noch immer in ihrer alten Wohnung in Mid Levels, einem Stadtteil, der durch die zunehmende Bebauung der Hänge oberhalb von Central immer weiter bedrängt wurde. Beryls Amah bat mich herein. Sie selbst stand im Wohnzimmer vor dem Spiegel und richtete ihren Hut, auf dem Kaminsims neben ihr der Gin Tonic.

»Ich hab ziemlichen Bammel vor dieser Sache«, sagte ich zur Begrüßung. Beryl gab mir mit einem Kopfschütteln zu verstehen, daß sie von diesem Gedanken nicht viel hielt. Sie reichte mir den Arm, und so gingen wir hinaus.

Die Kirche war überfüllt. Es war der erste Gottesdienst, den ich seit dem Tag mit Austen und Cobb besuchte, und es war das erstemal, daß ich eine katholische Messe besuchte. Ich kann mich kaum noch daran erinnern, außer daß ich mich ständig fragte, wer diese vielen Menschen waren – mir schien, als wäre der Teil von Marias Leben, den ich gesehen hatte, nur ein Bruchteil ihres ganzen Lebens.

Ich erinnere mich aber auch an die Worte von Pater Ignatius, der zu meinem Erstaunen sehr witzig war, zumindest am Anfang. »Bei Schwester Maria«, sagte er, »hatte ich oft das Gefühl, zumal wenn es um etwas Grundsätzliches oder vermeintlich Grundsätzliches ging« – nach dem »vermeintlich« lächelte er, und ein amüsiertes Schmunzeln ging durch die Reihen –, »daß sie sich an einem englischen Sprichwort orientierte. Dieses Sprichwort lautet: ›Warum schwierig sein, wenn man mit ein bißchen Anstrengung unmöglich sein kann.‹«

Dann sprach er über die verschiedenen Aspekte ihrer Tätigkeit. Vieles war mir neu.

Nach dem Gottesdienst versammelten sich die Leute vor der Kirche. Es herrschte eine eigentümlich heitere, fast festliche Atmosphäre. Darauf war ich nicht vorbereitet.

Ich hatte Pater Ignatius die Räume des Empire für einen Empfang angeboten, doch er hatte höflich abgelehnt, so daß es nun im Hauptgebäude der Mission Kanapees und *dim sum* gab. Als ich schon im Begriff war zu gehen, kam eine kleine alte, gebeugte europäische Nonne am Arm einer jungen chinesischen Schwester auf mich zu. Die jüngere strahlte. Ich begriff, daß die ältere blind war.

»Mr. Stewart«, sagte sie.

»Ja, Schwester.«

»Sie werden mich nicht erkennen.« Sie sprach mit französischem Akzent.

»Großer Gott – Schwester Benedicta, natürlich erkenne ich Sie.«

»Heute ist ein trauriger Tag.«

»Ja.«

»Sie war starrsinnig.«

»Ja.«

»Das hatten Sie mit ihr gemeinsam.«

»Ich stand ihr in vielem nach, auch darin.«

Schwester Benedicta lächelte. »Sind Sie sicher?« Dann schüttelte sie den Kopf. »Ich bin zu alt. Es sollte nicht sein, daß die Kinder vor einem sterben.«

Lange zu leben kann ein Ausdruck von Trotz sein. Etwa ab dieser Zeit begann ich, auf Nachrichten von Wo Man-Lees Tod zu warten. Der schlanke, energische junge Mann, den ich gekannt hatte, war nun ein herzkranker Kettenraucher, der nicht in Taiwan sterben wollte.

Sein Bruder Ho-Yan lebte nicht mehr lange. Das Familienunternehmen zu führen war zuviel Streß für ihn, er starb an einem Schlaganfall. An seine Stelle trat Wo Man-Lees Sohn, Tung-Ko, ein ernster, verschlossener junger Mann, der nie lächelte und dank seines Harvard-Studiums perfektes amerikanisches Englisch sprach. Schnell erwies sich, daß er ein brillanter Geschäftsmann war. Er schluckte einen konkurrierenden chinesischen Zeitungskonzern und erwarb, offenbar über eine Tochtergesellschaft, Mehrheitsanteile eines lokalen Fernsehsenders. Er kontrollierte nun Medien aller Art und jeder politischen Couleur. Gleichzeitig schnellte der Wert seines Immobilienbesitzes in die Höhe. Mit einigen Unternehmen ging Tung-Ko an die Börse, nachdem er ein verschachteltes Gebäude aus staatlichen und privaten Unternehmen errichtet hatte, das er über Holdings kontrollierte. Das Dachunternehmen hieß Po Lam Holdings. Die reichen Wos wurden nun steinreich. Von Tung-Ko hieß es, er wolle für den Legislativrat kandidieren, jenes scheindemokratische Gremium, das in der Verwaltung der Kolonie eine gewisse Rolle spielte. Ich haßte den Mann.

Früher hatte ich mich in schwierigen Zeiten in die Arbeit gestürzt. Im Alter schien diese Ablenkungsmethode weniger gut zu funktionieren. Die Gedanken schweiften ab, und meine Fähigkeit, mich auf Dinge wie Warenbestand, Personalangelegenheiten, Kalkulation, Ersatz von Mobiliar, gestiegene Lieferantenpreise und Bettenbelegung zu konzentrieren – wie ein Scheinwerfer, der nur einen Bühnenausschnitt in Licht taucht –, diese Fähigkeit hatte nachgelassen. Ich vermißte das. Im Alter denkt man wehmütig an seine einstigen Stärken zurück. Chefkoch Ng fragte mich, ob er im Deep Water Bay arbeiten könne, er wolle weniger Streß und eine kleinere Küche haben (bei gleichem Lohn, versteht sich). Früher wäre das ein großes Drama gewesen, und ich hätte viel Takt und Verhandlungsgeschick aufbringen müssen, um den anderen Eignern des Empire klarzumachen, daß von einem Abwerben des Personals nicht die Rede sein könne. Jetzt war das kein großes Problem mehr. Ich schrieb einfach ein paar diplomatische Briefe. Ein Teil von mir vermißte die Dramatik.

Man sollte sich immer fragen, was man erreichen will. Das zumindest gilt auch im Alter. Rathbone, der dicke Anwalt, mit dem ich immer ausgezeichnet zusammengearbeitet hatte, bat mich in sein Büro – wie ich annahm, zu einer routinemäßigen Besprechung der Hotelfinanzen. Im nachhinein wurde mir klar, daß der ungewohnt förmliche Ton seines Briefs und der ungewohnte Treffpunkt, sein Büro und nicht meines, mich hätte stutzig machen sollen, wie es ja wohl auch gedacht war – was ich diesem cleveren, liebenswürdigen Menschen zugute halten muß. Rathbones Sekretärin führte mich in sein Büro, das, in einer der oberen Etagen eines Gebäudes an der Des Voeux Road gelegen, einen herrlich weiten Blick über den Hafen bot. Die Klimaanlage war so hoch eingestellt, daß Rathbone einen anthrazitfarbenen Nadelstreifen-Dreiteiler mit Uhrenkette tragen konnte.

Im Hotelgewerbe entwickelt man einen Riecher für Geld. Ich meine damit nicht unbedingt Menschen, die furchtbar reich sind, sondern eher solche, deren Leben sich nur um Geld dreht, ihr eigenes oder das anderer Leute, und die sich in Gelddingen bewegen wie Fische im Wasser. Diesem Geruch begegnete man in Hongkong immer öfter, und bei Rathbone war er ganz besonders ausgeprägt. Der Mann kam mir mit ausgestreckter Hand entgegen.

»Tom«, rief er, »schön, daß Sie gekommen sind!«

Wir setzten uns an seinen Schreibtisch und gingen rasch die Zahlen durch. Alles war, wie ich schon ahnte, in bester Ordnung. Der Gewinnanteil der Familie Masterson war in einer Hongkonger Holding hübsch angelegt, gut geschützt vor der unersättlichen Gier des britischen Steuerapparats.

»Gut«, sagte Rathbone und klappte den Ordner zu. »Und nun muß ich Ihnen etwas mitteilen, was vielleicht weniger erfreulich ist. Da ich nicht sehe, wie ich Ihnen diese Geschichte schonend beibringen könnte, werde ich es auch gar nicht erst versuchen. Den Mastersons wurde ein Kaufangebot für das Hotel unterbreitet, aber nicht im Hinblick auf dessen Rentabilität, die dank Ihres Engagements beträchtlich ist, wie ich sagen darf, sondern im Hinblick auf seinen Grundstückswert, das heißt Abriß und Neubebauung. Das Angebot ist äußerst interessant, und, um es kurz zu machen, die Mastersons haben mich beauftragt, es zu akzeptieren.«

Ich bin nicht sicher, ob mein erster Gedanke ähnlich nüchtern und distanziert war. Mehrere Überlegungen schossen mir gleichzeitig durch den Kopf. Unter anderem, daß der Kaufinteressent herausgefunden haben mußte, wer die Mastersons waren, daß sie Mehrheitseigner waren, und daß er sie direkt angesprochen haben mußte, unter Umgehung meiner Person, und daß dies kein Zufall gewesen sein konnte. Im Handelsregister waren die Mastersons nicht eingetragen, da ihr Anteil am Empire im Besitz der Treuhandverwaltung war. Das brachte mich sofort auf den Gedanken, daß Rathbone mit dieser Sache zu tun hatte. Ich weiß nicht, woher ich diese Gewißheit nahm, aber ich war mir ganz sicher. Möglicherweise hatte er den Deal sogar persönlich eingefädelt. Er hatte sich um die Interessen der Mastersons zu kümmern, und das Angebot war fraglos attraktiv, selbst wenn er persönlich dahinterstand. Neben seinem Treuhänderhonorar würde er einen Teil der Kaufsumme als Provision einstreichen. Auch das paßte ins Bild. Es war zynisch, clever und lukrativ, und solange ich mitspielte, würden alle glücklich und zufrieden sein.

Diese Gedanken dachte ein Teil meines Gehirns. Ein

anderer registrierte gleichzeitig, daß ich überhaupt nicht überrascht war. Man mußte schon ziemlich dumm sein, um nicht zu erkennen, daß der Boden, auf dem das Empire stand, sehr viel Geld wert war. Hongkong schoß in die Höhe, überall wurden Gebäude eingerissen und durch Hochhäuser ersetzt. Weil der Baugrund strikt begrenzt war, stiegen zwangsläufig die Grundstückspreise, das heißt, es wurde immer mehr investiert. Beryls Firma hatte, wie sie selbst sagte, in den vergangenen fünf Jahren mehr Geld verdient als in den vorangegangenen dreißig. Cooper hatte mich einmal gefragt: »Wie lange wirst du durchhalten?« Schulterzuckend hatte ich geantwortet: »Solange die Mastersons es wollen.« Und jetzt wollten sie mich nicht mehr ... Irgend etwas in mir wehrte sich dagegen. Und dann stieg ein Gedanke in mir auf, der mich wie Übelkeit erfaßte. Ich konnte ihn nicht mehr verdrängen. Was, wenn es sich bei den Käufern um die Wos handelte? Es war bekannt, daß der Sohn das Familienimperium lehrbuchmäßig diversifizieren wollte. Immobilien waren in Hongkong garantierte Profitquellen und notorisch gut geeignet für Geldwäsche. Ein Kaufangebot von seiten der Wos wäre absolut plausibel. Ich entwickelte Mordphantasien. Jemand wollte mich zur Witzfigur machen.

Erschrocken stellte ich fest, daß ich etwa fünf Minuten geschwiegen haben mußte. Bei einer Besprechung mit Rathbone war das ziemlich lange. Ich konzentrierte mich darauf, ganz ruhig zu sprechen.

»Darf ich erfahren, wer die Käufer sind?«

»Die betreffenden Personen möchten, daß das fürs erste noch vertraulich bleibt«, murmelte Rathbone. Aber wie Chief Inspector Watts bereits gesagt hatte, ich lebte schon zu lange in Hongkong.

»Es wäre falsch, wenn ich den Eindruck vermittelte,

diese Überlegung sei noch nie ventiliert worden«, sagte ich. »Schon mehrfach haben sich Leute am Empire interessiert gezeigt, auf ebendieser Grundlage. Natürlich nur vorsichtig ausgestreckte Fühler. Auf derlei Erkundigungen reagiere ich meist mit den Worten: ›Sollte das Hotel irgendwann zum Verkauf stehen, werde ich Sie informieren.‹ Eine Situation, in der mehrere Kaufinteressenten miteinander konkurrieren, wäre für Ihre Auftraggeber natürlich sehr reizvoll.« Rathbone kniff die Augen zusammen. »Die Mastersons, meine ich natürlich. Eine offene Auktion um die Immobilie wäre aus ihrer Sicht gewiß eine sehr spannende Sache.«

Er wußte, daß ich Bescheid wußte und daß mir klar war, daß er Bescheid wußte.

»Aus bestimmten Gründen möchte ich gar nicht wissen, wer die Käufer sind«, sagte ich, von Mann zu Mann, »sondern eher, wer sie nicht sind.«

Ich bin nicht sicher, wieviel er verstanden hatte, aber es war genug. Seine Miene hellte sich auf. Er schob seinen Füllfederhalter auf der Schreibunterlage mit dem frischen Löschpapier hin und her.

»Es handelt sich um europäische Investoren, die die wirtschaftliche Entwicklung in Südostasien und insbesondere Hongkong mittelfristig außerordentlich optimistisch einschätzen. Sie stützen sich dabei auf die Expertise eines der lokalen Hongs, das Kapital stammt aber zum überwiegenden Teil aus Westeuropa. Anders ausgedrückt«, sagte er, sanfter jetzt, »es ist niemand, den Sie kennen.«

Ich spürte, wie meine Anspannung nachließ. Rathbone merkte das. »Selbstverständlich wird Ihr besonderes Engagement für das Empire besondere Würdigung finden«, sagte er. Das gefiel ihm. Er schmeichelte gern. Ein guter Deal war, wenn alle reicher, zufriedener und selbstbewußt auseinandergingen. »Meine Klienten wissen, daß die Schuld, in der sie Ihnen gegenüber stehen, viel größer ist, als das in Ihrem Anteil am Unternehmen zum Ausdruck kommt. Sie haben daher die Absicht, nach dem Verkauf des Objekts eines finanzielle Regelung mit Ihnen zu treffen, die diese Wertschätzung zum Ausdruck bringt.«

Ich hatte eine Vision von Mastersons Nichten in Surrey, allesamt mit wohlgenährtem Ehemann und gepflegtem Tennisplatz. Ich fragte: »Wieviel?«

Er sagte es mir.

Für mich hellten sich diese Jahre durch die Arbeit der Unabhängigen Kommission gegen Korruption (ICAC) auf, einer neuen, mit zahlreichen Mängeln behafteten Institution. Das Thema war nach den Unruhen und den anschließenden Skandalen präsent wie nie zuvor, und nach einem Riesenskandal um einen korrupten britischen Polizeibeamten – ein Ausnahmefall natürlich – war klar, daß etwas unternommen werden mußte. Ebendies war die ICAC, die unter nahezu jedem Vorwand jede beliebige Person festnehmen lassen und vernehmen konnte. Ein Großteil der Polizeitruppe quittierte den Dienst, floh oder wurde entlassen. Und das beste war, daß Chief Inspector Watts verhaftet wurde und in der Untersuchungshaft an einem Herzinfarkt starb.

Ich verabredete mich mit Connor von der *South China Morning Post.* Ich bat ihn, einen Ort zu bestimmen, der von Journalisten nicht frequentiert wurde und wo mich niemand erkennen würde. Wir trafen uns in einer Bar in Wanchai. In einer Ecke saß eine Gruppe britischer Matrosen, die über die Phasen lärmenden Alkoholgenusses weit hinaus waren und nur noch ruhig lallend dasaßen. Connor sah sich amüsiert um.

»War schon Ewigkeiten nicht mehr hier«, sagte er. »Gab mal 'ne Zeit, in der hier ziemlich was los war. Amerikanische Matrosen kamen auch oft. Einmal lagen ein britisches und ein amerikanisches Schiff im Hafen, da war Streit praktisch unvermeidlich. Etwa fünfzig Amis und fünfzig von unseren, alle sternhagelvoll. Auf amerikanischen Schiffen gibt's ja keinen Alkohol, vergessen Sie das nicht, die kippen also noch viel mehr als unsere. Sitzen den ganzen Abend da und taxieren sich. Schließlich steht der größte und häßlichste Amerikaner auf und geht auf den größten und häßlichsten Briten zu. Totenstille. Der Ami sagt: ›Und wieso seid ihr Wichser nicht dabei und kämpft in Vietnam mit?‹ Der Brite steht auf und sagt: ›Ho Chi Minh hat uns noch nicht gerufen.‹ Na, da war vielleicht was los, meine Scheiße. Erst ein paar Hundertschaften Militärpolizei gelang es, die Schlägerei zu beenden. Die Bar war am Ende natürlich total verwüstet. Hab einen Artikel darüber geschrieben, Seite eins.«

»Der Wirt war vermutlich nicht böse.«

»Stimmt tatsächlich. Er hatte den doppelten Wert versichert und hat anständig abgesahnt. Hat sich dann in den New Territories etwas gekauft.«

Connor nahm einen tüchtigen Schluck von seinem San Miguel. Er sei von Whisky zu Bier übergegangen, müsse ein bißchen aufpassen, sagte er. Selbst in der schummrigen Bar sah er nicht sehr gut aus.

»Also, was kann ich für Sie tun?« fragte er.

»Eher andersherum diesmal«, sagte ich. Ich schob ihm einen Umschlag mit einer Kopie des Protokolls zu, das ich nach Watts' Besuch angefertigt hatte. Connor runzelte die Stirn. »Finden Sie's selber heraus«, sagte ich, legte einen Hundert-Dollar-Schein für die Getränke hin und stand auf.

Es dauerte ein paar Wochen, bis ich das Ergebnis meiner Aktion sah. Connor präsentierte Marias Geschichte nicht direkt, das hatte ich auch nicht erwartet, aber seinem Artikel auf der Seite eins war zu entnehmen, daß der *Post* glaubwürdiges Material vorliege, das auf eine Verbindung zwischen Chief Inspector Watts und dem Triadenboß M. L. Wo hinweise, der gegenwärtig in taiwanesischem Exil sei. Watts' Ruf war postum ruiniert. Maria wurde dadurch zwar nicht wieder lebendig, aber ein bißchen besser fühlte ich mich schon.

Nachdem das Empire verkauft war, begann für mich nicht gerade das Rentnerdasein, aber ich ging das Leben doch etwas ruhiger an. Ich hatte sogar erwogen, einige Geldgeber anzusprechen und selbst ein Übernahmeangebot für das alte Hotel zu unterbreiten, sagte mir dann aber, daß ich einfach nicht mehr die nötige Energie besaß. Einerseits die große Abfindungssumme, andererseits ein heftiger geschäftlich-politischer Kampf und die Aussicht, über Jahre hinweg verschuldet zu sein – nun ja, ich brauchte nicht lange zu überlegen, welche Entscheidung die vernünftigere war. Werktags war ich im Deep Water Bay, an den Wochenenden draußen auf Cheung Chau. Mein Leben war einfacher und beschränkter denn je. Ich kann nicht behaupten, daß ich auch glücklicher gewesen wäre, aber in meiner neuen Situation gab es weniger Streß und weniger Probleme.

Anfang der achtziger Jahre kam es zu einem Ereignis, das von der ganzen Welt aufmerksam beobachtet wurde. Mrs. Thatcher fuhr, noch ganz berauscht von ihrem Sieg auf den Falkland-Inseln, nach Peking und vertrat dort Positionen, die bei den Chinesen derart großes Unbehagen auslösten, daß nun öffentlich über die Frage der Souveränität Hongkongs gesprochen wurde. Natürlich konnte es nur eine Lösung geben. In den vorangegangenen Jahrzehnten war, mit Ausnahme von Touristen, in Hongkong nie über die Rückgabe im Jahr 1997 gesprochen worden. Nun konnte man nirgendwo hingehen, ohne ständig in Diskussionen verwickelt zu werden. Alle Aspekte wurden ausführlich beleuchtet, und es kam zu heftigen Schwankungen der politischen und persönlichen Stimmung, nicht nur wöchentlich oder täglich, sondern im Laufe eines einzigen Gesprächs. Es fiel mir nicht schwer, mich da herauszuhalten. Man kann leicht stoisch sein, wenn einen die Sache kaltläßt. Die vorherrschende Meinung in Hongkong veränderte sich. Bislang hatte es immer geheißen, die Kommunisten erkennen die Abtretungsverträge nicht an. »Alles Quatsch, mein Lieber. Die Roten wollen Hongkong nicht zurückhaben. Hier wimmelt es von Triaden und Kuomintang, und die Verträge erkennen sie ohnehin nicht an. Sie haben ein stehendes Heer von zwei Millionen Mann – sollen wir uns hinstellen und böse gucken, daß sie Angst bekommen und weglaufen?« Daraus wurde: »Die Chinesen brauchen die Kolonie gar nicht zu übernehmen, sie kaufen sie. Schau dir an, wem ... (hier folgt der Name irgendeines großen Hongkonger Unternehmens) gehört. Alles Pekinger Geld. Sie brauchen die Devisen, mein Lieber. Warum Unruhe ins Boot bringen? 1997 wird ihnen die Kolonie eh gehören. Es ist nicht in ihrem Interesse, daß da etwas falsch läuft.« Und nun hieß es: »Alle Wetten abgeblasen. Wir verlegen unsere Firma auf die Bahamas.«

Für mich war schon jahrelang klar, daß die Chinesen Hongkong 1997 übernehmen würden. Warum auch nicht. Wenn ich dann noch am Leben wäre – vierundachtzig Jahre alt –, würde ich eine Rückkehr nach England erwägen. Doch erst einmal würde ich schauen, woher der Wind weht. Mein Testament war längst aufgesetzt – alles würde an David und seine Kinder gehen. Mit etwas Glück würde Wo Man-Lee bis dahin tot sein, aber im Grunde war mir ziemlich egal, wie es weitergehen würde. Doch es sollte anders kommen.

Professor Cobb, mittlerweile emeritiert, starb Anfang 1983. Er war nach seiner Pensionierung in Hongkong geblieben, Forschungsvorhaben und Gastprofessuren führten ihn aber häufig ins Ausland. Nach seiner Rückkehr zeichnete er jedesmal ein sehr persönlich gefärbtes Bild von dem Ort, an dem er gerade gewesen war. Beispielsweise sagte er nach drei Monaten Berkeley: »Enorme Luftfeuchtigkeit dort. Gift für wertvolle Handschriften.« Nach einem Aufenthalt an der Sorbonne sagte er kein Wort über die Versuchungen von Paris, über die Intellektuellen, das kulturelle Leben oder die Restaurants, sondern nur: »Es gibt ein paar ganz ... vernünftige Leute dort.« Von den *Lebensbeschreibungen der Kaiser* sprach er ähnlich distanziert, amüsiert, verlegen, als wäre seine Übersetzung ein verwerfliches Vergnügen oder eine Unbedachtheit gewesen, die zu bedauern er sich nicht überwinden konnte. Jane Cobb, die nicht verhehlte, daß sie am liebsten nach England zurückgekehrt wäre, genoß die vielen Reisen, die ihr ein großer Trost waren. Jedesmal kaufte sie ein sündhaft teures Kleidungsstück, von dem sie mehrere verschieden große Kopien anfertigen ließ, die sie ihren Freundinnen zu Weihnachten schenkte.

Meines Wissens war Cobb nie krank gewesen. Er gehörte zu jenen Männern, die bis an ihr Lebensende mehr oder weniger gleich alt aussehen. Er war sehr dünn, und ich kannte ihn nur mit tief zerfurchtem Gesicht. Und als er plötzlich an einer Gehirnblutung starb, war das, trotz seiner achtzig Jahre, eine große Überraschung. Es passierte mitten in der Nacht, Jane merkte überhaupt nichts, der furchtbare Schock erwischte sie erst am Morgen.

Die *Lebensbeschreibungen der Kaiser* waren unvollendet. Jane fragte mich, ob ich ihr helfen würde, das Manuskript, obschon unfertig, für eine Veröffentlichung zusammenzustellen.

»Ich fänd schön, wenn Sie es übernehmen könnten«, sagte sie scheu, als wüßte sie, daß ich ihr kaum etwas abschlagen könne. »Sie waren sein bester Freund. Er sagte, wenn ihm etwas passiert ...«

Also willigte ich ein. Ich war erfreut und überrascht und auch ein bißchen unsicher. Das Manuskript befand sich noch in seinem Büro in der Universität, nicht in dem Professorenzimmer, das er früher gehabt hatte, sondern in einem kleinen, modernen Eckzimmer, in dem noch die schöne Bildrolle und der Holzbuddha waren. Es war auf drei Kartons verteilt und machte einen chaotischen Eindruck, bis ich feststellte, daß es von einigen Kapiteln mehrere Fassungen gab, die oben rechts mit Zahlen versehen waren. Cobbs Büro mußte leergeräumt werden, denn ein junger chinesischer Literaturdozent sollte es übernehmen, der hin und wieder verlegen an der Tür auftauchte und Jane und mir anbot, beim Einpacken mitzuhelfen. Jane bat mich, das Manuskript als erster zu lesen, sie selbst sei dazu nicht imstande. Sie sah schmal und verweint und einsam und englisch aus. Ich nahm das Manuskript mit nach Deep Water Bay und versprach, mich so bald wie möglich zu melden.

Im Laufe der Jahre hatte ich mir ein Arbeits- und Schlafzimmer im Hotel eingerichtet. Das Zimmer war mit Büchern und Papieren vollgestopft, und ein gewölbter Gang führte zu einem L-förmigen Schlafzimmer, das über einen Balkon mit Blick über die Bucht verfügte. Die Schmucklosigkeit sollte mich daran erinnern, meine freie Zeit auf Cheung Chau zu verbringen. Theoretisch konnte ich natürlich die öffentlichen Räume des Hotels nutzen – aber ein Hoteldirektor, der in seinem eigenen Haus herumschleicht, irritiert die Leute nur. Mein Lesesessel stand im Schlafzimmer, manchmal ging ich aber mit einem Buch hinaus auf den Balkon, solange das Licht nicht Moskitos anlockte. Auch mit Cobbs Manuskript setzte ich mich nach draußen. Ich las die ganze Nacht. Es war, als zöge eine Parade an mir vorbei, kein Triumphzug, sondern eine Phantasmagorie, eine Vision der schlimmsten menschlichen Eigenschaften – Haß, Mord, Wollust, Verrat, Skrupellosigkeit, Gewalt, Neid und Zorn in allen Varianten. Für Cobb war die chinesische Literatur Ausdruck des Stellenwerts von Tradition, Kontinuität, Andeutung, Ruhe, Distanz. Als »bedeutendste Echokammer« hatte er sie einmal bezeichnet, als »stilvollste Konversation aller Zeiten«. (Mit »Konversation« meinte er ein literarisches oder wissenschaftliches Œuvre.) Dies hier war die Kehrseite. Der erste Ch'in-Kaiser, der die Große Mauer gebaut und den Befehl zur Verbrenunng aller Bücher gegeben hatte, spielte in den *Lebensbeschreibungen* die Hauptrolle.

Ich blieb die ganze Nacht auf und rief Jane am nächsten Morgen an.

»Ich finde es sehr beeindruckend. Es ist ... ziemlich erschreckend, aber eindrucksvoll. Was soll ich jetzt damit machen?«

»Keine Ahnung. Wenn man es überhaupt veröffentlichen kann, würde Raymond sicher wollen, daß ich es einem Verlag anbiete, aber ich ...«

»Ich hab eine Idee«, sagte ich.

Hotel Deep Water Bay
Hongkong
17. Mai 1983

Sehr geehrter Mr. Austen,
verzeihen Sie, daß ich mich so aufdringlich an Sie wende, obwohl wir uns kaum kennen. Mein Name ist Tom Stewart, ich bin Hoteldirektor. Wir sind uns 1938 begegnet, als Sie nach China fuhren, um über den Bürgerkrieg zu berichten, und später noch einmal, als Sie auf einer Lesereise des British Council in Hongkong Station machten.

Ich weiß nicht, ob Sie sich an das zweitemal erinnern. Wir trafen uns vor der St. John's Cathedral, die seinerzeit St. John's Church hieß. Ich war in Begleitung meines Freundes Raymond Cobb, Professor an der Universität Hongkong. Wir aßen zu Mittag und fuhren anschließend in die New Territories, wo wir den alten chinesischen Brauch beobachteten, die Gräber der Ahnen zu besuchen.

Wenn ich Ihnen heute schreibe, so beziehe ich mich gewissermaßen auf diesen Tag. Professor Cobb ist plötzlich und ganz überraschend verstorben. Bedenkt man, daß er achtzig war, so verliert das Unerwartete seines Todes ein wenig von seinem Schrecken. Das letzte Drittel seines Lebens arbeitete er an der Übersetzung eines Werks mit dem Titel *Lebensbeschreibungen der Kaiser*, einer Darstellung der Geschichte Chinas anhand der Biographien seiner Kaiser. Er selbst hat das Werk einmal als einen chinesischen Sueton bezeichnet. Es existiert keine andere Übersetzung. Cobbs Arbeit ist unvollendet, die vorliegende letzte Fassung des Manuskripts umfaßt etwa 480 Seiten.

Ich finde das Buch sehr ungewöhnlich. Ich möchte Sie fragen (und ahne fast, daß Sie schon abwinken), ob Sie bereit wären, sich das Manuskript anzusehen und einen Vorschlag hinsichtlich einer Veröffentlichung zu machen.

Cobb hat oft mit mir über das Projekt gesprochen, aber ich verstehe zuwenig von der Verlagswelt und wäre Ihnen für jeden Rat dankbar.

Ich würde durchaus verstehen, wenn Sie sich außerstande sähen, in dieser Angelegenheit zu helfen. Mir ist klar, daß Ihre Zeit beschränkt ist.

Ich denke oft an Ihre Besuche in Hongkong zurück und bedauere, daß es nur diese beiden waren.

Mit freundlichen Grüßen
Ihr
Tom Stewart

Ich schickte den Brief an Austens Londoner Verlag. Eine Woche später kam ein Telegramm: »SELBSTVERSTAENDLICH AUSTEN«. Ich ließ von der letzten Fassung des Manuskripts eine Fotokopie anfertigen, die ich an dieselbe Adresse schickte. Beim Abendessen berichtete ich Jane, was ich unternommen hatte, und soweit ich das durch ihren dicken Trauerpanzer erkennen konnte, schien sie erfreut.

Von Austen hörte ich wochenlang nichts, was ich auch erwartet hatte – obwohl ich meine Post morgens sehr viel neugieriger durchging, ob ein in England abgestempelter Brief mit unbekannter Handschrift darunter war. Nach meiner Erfahrung trifft eine lang ersehnte Antwort immer genau dann ein, wenn man gerade nicht damit rechnet. Man sitzt vor der Tür und wartet auf den Briefträger, geht dann in die Küche, um sich eine Tasse Kaffee zu machen, und wenn man wieder vor die Tür tritt, liegt der Brief auf der Matte. Doch als von Austen überhaupt keine Antwort kam, wurde ich wirklich ärgerlich – und daß meine erste Anfrage wohl eine ziemliche Zumutung gewesen war, machte mich eher noch gereizter. Aber eines diesigen, schwülen Sommervormittags klopfte Ah Wing an und reichte mir einen Brief.

»Entschuldigung, Mr. Stewart, war in meiner Post«, sagte er.

Ich erkannte den Brief sofort, besser gesagt, ich erkannte ihn nicht, und daher wußte ich sofort, worum es sich handelte. Ich öffnete ihn, und von weit her tauchten Erinnerungen an den Moment kurz vor Bekanntgabe der Examensergebnisse auf.

Church House
Ottery St. Mary
1. August

Sehr geehrter Mr. Stewart,
lassen Sie mich zunächst den Hinweis vorausschicken, daß dieser Brief eine sehr viel unbefriedigendere Antwort bereithält, als Sie zu Recht erwarten.

Ich erinnere mich sehr gut an Professor Cobb, und obwohl ich von der chinesischen Zivilisation nichts verstehe, habe ich sein Manuskript mit großem Interesse gelesen. Meine Vermutung, daß es keine langweilige Lektüre sein könne, bestätigte sich auch tatsächlich. Es wird darin eine so außergewöhnliche Kavalkade der Finsternis beschrieben, daß ich an etwas ganz Verrücktes denken mußte, an ein Wort von Kafka, zitiert in den Memoiren eines Zeitgenossen, wonach das Gespräch mit einem gemeinsamen Bekannten ist, als würde »die Weltliteratur halbnackt an einem vorbeiziehen«.

Da ich aber, wie gesagt, kein Asienkenner bin, hielt ich es für sinnvoll, das Urteil eines Fachmanns einzuholen, der das (mir persönlich völlig fremde) Quellenmaterial kennt. Ich schrieb einem alten Freund von mir, Donald Shuttleworth, der viele Jahre an der Universität London Chinesisch unterrichtet und auch einige Gedichte der Tang-Zeit übersetzt hat. Möglicherweise haben Sie von ihm gehört. Ich schilderte ihm das Werk und bat ihn, das Manuskript nicht eingehend zu prüfen, sondern sich nur einen groben Eindruck zu verschaffen, so daß ich eine Vorstellung von der Qualität der Übersetzung gewinnen könnte – so wie man eine Probebohrung macht, um festzustellen, ob es an einem bestimmten Ort Öl gibt. Shuttleworth war einverstanden. Sein Brief verriet eine amüsierte Neugier, die mich überraschte. Sie werden es mir hoffentlich nicht verübeln, wenn ich sage, daß man auf die Bitte, unverlangt eingesandte Manuskripte zu lesen, meist nicht sehr wohlwollend reagiert. Ich habe Shuttleworth das Manuskript geschickt, und vielleicht wäre es das beste, ich lege (wie von ihm angeregt) eine Fotokopie seines Briefs bei.

Ich wünschte, ich könnte Ihnen sagen, was Sie als nächstes unternehmen sollten. Ich finde, das Manuskript sollte in jedem Fall veröffentlicht werden – und wäre durchaus einverstanden, in diesem Sinne zitiert zu werden.

Kürzlich habe ich eine ganz außergewöhnliche französische Schriftstellerin mit Namen Simone Weil gelesen. Einer ihrer Biographen schreibt, er habe bei ihrer letzten Begegnung gesagt: »Hoffen wir, daß wir uns in der nächsten Welt wiedersehen.« Weil erwiderte: »In der nächsten Welt gibt es kein Wiedersehen.« Hoffen wir, daß sie unrecht hat.

Ihr
Wilfred Austen

Shuttleworth hatte folgenden Brief geschrieben:

47 Old Church St.
Chelsea
27. Juli

Lieber Wilfred,
Dein Brief hat mich neugierig gemacht, was ja vielleicht schon meiner ersten Antwort zu entnehmen war. Ich kenne Prof. Cobbs Arbeit über die *Yue-fu*-Gedichtform, seine einzige Veröffentlichung in meinem Spezialgebiet. Erst durch Deinen Brief erfuhr ich, daß er alle andere wissenschaftliche Arbeit zugunsten dieses einen Projekts aufgegeben hatte. Meine Neugier wurde vor allem dadurch geweckt, daß es im Chinesischen ein Werk mit dem Titel *Lebensbeschreibungen der Kaiser* meines Wissens nicht gibt. Ich habe überlegt, ob es sich um eine Neufassung anderen biographischen Materials handelt oder um einen hergeholten Titel für ein eventuell schon bekanntes Werk – es gibt viele historische Schriften klassischer Schule, zu denen der genannte Titel passen könnte. Ersteres dürfte der Fall sein. Die vorliegende Übersetzung entspricht keinem chinesischen Original. Es ist eine Art Anthologie von biographischen Texten über die chinesischen Kaiser, in einer solchen Weise zusammengestellt, daß sie sich wie eine zusammenhängende Geschichte liest. Als solche ist sie von beträchtlichem Interesse.

An Cobbs Arbeit stechen zwei Dinge hervor, auf die er große Mühe verwendet hat. Das eine ist der Tonfall seiner Übersetzung, der sich eng an das klassische Chinesisch anlehnt. Salopp gesagt: man »spürt« die Übersetzung. Einige Übersetzer waren bestrebt, diesen Effekt zu erreichen, darunter Arthur Waley und meine Wenigkeit, und es klingt hoffentlich nicht eitel, wenn ich sage, daß dieser Einfluß in Cobbs Arbeit sichtbar wird. Ich meine damit die Klarheit des Stils und die scheinbare Flachheit des Affekts, hinter der sich Emotionen von großer Intensität verbergen. Im Englischen gibt es keine genaue Entsprechung dafür.

Das zweite sind die Bilder, die er sehr geschickt zusammenfügt. Für mich als Sinologen ist der Effekt außerordentlich interessant. Ob das Manuskript einen Verleger findet und ein größeres Publikum, kann ich natürlich nicht sagen.

Herzlich
Don

»Ich werde einen Verleger finden«, sagte ich zu Jane, »überlassen Sie das mir.« Das war also versprochen – hätte ich gewußt, worauf ich mich einlasse, hätte ich es wohl nicht getan.

In einem Nachschlagewerk fand ich eine Liste von Verlagen, deren Bücher ich mir in der Universitätsbibliothek ansah. Ich arbeitete mich von oben nach unten durch. Jede Anfrage, einschließlich der Absage, zog sich über Wochen, manchmal Monate hin. Die Absage sah jedesmal so aus, daß ich einen Brief öffnete, in dem mir – meist höflich, manchmal interessiert, manchmal mit offenbar ehrlichem Bedauern – mitgeteilt wurde, daß man das Buch leider nicht veröffentlichen könne. Oft wurde ein Grund genannt (der Umfang, die »Chinesischkeit«, die Gelehrsamkeit, die Abstrusität, die Schwierigkeit, die Marktlage, die spezielle Tatsache, daß der Autor tot sei, die Tatsache, daß es halb Erzählung, halb Anthologie sei, oder ganz einfach (die beliebteste Begründung), daß es »nicht recht in unser Programm paßt«. Briefe, in denen mir ein Grund genannt wurde, waren die ärgerlichsten. Nach jeder Absage setzte ich ein Häkchen hinter den Namen des betreffenden Verlags, heftete den Brief ab und ging zum nächsten Namen vor. Die zurückgeschickten Manuskripte waren nicht nur mit Fingerabdrücken versehen, sondern auch mit Teeflecken, Ketchupklecksen, Wasserspuren und in einem Fall sogar Kinderzeichnungen. Ich fertigte also jedesmal eine saubere Kopie an, schrieb eine neue Anfrage, packte die Sendung zusammen und gab sie in der Hauptpost in Central per Einschreiben auf.

Für mich war das Unternehmen *Lebensbeschreibungen* insofern ein großer Gewinn, als sich daraus eine Korrespondenz mit Austen entwickelte. Einige Wochen nach seinem ersten Brief schrieb er, daß ich mich von dem Schock inzwischen ja wohl erholt hätte, und erkundigte sich nach meinen weiteren Plänen. Ich antwortete, und bald standen wir in regelmäßigem Kontakt. Der Anblick seiner engen, ungleichmäßigen, ziemlich krakeligen Handschrift auf einem Briefumschlag erfüllte mich jedesmal mit Freude. Auf sonderbare Weise verkörperte ich vielleicht eine Entscheidung, die auch er gern getroffen hätte. »Ich bin in England geblieben und, ohne mein Zutun, Teil des Establishments geworden, was nicht möglich gewesen wäre, wenn ich gegangen wäre«, schrieb er. »Es ist schön, den Menschen von meiner Begegnung mit der Königin erzählen zu können, aber ich überlege oft – zu spät, also nutzlos –, welchen Preis ich dafür in meinem Werk möglicherweise bezahlt habe.« Ich spürte eine Einsamkeit in ihm. Vielleicht erkannten wir einander auch darin.

Sechzehntes Kapitel

Wo Man-Lee starb im Winter 1983 an Lungenkrebs. Ich las die Meldung in der *South China Morning Post*. Überrascht stellte ich fest, daß ich nichts als Erleichterung empfand. Ich hatte das Gefühl, daß es in meinem Leben nichts mehr gab, was noch wichtig sein könnte.

Eines Februartages, nachdem ich wieder ein Päckchen zur Post gebracht hatte, beschloß ich, mich noch etwas in der frischen Luft zu bewegen. Nichts Großes und Anstrengendes, denn am Spätnachmittag mußte ich wieder im Deep Water Bay sein, um die Vorbereitungen für eine Feier zu beaufsichtigen. Beryl wurde achtzig. Ihre »Jungs« gaben ein privates Dinner und kümmerten sich rührend um die Organisation. Leung, ihre rechte Hand, hatte mich ausdrücklich gebeten, alles in die Hand zu nehmen, und natürlich hatte ich eingewilligt. Ich versicherte ihm, daß Chefkoch Ng persönlich das Essen zubereiten würde. Darüber freute er sich sehr.

Doch bis dahin waren es noch ein paar Stunden. Ich wollte mit der Tram den Peak hinauffahren, dort oben eine kleine Runde drehen und mich von einem Taxi wieder ins Deep Water Bay bringen lassen. Es war schönes Wetter, einer dieser klaren Hongkonger Wintertage, die einem Frühlingstag in gemäßigten Breiten noch am ehesten nahekommen. Auf dem Weg vom Hauptpostamt zur Talstation der Peak Tram – ein paar hundert Meter bergan, und schon spürte ich die Folgen mangelnder Bewegung – hatte ich ein paarmal das merkwürdige Gefühl, beobachtet zu werden, diese instinktive Ahnung, die keine Wissenschaft erklären kann. Aber soweit ich das sehen konnte, war mein Eindruck unbegründet – und in Hongkong steht man in gewissem Sinne immer unter Beobachtung. Für Spione muß es sehr reizvoll sein. Vielleicht gefällt es ihnen deshalb so gut hier.

An der Station stand schon eine lange Schlange, zum größten Teil Kinder auf einem Schulausflug. Ich mußte auf die zweite Bahn warten und suchte mir ganz vorne einen Platz. Wie immer, war das steilste Stück noch steiler, als man es in Erinnerung hatte. Hinter mir hörte ich das aufgeregte Kreischen der Kinder und den Lehrer, der ihnen auf kantonesisch die Sehenswürdigkeiten erklärte. Um diese Tageszeit stieg, wie üblich, an den Zwischenstationen niemand ein und aus.

Ich stelle fest, daß ich mit zunehmendem Alter nicht mehr ganz schwindelfrei bin. Vielleicht hat es auch damit zu tun, daß die Wolkenkratzer in Central immer höher werden, fast bis an den Peak heranzureichen scheinen, so daß man die Höhe immer bewußter wahrnimmt. Wie dem auch sei, ich kann den Blick unterwegs nicht mehr so unbeschwert genießen wie früher. Ich war froh, als wir die Endstation erreichten und ich auf die Mount Austin Road hinaustreten konnte, den ersten Teil des Weges, der rings um den Peak führt. Ein Spaziergang von etwa einer Stunde, das war genau das richtige.

Es waren mehr Menschen unterwegs, als ich erwartet hatte, nicht nur Schulgruppen, sondern auch europäische Touristen, die den alten Gouverneurssitz besichtigten – seit der Zerstörung durch die Japaner eine Ruine plus Garten. Die Bewegung tat mir gut. Ich genoß den Blick nach Cheung Chau und freute mich schon auf das Wochenende, das ich dort mit einem Buch und einer Flasche Wein verbringen würde. Zu Beryls Geburtstagsdinner würden sich einige ihrer Geschäftsfreunde und Kollegen einfinden, ein Neffe, der aus London angereist war, und ich. Ihren Jungs hatte ich feierlich versprochen, daß alles, was in meiner Zuständigkeit lag, klappen würde, daß der Abend insgesamt gelingen würde, konnte ich aber nicht garantieren. Dafür waren die Gäste zu unterschiedlich.

Und wieder hatte ich während meines Spaziergangs das Gefühl, beobachtet zu werden. Ich schob es auf eine leise Anspannung wegen der bevorstehenden Feier.

Als ich zur Lugard Road kam, sah ich einige Adler hoch über dem Peak ihre Kreise ziehen. Die Sicht war großartig, geradezu märchenhaft, und die Berge hinter Kowloon standen da wie Pappmaché-Modelle ihrer selbst. Das letzte Stück der Lugard Road geht bergan, so daß ich außer Atem war, als ich die Tramstation erreichte. Am Taxistand wartete eine Schlange, wie ich mit Bedauern sah – ich hatte den spätnachmittäglichen Schichtwechsel nicht einkalkuliert. Vor mir warteten zehn Leute, schweigsam und ernst. Ein Taxi kam, drei amerikanische Touristen stiegen aus, dann steckte der Fahrer eine rote Tasche über seine Fahne, zum Zeichen dafür, daß er außer Dienst war, und fuhr davon.

Ich hatte nichts zu lesen dabei. Ich überlegte, ob ich die Tram nehmen sollte, doch die Bahn war voll, und ohnehin würden am Taxistand vor der Talstation ebenfalls viele Leute warten. Doch schließlich kam ein Taxi, und wie aus dem Nichts tauchten plötzlich fünf britische Touristen auf, lärmende junge Männer. Sie ignorierten die Wartenden einfach und schickten sich an, lachend und grölend einzusteigen. Die Leute vor mir, durchweg Chinesen, schauten angewidert, aber nicht sonderlich überrascht zu. Ich stieg über die Absperrung und ging auf das Taxi zu, während die letzten beiden gerade einstiegen, und legte einem von ihnen die Hand auf den Arm. Er war groß und roch nach Bier. Er trug einen Ring im Ohr.

»Entschuldigen Sie, dies ist eine Warteschlange, wir stehen hier alle schon eine ganze Weile.«

Der junge Mann hielt inne und drehte sich um.

»Was geht mich das an, du Arsch«, sagte er.

»Sie sind noch nicht an der Reihe. Vielleicht war Ihnen das nicht klar. Bitte steigen Sie aus und lassen Sie anderen den Vortritt.«

Er hob die Hand. Wir waren etwa gleich groß, aber er muß etwa zwanzig Kilo schwerer gewesen sein. Er spreizte die Finger, legte sie mir auf die Brust und schubste mich. Ich wich ein, zwei Schritte zurück. Einer seiner Freunde stieg aus, dann noch einer und noch einer. Sie kamen hinzu. Der erste schubste mich wieder.

»Du willst mir Vorschriften machen, du Penner? Na komm schon, du willst mir Vorschriften machen?«

Bei jedem Schubser wich ich weiter zurück. Ich sagte nichts mehr. Er wurde immer wütender, steigerte sich in irgend etwas hinein. Er erinnerte mich an die japanischen Soldaten, die sich während des Krieges in eine künstliche Wut hineinsteigern konnten. Ich war ganz sicher, daß er zuschlagen würde.

In diesem Moment trat von hinten ein junger, vielleicht achtzehnjähriger Chinese heran, der aber nicht in der Schlange gewartet hatte. Er war sauber gekleidet und wirkte drahtig. Er sagte, und es klang wie ein Satz aus dem Englisch-Lehrbuch:

»Kann ich Ihnen helfen?«

»Verpiß dich, Chinky«, rief einer der jungen Engländer, der bislang nicht gesprochen hatte. Auch er hatte eine Fahne. Der Hochgewachsene musterte den jungen Chinesen kurz und wandte sich dann wieder mir zu. Sein Gesicht war dicht vor meinem, die Augen blutunterlaufen. Er hob die Arme, streckte sie mir vor die Brust und wollte wieder zustoßen, als der junge Chinese näher trat, ausholte und auf die gestreckten Arme einschlug. Es ging alles blitzschnell. Der Mann, der mich eben noch fortschubsen wollte, kniete plötzlich auf der Erde und brüllte, beide Arme schlenkerten ihm am Leib. Ein zweiter Engländer machte einen Schritt rückwärts, dann vorwärts, hob die Rechte und holte aus. Der Chinese, der sich diesmal in einem ganz anderen Tempo bewegte, trat vor und schlug ihm mit dem Handballen auf die Nase, die sofort stark zu bluten anfing. Der Mann sank zu Boden.

»Verdammte Scheiße, einer von diesen Kung-Fus«, rief der dritte. Sie drehten sich einfach um und gingen raschen Schritts zur Tramstation, ohne sich um ihre beiden Freunde zu kümmern. Der junge Chinese nahm meinen Arm und bugsierte mich in das Taxi.

»Entschuldigen Sie uns«, sagte er zu den Wartenden. So viele unverhohlen staunende, gaffende Gesichter hatte ich noch nie gesehen. Der junge Mann sagte etwas, was ich nicht hören konnte, zum Fahrer, der ein wenig unwillig schien, diesen speziellen Passagier aber auch nicht abweisen wollte. Es dauerte eine Weile, bevor ich den Mund aufmachen konnte.

»Vielen Dank, aber wer sind Sie?« fragte ich.

Der junge Mann sagte, in sorgfältigem Schulenglisch, als hätte er es oft geübt: »Ich bin dein Enkel.«

DRITTER TEIL

Schwester Maria

Zhen Lu
Hunan
10. Oktober 1942

Lieber Tom,
es ist eigenartig, Dir zu schreiben. Ich weiß ja überhaupt nicht, ob Du noch lebst. Selbst wenn Du am Leben bist, weiß ich nicht, wo Du bist, ebensowenig wie Du weißt, wo ich bin. Und sollte dieser Brief Dich tatsächlich erreichen, lebe ich vielleicht nicht mehr. Es gibt eine alte chinesische Geschichte, das Lied vom immerwährenden Schmerz, in dem berichtet wird, wie sich der Kaiser in das Reich der Toten begibt, um dort nach der Seele seiner inniggeliebten Gemahlin zu suchen. Sie hatten einander ewige Liebe geschworen. Es ist eine berühmte traurige Geschichte. Auch dieser Brief könnte aus einer alten chinesischen Geschichte sein, denn vielleicht bist Du ja schon längst tot, während ich dies schreibe, oder ich bin tot, wenn Du diesen Brief liest. Wir sind nun füreinander verloren.

Ich habe unser Kind geboren. Wenn diese Zeilen Dich erreichen, wirst Du es wissen. Ich habe ihm den Namen Zhu-Lee gegeben, so hieß mein Vater.

Zhu-Lee ist jetzt zwei Wochen alt. Morgen werde ich ihn Schwester Gabriel anvertrauen, einer Ordensschwester, die mit ihm und einer Amme nach Shen Lo reisen wird, einem Dorf an der Küste von Fukien, wo ich herkomme. Dort leben die Hos. Die beiden haben vor zwei Jahren ihr einziges Kind verloren und können selbst keine

Kinder mehr bekommen. Sie werden Zhu-Lee wie ihr eigenes großziehen. Sie wissen nichts von meiner Schande. Sie werden glauben, ich sei in Hongkong Deine Geliebte gewesen, sei geflohen, um mein Leben zu retten, während Du geblieben bist, um zu kämpfen, und daß ich im Kindbett gestorben bin.

Eine Lüge, heißt es, soll möglichst viel Wahres enthalten. So ist es auch in diesem Fall. Ich war Deine Geliebte. Du bist geblieben, um zu kämpfen. Ein Teil von mir starb im Kindbett. Es ist also eine gute Lüge.

Ich werde nicht im einzelnen schildern, was nach unserer Trennung alles geschah. Es war schwer, sich nach Kanton durchzuschlagen, aber ich nahm dort Kontakt mit der Gemeinschaft auf und erhielt viel Unterstützung. Ich kam in unsere Mission in Szechuan, das nicht unter japanischer Besatzung steht. Dort stellte ich fest, daß ich schwanger war. Schwester Benedicta half mir. Sie schickte mich hierher, zu einer ihr bekannten Familie, und sorgte dafür, daß Schwester Gabriel mir bei der Geburt beistand. Schwester Gabriel ist Hebamme. Es wissen also nur zwei Mitglieder unserer Gemeinschaft, was passiert ist. Pater Lukas, mein Beichtvater, weiß ebenfalls Bescheid, aber er ist an das Beichtgeheimnis gebunden. Abgesehen von dem, was in meinem Herzen ist, kann ich mich, frei von Schande, wieder der Ordensgemeinschaft zuwenden.

Unser Sohn liegt schon den ganzen Tag an meiner Brust. Er ist winzig klein und schön und hat viele Falten. Du wirst dich fragen, wie ich ihn weggeben kann. Die Antwort ist, ich weiß es nicht. Ich weiß nur, daß ich es tun muß. Ich habe meine innere Berufung verraten, aber sie existiert trotzdem. Diesem Ruf kann ich mich nicht entziehen. Dessen bin ich mir völlig sicher, auch wenn ich es nicht erklären kann. Da ich ahne, daß Du das nicht verstehen wirst, bitte ich Dich einfach, es als Tatsache zu akzeptieren. Solltest Du Dich fragen, ob ich meinen Sohn überhaupt liebe, so kann ich nur sagen, daß meine Gefühle für ihn so tief sind, daß ich das Geschehene nicht bedaure, mit allen Konsequenzen.

Ich habe mich oft gefragt, warum ich das getan habe. Warum wir das getan haben. Eine Zeitlang war ich überzeugt davon, mich hingegeben zu haben, weil Du mich nicht verlassen solltest. Ich hielt es für meine Pflicht, Deine Rückkehr nach Hongkong zu verhindern. Ich habe das wirklich so empfunden. Aber das war nicht der Grund für mein Handeln. Die Antwort ist: Ich habe es getan, weil ich es wollte. Das sollst Du wissen.

Diesen Brief wird unser Sohn Dir überbringen, wenn er erwachsen ist und beschließen sollte, nach Dir zu suchen. Wenn diese Zeilen Dich finden, sollst Du entscheiden, was Du ihm sagst.

Mir graut vor morgen – mehr noch, als mir damals vor unserem Auseinandergehen graute. Gott ist Liebe. Doch die Liebe kann manchmal schrecklich sein.

Deine

Zhang Sha-Mun (Schwester Maria)

VIERTER TEIL

Matthew Ho

Erstes Kapitel

»Ein kluges Karnickel hat drei Höhlen«, sagte mein Schwiegervater. Das ist einer seiner Lieblingssprüche. 1996, ein Jahr vor der Übergabe, sahen wir uns im Sydneyer Vorort Mosman ein Haus an.

»Angenehmes Viertel«, sagte meine Frau. »Fünf Minuten zur Fähre. Meerblick. Gutes *feng shui*. Hier wohnen viele Chinesen, das heißt, es gibt gute Supermärkte und Restaurants. Gute Schulen. Die Gegend ist sicher. Subtropisches Klima wie in Hongkong, aber mehr Tage mit blauem Himmel. Außerdem ist der australische Dollar sehr schwach, für einen Kauf also genau die richtige Zeit.«

»Aber wenn wir das Haus erst einmal gekauft haben, wird ein Großteil unseres Besitzes in dieser schwachen Währung angelegt sein«, sagte meine Schwiegermutter. »Der Hongkong-Dollar ist an den US-Dollar gebunden. Er ist stark. Der australische Dollar ist schwach. Die Wirtschaft gründet auf Rohstoffexporten. Der Wert unserer Kapitalanlagen könnte sinken.« Schwiegermutter und Schwiegervater waren vor ihrer Pensionierung Mathematiklehrer gewesen.

»Sydney ist doch eine attraktive Stadt«, sagte ich. »Die Zukunft Hongkongs ist ungewiß. Im Gegensatz zu Sydney. Immobilien werden hier nicht an Wert verlieren. Das Haus ist groß genug für uns alle. Überlegt mal, wie wenig wir in Hongkong für fünf Millionen Dollar bekommen. Hier haben wir viel mehr Platz. Schwiegervater hat einen Garten. Da kann er Tai Chi praktizieren. Für Schwiegermutter gibt es diverse soziale Aktivitäten, denen sie nachgehen kann. Mei-Lin wird in eine gute Schule gehen. Die Lebenshaltungskosten sind niedriger als in Hongkong. Und wenn wir nach einiger Zeit finden, daß es uns nicht gefällt und sich die Lage in Hongkong nicht wesentlich verändert hat – dann kehren wir eben wieder zurück.«

Meine Frau und ich waren übereingekommen, daß wir unter keinen Umständen zurückkehren würden, ihren Eltern wollten wir diese Option aber offenhalten.

»Die Luft hier ist gut«, sagte Schwiegervater. Wir wußten, daß er leichter zu überzeugen wäre.

»Und den Vertrag in Sha Tin braucht ihr auch nicht zu kündigen«, sagte meine Frau.

»An den Überlegungen, die für einen Wegzug aus Hongkong sprechen, hat sich nichts geändert«, sagte ich.

»Mei-Lin hat schon gesagt, daß es ihr hier gefällt«, fügte meine Frau hinzu. Das stimmte. Meine Tochter hatte schon eine kleine Kollektion von Koalas und Känguruhs.

»Welche Alternative gibt es denn noch, außer in Hongkong zu bleiben?« fragte ich.

»Dein Großvater bleibt«, sagte Schwiegermutter. Wenn sie so konterte, mußte ich innerlich schmunzeln, denn es bedeutete, daß sie einverstanden sein würde.

»Für ihn ist es etwas anderes«, sagte ich.

Schwiegermutter trat vor die Tür. Unten in der Bucht studierten zwei Australier den Mast einer Jacht, während ein dritter, ziemlich weit oben, ein paar Seile richtete. Kein Wölkchen war am Himmel. Zwei Häuser weiter spielten Kinder. Meine Mutter, die ebenfalls gekommen war, hatte bis jetzt geschwiegen.

Sie sagte: »Es ist weit weg von China.«

»Eine Million australische Dollar ist ein guter Preis«, sagte meine Frau.

»Hier sind wir sicher«, sagte ich.
Schwiegervater sah sich um und nickte.
»Ein kluges Karnickel hat drei Höhlen«, sagte er.

Zweites Kapitel

Ich wurde in Shen Lo geboren, einem Dorf an der Küste von Fujian, und wuchs dort auf, bis ich acht war. Unsere Familie stammt ursprünglich aus Shen Lo. Großmutter war als junges Mädchen aus Fujian weggegangen und hatte eine Missionsschule besucht. Sie lebte dann in Hongkong, wo sie meinen Großvater kennenlernte und sich in ihn verliebte. Als der Krieg ausbrach, blieb Großvater in Hongkong und kämpfte gegen die Japaner, während Großmutter von ihm gedrängt wurde, sicherheitshalber nach China zu gehen. Er schenkte ihr eine goldene Halskette, die sie verkaufen sollte, falls sie in Not war. Daß Großmutter von ihm schwanger war, wußten beide nicht. Ihr Kind, mein Vater, kam im September 1942 zur Welt. Großmutter starb kurz darauf, aber in dem Wissen, daß sie einen gesunden Sohn geboren hatte. Mein Vater erbte die Halskette. Und auch einen Brief von Großmutter an Großvater, den ihr Sohn überbringen sollte, falls er ihm irgendwann begegnen sollte.

Nach Großmutters Tod kam mein Vater nach Shen Lo zu den Hos, einem Ehepaar, das ihn wie einen eigenen Sohn großzog. Der Mann war Lehrer, aber es waren so schwere Zeiten, daß er als Fischer arbeiten mußte, um die Familie zu ernähren. Nach dem Sieg der Kommunisten besserte sich die Lage allmählich, so daß er wieder unterrichten konnte. Mein Vater war ein gescheiter, sehr begabter, aber etwas kränklicher Junge. Später studierte er in Beijing Mathematik. An der Universität lernte er meine

Mutter kennen, die aus Beijing kam und ebenfalls Mathematik studierte. Ihre Eltern waren Parteifunktionäre. Die beiden verliebten sich und heirateten, gegen den Willen ihrer Eltern. Die Haltung der Eltern führte dazu, daß sie Beijing verließen, sobald mein Vater das Examen gemacht hatte, auch wenn meine Mutter noch nicht mit dem Studium fertig war. Mein Vater hätte an der Universität eine Stelle als Dozent gefunden, weil damals aber das bäuerliche Leben einen großen Stellenwert besaß, beschlossen meine Eltern, nach Shen Lo zu gehen und dort als Dorflehrer und Krankenschwester zu arbeiten. Das Klima an der Küste war weniger streng als in Beijing, das kam meinem Vater entgegen. Meine Eltern waren zufrieden in Shen Lo.

1966 wurde ich dort geboren. Meine früheste Erinnerung an das Dorf ist der öffentliche Garten hinter unserem Haus und daß mein Vater dort Brokkoli anbaute. Überall im Dorf konnte man das Meer riechen. Mein Vater war ein großer, schlanker Mann mit Brille, der alte chinesische Geschichten erzählte und mit den Händen und dem Licht einer Laterne Schattenfiguren machte. Manchmal bekamen meine Eltern Schweinefleisch oder Fisch von Leuten geschenkt, denen sie geholfen hatten. Doch als die Kulturrevolution ausbrach, wurde mein Vater anonym bei den Roten Garden denunziert. Er mußte vor den Schülern erniedrigende Selbstkritik üben und kam dann in ein Umerziehungslager nach Hunan. Das Klima dort tat seinen Lungen nicht gut, und die Arbeit war sehr hart. Man schikanierte ihn, weil er nicht wie ein typischer Chinese aussah. Nach sechs Monaten wurde meiner Mutter mitgeteilt, daß er gestorben war. Das war 1969, als ich drei war. Meine Mutter erbte die Halskette und den Brief.

Weil meine Mutter arbeiten mußte, war ich oft bei meiner Großtante. Schulunterricht gab es nicht. Die Roten Garden hatten das Bildungssystem zerschlagen. Meine Großtante brachte mir und noch ein paar anderen Dorfkindern Lesen und Schreiben bei, wegen der Denunziationsgefahr aber immer nur sehr wenigen und auch nur Kindern von Leuten, die sie gut kannte. Die Roten Garden hielten oft Versammlungen mit den Dorfkindern ab. Dabei wurden Lieder gesungen und Parolen gerufen, und jeder wurde ermahnt, konterrevolutionäre Elemente zu melden. Wenn die Rotgardisten brüllten, wurden ihre Gesichter ganz klein und die Augen ganz groß. Einer, er hieß Chen, hatte mich auf dem Kieker. Er sagte, mein Vater habe die Revolution verraten und deswegen würde auch ich versuchen, die Revolution zu verraten, ich müsse also meine Loyalität beweisen. Die Rotgardisten redeten von der permanenten Revolution. Die Leute waren zuerst überzeugt und machten mit, verloren aber allmählich den Glauben und engagierten sich nicht mehr. Oder taten nur überzeugt. Das merkten die Rotgardisten, und dann erregten sie sich noch mehr.

»Was willst du mal werden?« fragte mich meine Mutter eines Tages, nachdem sie von einem Patientenbesuch zurückgekommen war. Wir standen in der Küche, sie wusch Gemüse. In diesen Tagen waren mehrere Leute an Diphtherie gestorben. Ich war acht damals. Ich sah, daß meine Mutter sehr erschöpft war.

»Traktorist oder Fischer.«

»Nicht Arzt oder Ingenieur?«

»Die werden zur Arbeit aufs Land geschickt. Es ist besser, man hat seinen eigenen Hof.«

Sie beugte sich wieder über die Spüle.

Ein paar Tage später erklärte meine Mutter, wir würden zu Verwandten nach Guangzhou fahren, wenn ich etwas mitnehmen wolle, solle ich es in ihre Tasche stecken. Ich sagte, daß ich von Verwandten in Guangzhou überhaupt nichts wisse, aber sie sagte nur, daß ich vieles nicht wüßte. Ich nahm ein Geschenkpäckchen, das mein Vater mir einmal zum neuen Jahr gegeben hatte. Darin war eine Anstecknadel mit einem roten Stern, die ich einmal bei einem Wettlauf gewonnen hatte. Meine Mutter packte die ganze Nacht.

Am nächsten Morgen, es war noch dunkel, weckte sie mich, zog mir neue Sachen an, die ich noch nie gesehen hatte, gab mir etwas Suppe zu essen und sagte, daß wir jetzt aufbrechen müssen und daß es ein langer Tag wird. Wir gingen eine lange Strecke, weiter als ich je gekommen war, immer durch die Reisfelder, wo die ersten Leute schon arbeiteten, bis wir eine Straße erreichten. Dort warteten wir. Bei Sonnenaufgang kam ein Omnibus. Er war laut und schüttelte einen hin und her, daß ich das Gefühl hatte, mir fallen die Zähne aus. Ich war ganz aufgeregt, meine Mutter aber sehr ruhig. Sie gab dem Fahrer Geld, und dann setzten wir uns neben eine alte Frau mit vielen Goldzähnen, die ein Huhn auf dem Schoß hatte. Ich setzte mich ebenfalls bei meiner Mutter auf den Schoß. Als die alte Frau meine Mutter fragte, ob sie das kleine Hühnchen gegen ihres tauschen wolle, lächelte meine Mutter, aber ich hatte Angst.

Die Busfahrt dauerte lange. Wir fuhren durch Felder und dann wieder die Küste entlang. Immer mehr Leute stiegen zu. Es wurde heiß, und ich bekam Hunger. Meine Mutter gab mir etwas Reis, der in einem Blatt eingewickelt war. Die alte Frau sah mich an, natürlich wollte sie von meinem Reis etwas abhaben, aber ich gab ihr nichts. Die Reise schien kein Ende zu nehmen. Wir kamen in eine Stadt, so groß, wie ich noch keine gesehen hatte. Innerhalb einer Stunde sah ich mehr Leute, als ich bis dahin in meinem ganzen Leben gesehen hatte. Wir gingen eine Weile, bis wir zu einem Bahnhof kamen. Dort war großer Lärm und großes Durcheinander, Menschen liefen hin und her. Ich hatte wieder Angst, aber meine Mutter schien zu wissen, was zu tun war, und das beruhigte mich.

Wir warteten in der großen Halle dieses riesigen Gebäudes und stiegen irgendwann in einen Zug. Der war noch voller als der Bus. Wieder setzte ich mich bei meiner Mutter auf den Schoß. Aber die Leute waren netter als die im Bus, besonders als wir endlich losfuhren. Wenn sie uns fragten, wohin wir fuhren, kniff mich meine Mutter in den Arm und sagte mit ruhiger Stimme, daß wir Verwandte besuchen wollten. Man kam ins Gespräch. Bei einem Halt stiegen Polizisten und Rotgardisten ein, aber der Zug fuhr nicht weiter. Die Rotgardisten sprachen kein Wort. Die Polizisten wollten die Ausweise sehen und stellten Fragen, aber nicht bei jedem. Vor meiner Mutter blieben sie stehen.

»Deine Papiere!« sagte ein Polizist zu meiner Mutter. Er studierte ihre Dokumente. Dann beugte er sich zu mir herunter. Er war groß, er kam aus dem Norden, und sein Atem roch nach Reiswein.

»Wohin fährst du denn, mein Kleiner?«

»Zu Verwandten in Guangzhou«, sagte ich.

»Was sind das für Leute?«

»Das hat mir noch keiner erzählt.«

Er und die anderen Polizisten lachten. Er richtete sich wieder auf und gab meiner Mutter die Papiere zurück, die Augen schon auf der Suche nach dem nächsten, den er fragen würde. Meine Mutter drückte mich an sich, ich spürte, wie ihr Herz klopfte. Solange die Polizisten und Rotgardisten im Abteil waren, sprach niemand. Dann zischte die

Lokomotive laut, der Zug setzte sich mit einem Ruck in Bewegung und verließ den Bahnhof. Meine Mutter atmete tief durch. Die Leute unterhielten sich wieder und teilten ihren Reiseproviant untereinander. Allmählich wurde es dunkel. Ich wollte ein bißchen auf und ab gehen, doch der Zug war viel zu voll. Die Leute schimpften, wenn ich mich an ihnen vorbeidrängte. Ein Junge, der in meinem Alter war, sagte, er würde mich verprügeln, wenn ich in seinem Dorf wohnen würde. Seine Mutter lachte nur.

Wir fuhren die ganze Nacht und noch weit bis in den nächsten Tag hinein, und als wir in Guangzhou ankamen, hatten wir unseren ganzen Proviant aufgegessen. Meine Mutter war noch nie in Guangzhou gewesen, und selbst ich spürte, daß sie nervös war. Wir versuchten, einen Stadtplan zu finden, aber im Bahnhof gab es keinen. Schließlich näherten wir uns einer Frau, die ihr schweres Gepäck für einen Moment abgestellt hatte. Meine Mutter zeigte ihr einen Zettel mit einer Adresse. Die Frau sprach mit meiner Mutter in einem Dialekt, den ich nicht kannte, und zeigte dabei in eine Richtung. Wir gingen zu Fuß weiter. Ich erinnere mich nur noch, wie sehr ich mich danach sehnte, fliegen zu können. Ich stellte mir vor, ich würde in die Luft aufsteigen und überall hinfliegen können und meine Mutter mitnehmen. Schließlich kamen wir zu einer Siedlung, die genauso aussah wie die neuen Häuser in unserem Dorf, nur hundertmal größer. Alles war sehr häßlich. Meine Mutter holte den Zettel mit der Adresse heraus, setzte mich auf eine Bank, wo sie mich im Blick hatte, und sah sich um. Ein Mann spuckte, er verfehlte uns knapp. Das Haus war das letzte der Siedlung. Meine Mutter gab mir ein Zeichen, dann stiegen wir die Treppe hinauf. Es roch dort nach Essen, so daß ich ganz hungrig wurde. Ich war noch nie so viele Stufen hochgestiegen.

Dann klopfte meine Mutter vorsichtig an eine Tür. Eine Frau machte auf und sah meine Mutter an. Sie schien lachen zu wollen, aber ihr Gesicht war traurig.

»Ah Chan, du bist es«, sagte sie.

»Ja«, sagte meine Mutter. »Das ist Ah Man«, sagte sie und hielt meine Hand hoch. Die Frau bückte sich zu mir.

»Ich bin deine neue Tante Wen«, sagte sie. »Deine Mutter und ich waren wie Schwestern.« Dann sah sie meine Mutter an. »Kommt rein.«

Tante Wen lebte mit ihrem Mann und ihrem neun Monate alten Baby in einer Einzimmerwohnung. Manchmal war auch ihre Mutter bei ihnen, aber nicht in diesem Moment, und auch ihr Mann war nicht da. Ich saß da und trank Zuckerwasser, während die beiden Frauen an der Spüle standen und leise miteinander sprachen. Das Baby war fett und lächelte mich an. Die beiden Frauen hatten leuchtende Augen. Meine Mutter sah jünger aus. Als draußen Schritte zu hören waren, ging Tante Wen zur Tür und schlüpfte nach draußen. Wenig später kam sie mit einem Mann zurück, das war ihr Mann. Er trug eine Schirmmütze mit einem roten Stern darauf. Das war das letzte, was ich noch wahrnahm, bevor ich einschlief.

Als ich aufwachte, war es hell, und der Mann war schon zur Arbeit gegangen. Das Baby hockte auf dem Boden, Tante Wen kochte Reis.

»Wir dachten schon, du wachst nie mehr auf«, sagte sie. »Deine Mutter ist jemanden besuchen gegangen, sie ist bald wieder zurück.«

»Bist du aus Beijing?« fragte ich sie. Ich wußte, daß meine Mutter aus Beijing war. Tante Wen lächelte.

»Nein, ich bin von hier, aber ich habe in Beijing studiert. Dort habe ich deine Eltern kennengelernt.«

»Mein Vater ist tot.«

»Er war ein guter Mensch. Wenn du so wirst wie er, wirst du auch ein guter Mensch sein.«

»Ja, ich weiß.«

Ich versuchte, dem Kind Fischerlieder aus Fujian beizubringen, aber es war noch zu klein, so daß ich sie ihm einfach vorsang. Am Nachmittag kam meine Mutter zurück. Sie sah mich an und sagte:

»Hoffentlich hast du nicht den ganzen Reis von Tante Wen aufgegessen.«

»Er war so hungrig«, sagte Tante Wen. Ich hatte sechs Schalen Reis mit Gemüse gegessen. »Hast du alles gefunden?«

Meine Mutter sagte: »Ich glaube ja.«

Wir blieben noch zwei Tage in Guangzhou. Ich ging nur selten nach draußen, weil wir die Nachbarn nicht neugierig machen wollten. Am dritten Abend verabschiedeten wir uns von Tante Wen und ihrem Baby. Ihr Mann war sichtlich froh, daß wir wieder gingen. Unten auf der Straße begegneten wir einem mir unbekannten Mann, der nur drei, vier schwarze Zähne hatte und mir nicht sympathisch war. Er ging mit uns zu einem Hof, auf dem viele Lastwagen standen. Das Vorhängeschloß am Tor war nicht verschlossen, so daß der Mann es mit einem Stück Draht aufbekam. Wir gingen hinein. Bei einem der Lastwagen hob er die Plane an und gab mir ein Zeichen, hinaufzuklettern. Ich wollte nicht, aber meine Mutter sagte, ich könne ruhig hochklettern, ich sollte keine Angst haben. Es war ganz dunkel unter der Plane, aber ich sah, daß in den Kisten Maschinen waren. Dann kletterte meine Mutter hinterher und dann der Mann. Meine Mutter fragte ihn, wie lange es dauern würde, er sagte nur, es geht los, wenn es losgeht. Soviel hatte er noch nie am Stück geredet, und ich war ganz überrascht, daß er Fujian-Dialekt sprach. Ich dachte, wir müßten lange warten, aber schon bald hörten wir jemanden vorübergehen, sich räuspern und ausspucken. Dann stieg dieser Mann ein. Der Motor sprang an, der Lastwagen zitterte, und dann fuhren wir los.

Zuerst war es laut und eng, aber bequemer als im Zug. Jedenfalls in der Umgebung von Guangzhou, dort waren die Straßen besser. Doch allmählich wurden die Straßen holpriger, und die Kisten rutschten hin und her. Meine Mutter stemmte sich mit einem Fuß gegen die Bordwand und mit dem Rücken gegen die Kisten, so daß sie nicht auf uns einstürzten. Nach einer Weile gab sie mir von dem Proviant, den sie und Tante Wen vorbereitet hatten, etwas Reis und ein Stückchen Hühnerkeule. Der Mann trank Schnaps aus einer Flasche, die er in einem kleinen Beutel über der Schulter trug.

Die Fahrt dauerte Stunden. Meine Mutter lächelte mir zu, ich sah ihre Zähne im Dunkeln. Dann blieb der Lastwagen stehen. Ich hörte, wie die Fahrertür aufging und der Fahrer ausstieg und sich entfernte. Der Mann, der bei uns war, rutschte nach vorn an die Plane und spähte hinaus, kletterte dann hinunter und gab uns ein Zeichen, ebenfalls herunterzusteigen. Ich konnte mich aber nicht bewegen, denn meine Beine waren eingeschlafen. Der Mann stieg fluchend wieder hoch und stellte mich auf die Beine, bis das Blut wieder floß. Das tat weh. Dann kletterten wir herunter. Wir waren irgendwo mitten in einem Reisfeld, etwa fünfzig Meter von uns entfernt war ein kleiner Schuppen, der wie eine Busgarage aussah. Dorthin mußte der Fahrer gegangen sein. Der Mann duckte sich und bewegte sich mit raschen Schritten auf einem Damm durch das Feld. Ich ging hinter ihm her und hinter mir meine Mutter. Die Felder lagen unterschiedlich hoch und waren durch Erdwälle unterteilt, so daß wir vom Lastwagen aus bald nicht mehr zu sehen waren. Der Mann ging nun etwas langsamer und holte Atem. Er keuchte. Dann gingen wir weiter. Es war Viertelmond, so daß es nicht völlig dunkel war, außer wenn er hinter den Wolken verschwand. Ein paarmal mußten wir stehenbleiben, weil es so dunkel war. So ging es eine ganze Zeit. Dann blieb der Mann plötzlich stehen, daß ich mit ihm zusammenstieß.

»Wir sind da«, sagte er. »Jetzt macht ihr einfach, was ich euch gesagt habe.«

»Ich erinnere mich«, sagte meine Mutter, aber sie schien nicht sehr überzeugt.

»Das hier ist der Ort«, sagte der Mann. Nach einer Weile griff meine Mutter in ihre Jacke und holte etwas heraus, das wie ein Stück Schnur aussah. Dann wurde mir klar, daß es die Halskette war. Sie legte sie dem Mann in die Hand. Seine Anspannung schien sich zu legen.

»Hier sind garantiert keine Soldaten«, sagte er. »Der Zaun ist aufgeschnitten. Laß das Floß dort, wo ich gesagt habe. Der Weg ist leicht zu finden. Und denk dran, Boundary Street. Aber paß auf die Affen auf.« Dann verschwand er. Er hatte sich nicht einmal verabschiedet.

»Welche Affen?« fragte ich.

»Das war nur ein Scherz. Wir müssen weiter, es wird bald hell«, sagte meine Mutter. Sie kniete hin und nahm mich in die Arme. Sie zitterte. Dann stand sie wieder auf, und wir gingen weiter.

Wir kamen durch viele Felder. Manchmal machte der Pfad eine kleine Biegung. Einmal umrundeten wir fast ein Feld. Dann kam Sumpfgebiet. Da wir sowieso schon durchnäßt waren, machte uns das nichts aus. Meine Mutter ging jetzt langsamer. Wir kamen zu einem niedrigen Drahtzaun mit spitzen Stacheln, aber meine Mutter fand nach einer Weile die zerschnittene Stelle. Sie drückte die

Öffnung auseinander, so daß ich durchsteigen konnte, und folgte mir. Sie schnitt sich am Bein, aber es war nicht schlimm. Das Wasser hier war tiefer. An einem kleinen Baum fand meine Mutter ein Floß, das aus Holzplanken zusammengezimmert war. Sie half mir, hinaufzusteigen, und stapfte dann ins Wasser hinaus. Der Mond hatte sich hinter einer Wolke versteckt, es war stockdunkel. Im nächsten Moment schwamm sie, machte heftige Bewegungen mit den Beinen, weil die Strömung uns seitlich wegzog. Sie keuchte und prustete und schluckte Wasser. Der Fluß war viel kälter, als ich erwartet hatte.

»Du kannst gut schwimmen, Mutter«, sagte ich laut, obwohl sie mir gesagt hatte, ich soll leise sein. Sie strampelte und hustete. Dann konnte sie auf dem Boden stehen. Sie wartete einen Moment, bewegte sich dann weiter und stieß einen leisen Schrei aus.

»Ich dachte, ich bin hängengeblieben«, sagte sie. Wir waren am anderen Flußufer. Ich stapfte zu dem niedrig stehenden Schilf, während meine Mutter das Floß in das Schilf schob und mir in geduckter Haltung folgte. Sie hustete, ihre Brust hob und senkte sich. Als sie wieder sprechen konnte, flüsterte sie:

»Wir müssen jetzt ganz, ganz vorsichtig sein, bis wir hinter den Reisfeldern sind. Wenn ich stehenbleibe, bleibst du auch stehen und bewegst dich erst, wenn ich es dir sage. Wenn ich mich auf die Erde lege, mußt du dich auch hinlegen, du darfst dich nicht rühren und kein Geräusch machen.«

»Ist das wegen der Affen?« fragte ich. Ich wußte, daß es damit zu tun hatte.

»Tu, was ich dir sage«, sagte sie.

Wir überquerten auch diese Felder. Hier gab es noch weniger Deckung als auf dem anderen Ufer. Vor mir sah ich Berge. Von dort konnte man uns bestimmt leicht beobachten. Aber es war noch immer stockdunkel. Ein-, zweimal rutschte ich aus, dann legte mir meine Mutter die Hand auf den Rücken, damit ich ganz still liegenbleibe, bis das Geräusch des plätschernden Wassers wieder verschwand. Es war so laut. Ich war überzeugt, daß man uns meilenweit hören konnte. Dann passierte meiner Mutter dasselbe, sie fiel hin, blieb ruhig liegen. Ich dachte schon, sie könnte sich verletzt haben, ich wollte zu ihr hin, aber sie gab mir mit der Hand ein Zeichen, daß ich mich nicht bewegen sollte. Ihr war also nichts passiert. Sie blieb eine Weile so liegen. Dann richtete sie sich wieder auf und bewegte sich vorwärts. Vor uns flatterte ein Vogel auf. Ein Mann trat aus dem Schilf hervor. Er war nur wenige Schritte von uns entfernt. Er hatte ein breites Gesicht und lange Arme. Er trug eine Art Mütze auf dem Kopf und hielt ein Gewehr in der Hand. In seinem Gürtel steckte ein langes Messer. Ich griff sofort nach der Hand meiner Mutter. Er sah nicht wie ein Affe aus, sondern wie ein Kämpfer. Er stand einfach da und sah zu uns herüber. Der Mond war wieder hervorgetreten. Der Mann musterte uns noch immer. Ich wußte nicht, daß man so unbeweglich dastehen kann. Dann drehte er sich um und ging davon, völlig lautlos.

Am Mittag hatten wir die Boundary Street erreicht.

Jahre später, als ich Großvater von unserem Grenzübertritt erzählte, sagte er: »Ich hatte schon immer eine Schwäche für die Gurkhas.«

Drittes Kapitel

In der ersten Zeit kamen meine Mutter und ich bei Verwandten in Mongkok unter. Ein Cousin meiner Mutter, ein lokaler Funktionär der Kuomintang, war 1949 nach Hongkong geflohen. Er hatte eine Schußwunde an der Lende, auf die ich manchmal einen Finger legen durfte. Später, als ich eine Narbe von der Pockenimpfung hatte, tat ich so, als wäre das auch eine Schußwunde.

Wir wohnten alle in einem Zimmer im achten Stock eines Wohnblocks. Bald fand meine Mutter eine Stelle in einer Apotheke, und dann wurde uns eine eigene Wohnung zugeteilt, außerhalb der Warteliste. Wie wir das schafften, ist mir nicht klar. Aber der Cousin meiner Mutter hatte einen wichtigen Posten in der Elektrikergewerkschaft, er hatte seine alten Kuomintang-Beziehungen und saß auch im Mieterbeirat. Ich ging richtig zur Schule. Dank des Unterrichts meiner Großtante war ich ziemlich gut in Mathematik, aber mein Kantonesisch war nicht besonders, und die Leute lachten über meinen Akzent. Der Cousin meiner Mutter brachte mir Wing Chun bei, das ist ein Kampfsport, so daß ich mich bei Schlägereien, in die ich ein paarmal geriet, durchsetzen konnte. Fujianesen waren als besonders zäh bekannt. Eine Weile hatte ich Kontakt zu einer Gruppe von anderen Fujianesen, und die Geschichte hätte schwierig werden können. Meine Mutter wußte nichts davon. Ich bekam aber ein Stipendium für eine Oberschule und hatte dann mit diesen Jungs nichts mehr zu tun. Meine Mutter freute sich sehr über das Stipendium.

Wegen der Kulturrevolution hatte ich nie eine Schule besucht. Nachdem ich meine ersten Kämpfe gewonnen hatte, stellte ich fest, daß ich gern zur Schule ging. Die Lehrer waren streng, aber konsequent, und das gab mir Sicherheit. Meine Mutter war glücklicher als in Shen Lo. Sie erzählte mir einmal, daß ihr bei der Ankunft in Hongkong klargeworden war, daß sie in den fünf Jahren davor jeden Tag Angst gehabt hatte. Ich vermißte das Leben am Meer, die Luft und die Fischerboote. Ansonsten war es in Hongkong aber besser. Die Yips, die zwei Wohnungen in unserem Stockwerk hatten und zehn Jahre zuvor aus Guangzhou gekommen waren, nahmen uns in ihre große Familie auf. Ich spielte die ganze Zeit mit Yip Xu, der eine Woche älter war als ich. Ich half ihm bei den Schulaufgaben, dafür ließ er mich auf seinem Fahrrad fahren. Meine Mutter wurde Leiterin einer Filiale der Apotheke in Tsim Sha Tsui. Sobald sie gut genug Kantonesisch sprach, lernte sie in der Abendschule Englisch.

Zwei Tage nach dem chinesischen Neujahr 1984 kam meine Mutter herein, während ich über meinen Büchern saß und mich auf den Schulabschluß vorbereitete. Ich erinnere mich noch gut an diesen Moment, weil ich mir von meinem Geld für das neue Jahr gerade einen Casio-Taschenrechner gekauft hatte, meinen ersten Taschenrechner mit LCD-Display. In dem Jahr wurde ich achtzehn. Ich wollte an der chinesischen Universität bei Sha Tin Elektroingenieur studieren.

»Ah Man, kann ich mit dir reden?« sagte meine Mutter. Ich kannte diese Formel – es ging also um etwas wirklich Wichtiges und nicht um eine belanglose Sache oder einen kleinen Rüffel. Ich stellte den Rechner aus. »Erinnerst du dich daran, was wir dir früher über Großvater erzählt haben – den Vater deines Vaters?«

»Natürlich.«

In meiner Kindheit hatte ich von der großen Liebesbeziehung gehört und daß Großvater in Hongkong geblieben war, um gegen die japanischen Angreifer zu kämpfen.

»Es gibt etwas, was ich dir nicht erzählt habe. Als du noch klein warst, wußte ich es nicht. Ich habe es erst in Hongkong erfahren und war mir unschlüssig, wann ich es dir sagen sollte. Also habe ich mir gesagt, ich warte, bis du achtzehn bist. Ich werde dir nicht vorschreiben, was du tun sollst, aber ich glaube, es ist Zeit, daß du Bescheid weißt. Es geht um folgendes: Dein Großvater lebt noch. Er lebt hier in Hongkong.«

»Ich dachte, er ist im Kampf gegen die Japaner gefallen?«

»Ja, so ging die Geschichte, aber es stimmte nicht.«

Sie gab mir ein Stück Papier. Darauf stand: Tom Stewart, Hotel Deep Water Bay, Deep Water Bay Road, Hongkong.

»Wieso …?«

»Mein Cousin kannte die Geschichte. Ein Freund von ihm hat in dem Hotel etwas repariert und jemanden erwähnt, dessen Name ihm bekannt vorkam. Er hat den Mann erkannt. Während des Kriegs war er mit ihm im Gefängnis.«

Ich wußte nicht, was ich tun sollte. Mein erster Gedanke war, daß ich mit dem Mann unmöglich sprechen konnte. Er hatte mit mir doch nichts zu tun. Ich war ärgerlich, so als hätte er schuld an etwas. Dieses Gefühl verging aber rasch. Er hatte mir ja nichts getan. Dann überlegte ich, daß er, wenn ich ihn besuchen gehe, mir einfach nicht abnehmen wird, daß ich sein Enkel bin. Jeder aus dem Dorf meiner Großmutter konnte das behaupten. Ich konnte ein Betrüger sein. Vielleicht war ich nur an seinem Erbe interessiert. Ich würde ihn besuchen, und er würde nichts mit mir zu tun haben wollen. Ich lag im Bett und stellte mir das alles vor. Am nächsten Morgen stand ein Briefumschlag neben meinem Bett. Ich erkannte ihn, es war der Brief, den Großmutter während des Krieges an Großvater geschrieben hatte, als sie in China war und er in Hongkong, und sie nicht wußten, ob der andere noch lebte.

Ich fuhr mit dem Bus bis Deep Water Bay, um mir das Hotel anzusehen. Es war ein langgestrecktes, niedriges Gebäude oberhalb der Straße. Ich ging die Auffahrt hinauf. Ein uniformierter Chinese putzte ein Auto. Ich hatte mir keinen Plan zurechtgelegt und wußte nicht, was ich tun sollte, also kehrte ich wieder um. Ich wartete an der Bushaltestelle, ließ zwei Busse vorbeifahren. Dann sah ich einen Europäer die Auffahrt herunterkommen, mir entgegen. Er ging hinunter zum Strand. Er war alt, hielt sich aber sehr gerade. Er hatte weißes Haar und eine große Nase. Er ging schnell und bewegte die Arme. Unsere Blicke begegneten sich, als er an mir vorbeikam. Ich wußte, daß er es war.

Zwei Wochen später fuhr ich wieder hin und wartete draußen vor dem Hotel. Ich wollte meinen Großvater beobachten und verstehen, was für ein Mensch er war. Aber ich sah ihn nicht. Am nächsten Tag fuhr ich wieder hin, diesmal mit dem neuen Moped von Xu, das ich mir geborgt hatte. Ein Taxi hielt vor dem Hotel. Mein Großvater kam heraus und stieg ein. Ich folgte ihm nach Central, wo er in die Hauptpost ging. Dann ging er zur Peak Tram. Ich schloß das Moped ab und folgte ihm. Ich stand ganz hinten im Waggon. Oben auf dem Peak stieg er aus und begann einen Spaziergang. Ich folgte ihm zuerst, überlegte dann aber, daß das viel zu auffällig war. Er würde ohnehin wieder zur Endstation zurückkommen. Also wartete ich.

Nach etwa einer Stunde kam er und wollte wohl mit dem Taxi zurückfahren. Es gab eine Warteschlange, und dann machten ein paar Europäer Ärger. Sie wollten auf meinen Großvater losgehen. Ich ging dazwischen und fuhr dann mit Großvater in einem Taxi hinunter. Da erzählte ich ihm, wer ich bin. Ich weiß noch, daß er nicht einen Moment mißtrauisch oder skeptisch war. Er wußte, daß es stimmte. Er war sehr blaß. Er sagte immer wieder:

»Ich hatte keine Ahnung.«

Seitdem kam Großvater für mein Studium auf. Er bot uns an, daß wir in seinem Hotel wohnen konnten, aber meine Mutter und ich hätten es sehr sonderbar gefunden, von Mongkok ins Deep Water Bay Hotel umzuziehen. Also unterstützte er uns mit Geld. Meine Mutter wehrte sich erst dagegen, aber er ließ nicht locker und sagte, sie würde ihm damit ein Geschenk machen. Er weiß, wie wichtig es ist, sein Gesicht nicht zu verlieren. Er übernahm meine Studiengebühren, und als Mutter ein Jahr lang krank war und ein paarmal operiert werden mußte, bezahlte er auch das.

Ich habe gern studiert. Mir gefiel, daß die Universität draußen in den New Territories lag. Mir gefiel, daß man über alle Themen reden konnte. Ich empfand mich schon als Hongkonger, ich war stolz auf Hongkong. Es ging politischer zu, als ich gedacht hatte. Es gab einen Club, wo ich Wing Chung üben konnte. Es gab viele Studentinnen.

In der ersten Studienwoche lernte ich meinen späteren Geschäftspartner Lee Wong-Ho kennen. Wir saßen nebeneinander in einer Vorlesung und kamen anschließend ins Gespräch. Er hatte entschiedenere Ansichten als die anderen in seinem Alter. Er war sehr selbstsicher. Seine Eltern waren in den fünfziger Jahren aus Guangzhou geflohen. Wir unterhielten uns noch lange und fuhren gemeinsam mit der U-Bahn nach Hause. Er wohnte ebenfalls in Mongkok, nicht weit von uns. Wir fanden es toll, daß wir uns so gut verstanden. Beim Abschied auf der Straße sagte er:

»Wir bauen zusammen ein Geschäft auf und werden Millionäre.«

»Okay«, sagte ich.

Ah Wong hatte viele Freunde. Mehr als ich, obwohl ich geselliger war. Es war seine Selbstsicherheit, die alle so anziehend fanden. Zu seinen Freunden gehörte auch Sha Lin-Xu, eine Studentin der Zahnmedizin. Ihr englischer Name war Lily. Nachdem wir uns ein paarmal in größerem Kreis getroffen hatten, fragte ich sie, ob sie Lust hätte, mit mir ins Kino zu gehen. Sie sagte nein, und dann haben wir fast drei Jahre lang kein Wort mehr miteinander gesprochen.

»Ich fand dich so blöd«, sagte meine Frau später. »Dauernd hast du in deinem fujianesischen Dialekt Witze gerissen und angegeben, was für tolle Noten du hattest.«

»Du fandest mich blöd, weil ich gute Prüfungsergebnisse hatte?«

Sie zog ein Gesicht und machte eine wegwerfende Handbewegung. Ich hakte nicht weiter nach.

Wong und ich hatten verabredet, daß wir nach dem Studium gemeinsam eine Firma aufbauen würden. Aber zuerst mußten wir arbeiten, um Geld zu verdienen und herauszufinden, welche Aussichten wir hatten. Ich bewarb mich vor dem letzten Semester bei einer Firma, die Heizkessel für industriellen Bedarf herstellte, einem Familienunternehmen, das kaum Aufstiegschancen, aber die Gelegenheit bot, praktische Erfahrungen zu sammeln. Das war im Sommer 1989. Wong bekam einen Job bei einem Architekten, der sich auf Umbau und Einrichtung von Restaurants spezialisiert hatte.

Einen Tag nachdem Wong mir von seinem Job erzählt hatte, hörten wir die Nachrichten vom Massaker auf dem Tiananmen-Platz. Wir alle waren schockiert und erregt. Die Atmosphäre in Hongkong veränderte sich. Wir zogen in einem Protestmarsch durch Central. Auf Spruchbändern wurden die KP-Politiker als Mörder bezeichnet. Es gab Gerüchte über viele hundert Tote. Die meisten waren Studenten unseres Alters. Manche von uns hatten Freunde oder Verwandte unter ihnen. Sha Lin-Xu demonstrierte mit. Sie weinte und rief Parolen. Auch mich hatten die Ereignisse so mitgerissen, daß ich ganz vergaß, Lin-Xu zu beeindrucken. Im Laufe der Demonstration wurden wir vom Rest unserer Gruppe getrennt, so daß wir gemeinsam mit der U-Bahn nach Hause fuhren. In den nächsten Tagen fanden noch weitere Demonstrationen statt, und wir trafen uns noch ein paarmal.

»Sie kann dich gut leiden«, sagte Wong eines Abends, nachdem wir drei im Kino gewesen waren.

»Den Eindruck habe ich nicht«, sagte ich, hoffte aber, daß ich mich täuschte.

»Ich kenne sie seit ihrer Kindheit, ich merke das.«

Am nächsten Tag rief ich also an und fragte sie, ob sie Lust hätte, sich mit mir zu treffen, nur wir beide, auch ohne Demonstration. Sie willigte ein. Wir sahen uns einen Film mit Jackie Chan an. Sechs Monate später heirateten wir.

Ich weiß, daß Großvater den Brief von Großmutter gelesen hat, weil ich ihn gefragt habe. Aber was drin stand, hat er mir nie gesagt.

Viertes Kapitel

Vor vier Jahren, 1996, kauften wir das Haus in Mosman und zogen dort ein. Ich hatte das Gefühl, daß ich angesichts der bevorstehenden Übergabe Hongkongs an China etwas für die Sicherheit meiner Familie tun mußte. Einwanderer, die ein bestimmtes Nettokapital nachweisen können, werden in Australien recht schnell eingebürgert. Man muß zwei Jahre im Land verbracht haben: siebenhundertdreißig Tage, und diese noch nicht einmal am Stück. Meine Mutter, meine Frau, meine Tochter und die Schwiegereltern qualifizierten sich innerhalb von siebenhundertdreißig Tagen nach der Einreise und besitzen schon die australische Staatsangehörigkeit. Ich selbst hatte bislang erst einhundertvierundachtzig Tage angesammelt, was regelmäßig für Streit zwischen mir und meiner Frau sorgte.

»Wenn du die zwei Jahre zusammenhast, bist du dreihundert Jahre alt«, sagte sie.

»Meine Arbeit wird mich nicht immer so stark in Anspruch nehmen«, sagte ich.

»Du bist ein Raumfahrer. Lebst in Flugzeugen. Immer in dieser schlechten Luft.«

»Mit Schiff und Eisenbahn würde ich noch viel länger weg sein.« Und so ging der Streit immer weiter.

Doch meine Frau hatte recht. Ich war zuviel unterwegs. Die Zentrale unseres Unternehmens war in Hongkong, ich hatte ein kleines Büro in Tsim Sha Tsui. Es gab ein winziges Zimmer, früher eine Art Besenkammer, darin stand ein Bett, das ich gelegentlich benutzte. Wenn ich mehr Zeit hatte und es mit den Fähren gerade paßte, fuhr ich hinaus nach Cheung Chau zu Großvater. An Bord der Fähre arbeitete ich auf meinem Computer, und ich hatte ein Dreiband-Handy dabei, das überall eingesetzt werden kann. Mein Partner hatte auch eines. Manchmal rief er mich aus unserer Fabrik in Ho-Chi-Minh-Stadt an, während ich auf der Fähre unterwegs war. Manchmal rief er mich an, wenn ich in Schanghai oder Sydney war. Einmal war ich auf dem Klo eines Hotels in Chengdu in der Provinz Szechuan.

Unsere Firma heißt AP Enterprises. Mein chinesischer Name ist Ho Man-Wei, mein englischer Matthew. Mein Partner Lee Wong-Ho hat den englischen Namen John. Wir produzieren und verkaufen Klimaanlagen, speziell für Gebäude und Industrie. In China, dem unser Hauptaugenmerk gilt, ist das ein enormer Wachstumsmarkt. Wir sind ein Franchiseunternehmen einer deutschen Firma, der Weigen AG. Unser Schwerpunkt liegt mittelfristig auf Klimaanlagen für die Industrie. Und sobald es in China aufwärtsgeht, wollen wir auch in den Markt für private Klimaanlagen eindringen. Das ist ein relativ unterentwickelter Bereich mit großem Potential. Unsere Firmenzentrale war in Kowloon, und gebaut wurden die Geräte in Guangzhou, Schanghai und Ho-Chi-Minh-Stadt. Hongkong war sehr wichtig als juristische Basis des Unternehmens. Da es in der Volksrepublik kein Unternehmensrecht gibt, kann sich die Abwicklung von Geschäften dort manchmal etwas problematisch gestalten.

Leider hatten wir Schwierigkeiten mit unserer Firma. Wir hatten kein Geld. Nach der großen Asienkrise von 1997 nutzten wir die Gelegenheit und expandierten aggressiv, in der Überzeugung, daß es nur ein kurzfristiger Abschwung war. Wir nahmen riesige Bankkredite auf. Wir setzten auf rasche Expansion. Aber davon konnte nicht die Rede sein. Der Aufschwung in der Region war wesentlich langsamer als erwartet. Außerdem hatten wir Probleme mit den Produktionsanlagen in Guangzhou und Ho-Chi-Minh-Stadt. Ich mußte damit rechnen, alles zu verlieren, was ich mir seit meiner Ankunft als Flüchtling in Hongkong aufgebaut hatte. Es war die schwierigste Zeit meines Lebens. Nachts träumte ich davon, wieder in Shen Lo während der Kulturrevolution zu sein. Mit meiner Mutter, meiner Frau und meiner Tochter stehe ich vor einer Menschenmenge, die uns wütende Parolen entgegenschleudert.

Fünftes Kapitel

»Ich muß ehrlich sagen, Ah Lis Hummer sind nicht mehr so gut wie früher«, sagte Großvater, während wir hinaufstiegen zu seinem Haus auf Cheung Chau. Wir hatten uns im Dorf getroffen und im Tea House gegessen.

»Manchmal sind sie gut, manchmal nicht so gut«, sagte ich. »So war es immer.«

»Die Nudeln waren gut.«

»Seine Nudeln sind immer gut.«

Das Interesse am Essen ist etwas, das wir gemeinsam haben.

Großvater war ein wenig außer Atem, als wir sein Haus erreichten, hatte unterwegs aber keine Pause gemacht. Er ist ziemlich fit, weil er sich so viel bewegt. Und er trinkt viel Tee und Kaffee, dadurch bleibt er schlank. Und obwohl er inzwischen siebenundachtzig ist, wohnt er allein in seinem Haus. Ein Mädchen aus dem Dorf schaut regelmäßig vorbei, um beim Saubermachen und in der Küche zu helfen.

Für mich war Großvater der erste Mensch, der Geld hatte. Sein Lebensstil hat mich sehr beeinflußt. Im Garten mit den geharkten Kieselsteinen steht eine japanische Steinlaterne. Er hält alles selbst in Ordnung. In der Diele ist ein Regenschirmständer. Wir haben einen ähnlichen in Sydney, und auch in meiner Londoner Wohnung steht so ein Ding. In Sydney regnet es mehr als in London, aber in London ist das Wetter unberechenbarer, dort benutze ich den Regenschirm öfter.

Der Wohnbereich in Großvaters Haus ist ein großes Zimmer mit einem Eßtisch in der einen Ecke und bequemen Sesseln in der anderen. Wenn er allein ist, benutzt er den Eßtisch als Schreibtisch. Ein Stapel Papiere war jetzt darauf ausgebreitet, es war, wie ich sofort sah, das Buchmanuskript eines toten Freundes, für das er jahrelang einen Verleger gesucht hatte. Eine Wand des Zimmers wird von einem Fenster beherrscht, das einen weiten Blick über das Südchinesische Meer bietet. Hohe Terrassentüren führen hinaus in einen kleinen Garten hinter dem Haus. An der Seitenwand stehen Bücherregale. Die anderen beiden Wände sind bedeckt mit Fotografien von mir und meiner Frau und Mei-Lin, meiner Mutter und den Eltern meiner Frau. Eine kleine Tür führt zur Küche.

Ungefähr einmal im Jahr erkundige ich mich nach dem Manuskript. Weniger würde mangelndes Interesse signalisieren, mehr wäre bei diesem heiklen Thema zuviel.

»Gibt's was Neues?« fragte ich.

Sein Gesicht veränderte sich. Er sah zur Seite, während er Brieftasche und Schlüssel auf ein Tischchen legte. In seinem Ausdruck war etwas Verbittertes.

»Zur Abwechslung mal was anderes. Ich habe eine Anfrage bekommen, sie wollen es sich mal ansehen.«

»Aber Großvater, das ist doch toll!«

»Es hat nur einen Haken. Ich kann auf das Angebot nicht eingehen.«

Er zögerte, wollte offenbar nicht mehr erzählen.

»Das verstehe ich nicht«, sagte ich.

»Es ist ein Verlag namens Hong Kong Heritage. Gehört zum Wo-Imperium. Mit denen will ich nichts zu tun haben. Eine Lektorin dort hatte von dem Manuskript gehört. Kein Wunder, jeder in der Verlagsbranche, der auch nur halbwegs was zu sagen hat, hat das Mistding mindestens einmal gesehen. Ich bin gerade dabei, ihr höflich zu antworten, daß sie mich mal kann.«

Großvater will mit dem Wo-Familienunternehmen nichts zu tun haben. Er schaut nicht ihre Fernsehsender, hört nicht ihre Radioprogramme, geht nicht in Filme, die in ihren Ateliers gedreht wurden, geht in kein Restaurant und in kein Hotel, das den Wos gehört, geht in keinen ihrer Läden, kauft oder liest nichts, was in ihren Verlagen herauskommt, reist nicht mit ihrer Fluggesellschaft. Sollte Wo die Fähren übernehmen, würde Großvater nach Cheung Chau schwimmen. Wie viele Hongkonger Unternehmer haben die Wos die britischen Konservativen bei den Wahlen von 1992 massiv unterstützt. Ich habe Großvater einmal scherzeshalber gefragt, ob das bedeute, daß den Wos auch die britische Regierung gehört, denn dann könne er ja eigentlich nicht nach England, solange dort keine andere Regierung an der Macht sei. Ich fand das ganz witzig, aber Großvater ging nur aus dem Zimmer. Ich habe einen Geschäftskontakt zum Wo-Imperium, den ich bislang nicht nutzen konnte, weil ich Angst vor Großvaters Reaktion hatte. Die Ironie ist, daß ich nicht einmal den Grund für seine ablehnende Haltung kenne. Er redet einfach nicht darüber.

»Du hast so lange versucht, einen Verlag für das Buch deines Freundes zu finden«, sagte ich.

»Aber nicht um jeden Preis«, sagte er. »Schau, das sind alles Geschichten von gestern – es soll dein Leben nicht belasten. Eine alte Sache, die ich mit mir herumschleppe. Die Zukunft ist wichtiger als die Vergangenheit. Sprechen wir über etwas anderes. Ist bei Mei-Lin schon zu erkennen, daß sie Methodistin wird?«

Da meine Tochter auf eine Methodistenschule geht, witzelt Großvater gern, daß sie mal eine Methodistin wird. Wir sprachen über sie, bis es Zeit wurde, ins Bett zu gehen.

Am nächsten Morgen rief mein Partner an. Ich hatte gerade in einem Schnellimbiß eine Schale Congee gegessen. Die Chinesen sagen, daß die Armen Congee mögen, weil es ihnen einen Geschmack davon gibt, wie es wäre, wenn sie reich sind, und die Reichen mögen Congee, weil es sie an die Zeit erinnert, als sie noch arm waren. Ich trank Kaffee, eine schlechte westliche Sitte, die ich von Großvater habe. Außer mir war noch niemand zur Arbeit gekommen.

»Ah Wong, guten Morgen! Wie geht's? Wo bist du?« sagte ich.

»Hallo, Ah Man. Ich bin in Chek Lap Kok. Ich hab keinen Flug nach Schanghai und Guangzhou gekriegt, mußte also einen Dragonair-Flug nach Guangzhou nehmen. Wir fliegen in einer Dreiviertelstunde. Hoffentlich schaffe ich es pünktlich zur Sitzung. Chan kriegt doch nichts auf die Reihe.«

Chan ist der Schwiegersohn eines hohen Parteifunktionärs in Guangzhou, der für uns sehr wichtig war. Wir mußten ihm aus Gründen des *guanxi* einen Job geben. Sein Spitzname ist Fat Fucking Fool.

»Ich fliege nach Ho-Chi-Minh-Stadt«, sagte ich. »Heute nachmittag oder morgen, hängt davon ab, wen ich in Deutschland erwische. Ich sollte möglichst viele Optionen parat haben.«

In der Zwischenzeit war unsere Sekretärin Min-Ho eingetreten. Sie nickte mir zu und fing an, die Post auf ihrem Schreibtisch durchzugehen. Meine Frau sagt, Min-Ho ist immer so todschick angezogen, daß sie die Männer vergrault.

»Sie sehen sie und denken sofort, nein, die ist zu teuer«, sagt meine Frau. Sie hat Min-Ho das einmal gesagt, aber Min-Ho meinte nur, daß es ihr egal ist. Ihre Familie arbeitet in der Textilindustrie, so kommt es, daß sie fast nur erstklassige Fälschungen trägt. Min-Ho ist eine effiziente Sekretärin und kann einen ausgezeichnet beraten, wenn man Kleidung und Geschenke einkaufen will.

Um zehn nach zehn, eine Stunde später, trudelte als letzter von uns allen schließlich Wilson Chi ein. Wilson ist der jüngere Bruder eines ehemaligen Studienfreunds von mir.

Er trug eine Baseballkappe und Sonnenbrille, obwohl die Sonne nicht schien. In der Hand hielt er etwas, das wie ein japanisches Comic-Buch aussah. Als er seinen Walkman absetzte, hörte ich Canto-Pop. Wilson sagt, er will soviel Geld verdienen, daß er nur drei Monate im Jahr zu arbeiten braucht.

»Du ruinierst dir noch die Augen«, sagte Min-Ho. Wilson setzte die Sonnenbrille ab.

Sein Job war es, eine Website einzurichten, damit Fabriken direkt Bestellungen aufgeben, Kunden ihre Bestellungen prüfen konnten und unser Büro in Hongkong alles kontrollieren und den Zulieferbetrieben die entsprechenden Informationen erteilen konnte. Die Deutschen legen darauf viel Wert.

»Ich habe bis vier geackert«, sagte er, und wie er mich an meinem Schreibtisch stehen sah, was bedeutete, daß ich möglicherweise die ganze Nacht im Büro gewesen war, fügte er hinzu: »Zu Hause natürlich.« Und zeigte auf seinen Laptop.

»Ich möchte, daß du unseren Server checkst«, sagte ich. »Ich fliege nach Vietnam, letztesmal hatte ich dort Probleme mit meiner E-Mail. Du wolltest dich darum kümmern.«

»Wenn ich mich richtig erinnere, habe ich gesagt, daß es höchstwahrscheinlich an der Verkabelung des Hotels lag.«

»Es gab auch in der Fabrik Probleme.«

»Dort sind extrem primitive Verhältnisse.«

»Solange wir uns einig sind, daß es nicht funktioniert, und daß es besser wäre, wenn es funktioniert, und daß es deine Aufgabe ist, dafür zu sorgen, ist alles in bester Ordnung.«

Wilson saß an seinem Schreibtisch und öffnete seine Laptop-Tragetasche. Mir tat es leid, ihn öffentlich zusammengestaucht zu haben. Es fällt mir schwer, bei ihm den richtigen Ton zu finden. Er ist nicht der geborene Untergebene, und daran merke ich immer, daß ich nicht der geborene Chef bin. Mein Partner, von Natur aus direkter als ich, kann sehr viel besser mit ihm umgehen.

Ich verbrachte den Tag damit, Dinge zu erledigen, die sich seit der Abreise meines Partners innerhalb von zwei Tagen angesammelt hatten. Mein Partner und ich haben vereinbart, daß derjenige, der gerade in Hongkong ist, alle anstehenden Probleme klärt, und da einer von uns beiden immer unterwegs ist, bedeutet das, daß im Büro immer irgendwelche unerledigten Probleme warten. Wie die Amerikaner sagen: »Geschäft ist, wenn man nie zu etwas kommt.«

Um sechs Uhr waren nur noch Min-Ho und Wilson im Büro. Ich verabschiedete mich von ihnen, nahm meine Tasche aus dem Schrank und erwischte den Zug nach Chek Lap Kok. Am Schalter von Vietnam Airlines warteten nur wenige Reisende.

»Können Sie mir bitte sagen, mit welchem Flugzeugtyp wir fliegen?« fragte ich, als ich dran war.

»Airbus«, sagte das Mädchen. Ich reichte ihr Ticket und Paß. Vietnam Airlines hat einige russische Maschinen, mit denen es oft Probleme gibt. In der Wartehalle rief ich Großvater an. Ich erklärte ihm, daß ich nach Ho-Chi-Minh-Stadt fliegen müsse.

»Ich werde Lily anrufen und sie auf dem laufenden halten«, sagte er.

Fast hätte ich gesagt, daß ich sie selbst anrufen würde. Aber Großvater würde ja nicht nur deswegen in Sydney anrufen. Er war erst spät im Leben zu einer Familie gekommen und ähnelte noch immer einem Mann mit einem neuen Spielzeug. Nach unserem Gespräch rief ich in Sydney an.

»Hallo.« Das war meine Tochter. Mei-Lin spricht Englisch mit australischem Akzent. Sie ist sechs.

»Wie geht's meinem Schätzchen?«

»Wir haben gezeichnet und Wörter mit Bildern zusammengestellt, ich war die Beste, die Lehrerin hat gesagt, mein Tiger ist viel böser als ein echter Tiger.«

»Prima. Du hast dich bestimmt angestrengt.«

»Hat nur fünf Minuten gedauert. Beth-Ann hat mich eingeladen, wir wollen am Wochenende in Avalon schwimmen gehen, aber Mami sagt, vielleicht. Ich soll dich fragen.«

»Natürlich kannst du schwimmen gehen, Süße. Ist Mami da?«

»Du solltest vom Büro aus anrufen und nicht übers Handy«, sagte meine Frau. »Es ist teuer.«

»Ich hatte es eilig. Ich wollte den Flieger nicht verpassen. Warum ist sie denn noch auf?«

»Sie wollte noch auf deinen Anruf warten. Ich hab's ihr erlaubt.«

Im Hintergrund hörte ich Fernsehgeräusche.

»Was seht ihr denn gerade?«

»Vater und Mutter gucken einen Krimi. Ich arbeite noch.«

Meine Frau war Zahnärztin, bevor sie Mei-Lin bekam. Jetzt bereitete sie sich auf die Prüfung vor, damit sie in

Sydney praktizieren konnte. Eigentlich wollten wir noch ein zweites Kind haben, aber solange ich nicht mehr Zeit zu Hause verbrachte, kam das für meine Frau nicht in Frage.

»Jedenfalls spare ich Geld«, sagte ich. »Wenn ich nicht mit dir telefonieren würde, würde ich hier im Flughafen Geschenke kaufen.«

»Dann machen wir jetzt besser Schluß«, sagte meine Frau. Wir lachten und legten auf. Ich wanderte im Flughafen herum, mit schnellen Schritten, um mir etwas Bewegung zu verschaffen. Dann wurde mein Flug aufgerufen, und ich bestieg den Airbus 320. Die Maschine war voll. Mein Nachbar tippte Zahlen in einen Laptop, bis die Kabinentüren geschlossen wurden. Mit einer Dreiviertelstunde Verspätung hoben wir ab. Ich hatte einen Fensterplatz. Der Hafen von Hongkong sah wie eine schwarze Schüssel voller Lichter aus.

Sechstes Kapitel

Auf dem Flughafen Tan Son Nhat anzukommen ist unangenehm. Die vietnamesischen Behörden haben Angst, daß Ausländer subversive Literatur und Videos ins Land schmuggeln, also wird alles Gepäck bei der Zollkontrolle geröntgt. Das dauert seine Zeit, und jedesmal muß man lange warten. Diesmal hatte der Reisende, der vor mir in der Schlange stand, Videobänder dabei. Ich kam spät in die Ankunftshalle.

Ich entschied mich für den ältesten der Taxifahrer, die mich ansprachen. Die vietnamesischen Straßen sind gefährlich, und meine Theorie lautet daher: je älter der Fahrer, desto vorsichtiger ist er. Ich zeigte dem Fahrer die Adresse meines Hotels. Er nickte, und dann fuhren wir los in Richtung Ho-Chi-Minh-Stadt.

»Wie laufen die Geschäfte?« fragte ich.

»Besser als 1998. Trotzdem schlecht.«

Im Hotel nannte ich meinen Namen und mußte mehrere Formulare ausfüllen. In Vietnam muß man überall Formulare ausfüllen. Für das Zimmer sollte ich hundert US-Dollar zahlen. Ich sagte:

»Mir wurde ein Preis von vierzig Dollar genannt.«

»Das ist unser Sonderpreis für Geschäftsleute«, sagte das Mädchen. Ich holte das Bestätigungsfax aus meiner Tasche und zeigte es ihr. Sie füllte ein neues Formular aus und reichte es mir wortlos. Der Preis betrug nun vierzig Dollar. »Sorry«, sagte sie lächelnd. Sie war sehr hübsch. Sie drückte auf die Klingel, jemand kam und trug meine Tasche auf das Zimmer. Ich gab ihm ein Trinkgeld in Dong. Für einen Anruf in Sydney war es schon zu spät, also ging ich sofort zu Bett.

Von Großvater habe ich gelernt, wie man Kaffee macht. Unser Kaffee ist der Beste in ganz Asien. Den zweitbesten gibt es in Vietnam. Auch deswegen bin ich so gern in Ho-Chi-Minh-Stadt. Am nächsten Morgen trank ich im Hotel Kaffee und fuhr dann zur Fabrik in Cholon. Die Fahrt dauerte eine halbe Stunde, wir hatten drei Beinahe-Unfälle. Es gibt noch mehr Radfahrer als in China, und niemand hält an Kreuzungen. Ich bat den Taxifahrer, mich am Hung-Vuong-Boulevard abzusetzen, um die Ecke von der Fabrik. Ich ging durch einen geöffneten Seiteneingang hinein, die Treppe nach links hinauf direkt in Nguyens Büro. Von der Treppe aus konnte ich den größten Teil der Werkshalle überblicken. Es war Betrieb, aber nicht übermäßig viel.

Ich begrüßte Nguyens Sekretärin Mah mit einem Lächeln und steuerte sofort auf sein Büro zu. Durch die Glasscheibe sah ich ihn schon an seinem Schreibtisch sitzen, mit einer Baseballkappe auf dem Kopf, über irgendwelche Papiere gebeugt. Er blickte hoch, als ich eintrat, erschrocken, wie es schien, lächelte aber sofort.

»Die Sonne ist heute zum zweitenmal aufgegangen«, sagte er. Das ist ein chinesischer Ausdruck, den man gebraucht, wenn man unerwartet einen Freund sieht. Nguyen sagte es auf englisch. Sein Englisch ist ausgezeichnet, fast so gut wie meines. »Wie geht es Ihnen? Und Ihrer Familie? Lily und Mei-Lin, sind sie gesund?«

»Ja, vielen Dank – und Ihr Sohn? Hat er die Prüfungen hinter sich?«

»Klassenbester«, sagte Nguyen und richtete sich ein wenig auf. Er gab Mah über meinen Kopf hinweg ein Zeichen, sie kam herein. »Verzeihen Sie meine Unhöflichkeit. Tee?«

»Ja gern.«

In seinem Blick, dachte ich, lag noch etwas anderes. Während Mah wieder hinausging, holte er ein paar zusammengefaltete Papiere aus einer Schublade.

»Darf ich Ihnen die neuesten Produktionsziffern zeigen?« fragte er.

Meine Reise nach Vietnam hatte einen ganz bestimmten Grund. Unsere Fabrik in Ho-Chi-Minh-Stadt arbeitete mit Verlust, die Kosten waren sehr viel höher als der Geschäftsertrag, so daß wir allmählich betrügerische Manipulationen vermuteten. Unser Verdacht war, daß mehr Arbeiter auf der Lohnliste standen, als tatsächlich beschäftigt wurden. Und nun wollte ich der Sache auf den Grund gehen. Die Schwierigkeit war die, daß unser Betrieb ein Joint-venture mit ehemaligen Mitgliedern der Regierung von Ho-Chi-Minh-Stadt war, die nicht nur Kapital bereitgestellt, sondern auch diverse staatliche Genehmigungen vermittelt hatten. Wenn hier betrogen wurde, waren diese Leute vermutlich daran beteiligt. Ein weiteres Problem war, daß es in Vietnam keine unabhängige Justiz gab und Strafanzeige wegen betrügerischer Manipulationen zu stellen im Grunde sinnlos war. Es war eine klassische *no-win*-Situation. Wenn hier manipuliert wurde, hätten wir ein großes Problem, wenn die Fabrik aber aus anderen Gründen nicht rentabel wirtschaftete, hätten wir ebenfalls ein großes Problem.

Es war kein besonders erfolgreicher Tag. Ich erreichte mein Hauptziel nicht. Nguyen hielt mich im Büro fest, so daß ich nur in der Mittagspause die Gelegenheit hatte, mir die Fabrik anzusehen. Ich bat darum, eine kleine Runde durch die Werkshalle machen zu dürfen. Mir schien, daß nicht so viele Arbeiter in der Produktion beschäftigt waren, wie ich angenommen hatte. Ich erfuhr nur, daß die Produktionsziffern in der Tat schlecht waren. Die neuesten Zahlen waren noch katastrophaler als die, die wir in Hongkong gesehen hatten.

»Unsere Qualität ist hoch, aber unsere Preise sind auch hoch«, sagte Nguyen. »Westliche Maschinen.« Er zeigte auf die Klimaanlage über seinem Schreibtisch. Es war keines unserer Modelle. Mir schoß der Gedanke durch den Kopf, daß ich kein Wort über die Lohnkosten verlieren dürfe. Nguyen würde merken, daß ich mir Gedanken mache und vielleicht irgendwelche Betrügereien vermute. Dann dachte ich: Nein, das ist zu offensichtlich. Wenn ich das Thema nicht anschneide, wird er merken, daß ich Verdacht geschöpft habe. Also zuckte ich nur mit den Schultern und sagte:

»Aber wenn Sie billiger produzieren könnten ...?«

Lächelnd antwortete er: »Für einen Unternehmer sind die Lohnkosten immer zu hoch.«

Ich erwiderte sein Lächeln.

»Und der Unternehmer hat immer recht.«

Ich klappte meinen Ordner zu und stand auf. Für diesen Tag waren wir fertig. Ich fuhr wieder ins Hotel, um mich vor dem Abendessen etwas frisch zu machen. Nguyen hatte darauf bestanden, mich einzuladen. Damit hatte ich schon gerechnet. Er hatte seinen Cousin angerufen, der ein Restaurant in der Nähe des Hotels Continental besaß. Es war ein gutes Restaurant, und das Essen würde gut sein.

Ich duschte. Das Wasser wurde nicht richtig warm. Ich zog wieder meinen Anzug an, fand dann aber, daß das zu formell war, und entschied mich für ein kurzärmliges Hemd und Hose. Über dieses Hemd muß meine Frau immer lachen, weil es so knallig ist, so daß ich es nur trage, wenn ich nicht zu Hause bin. Ich hatte noch eine Stunde Zeit, ging daher zu Fuß zum Restaurant. Die Straßen waren belebt und bunt. Ich fand es schön, ein Ziel zu haben. Wenn ich auf Reisen bin, fühle ich mich am Ende eines Tages oft einsam.

Ich war zu früh, aber Nguyen und seine Frau waren schon da. Sie saßen in der Mitte des Raums an einem runden Tisch, der für sechs Personen gedeckt war. Beide standen zur Begrüßung auf, und in diesem Moment trafen die anderen ein. Thieu war ein hoher Beamter in der Stadtverwaltung, und Lau arbeitete im Innenministerium. Beide waren hohe Parteifunktionäre. Thieu hatte seine Frau mitgebracht, die mit Nguyens Frau verwandt war. Beide sahen sehr schön aus und waren elegant angezogen.

Nguyen sprach mit seinem Cousin und bestellte. Jeder trank Bier. Die Atmosphäre war sehr freundlich. Wir sprachen Englisch. Ich unterhielt mich mit Nguyens Frau über ihren Sohn. Wir diskutierten über die wirtschaftliche Lage. Ich berichtete von Sydney und vom Astronauten-Syndrom, und alle taten verständnisvoll.

»Die Leute versprechen sich ja alles mögliche vom Internet«, sagte ich. »Es wird die Geschäftswelt verändern. Niemand braucht mehr zu reisen, alles wird virtuell, alles wird in Videokonferenzen besprochen. Aber wann? Immer heißt es: nächstes Jahr, in zehn Jahren. Immer ist von der Zukunft die Rede: nächste Woche, irgendwann, nie. Okay, es klingt gut. Ich muß nicht mehr fliegen. Kein tolles Essen mehr in Ho-Chi-Minh-Stadt – welche Ausrede habe ich denn dann für meine Frau? Ich werde bei meiner Familie sein. Aber wann?«

Der Kellner brachte Schalen mit Phô, einer modernen Variante der Consommé, die Großvater immer macht, wenn er sich nicht wohl fühlt. Dazu gab es auf einer kleinen weißen Schale Bohnensprossen und Chilis und Minze. Ich finde, vietnamesisches Essen schmeckt klar und leicht. Als der Kellner wieder gegangen war, beugte Thieu sich vor. Ich spürte etwas Gezwungenes in seinem Lächeln. Seine Augen leuchteten.

»Ich werde Ihnen etwas sagen. Das Internet ist kein Freund des vietnamesischen Volkes.«

»Es ist doch bloß ein Werkzeug, das wie alle Instrumente nützlich oder schädlich sein kann«, sagte ich.

Nguyen sagte etwas auf vietnamesisch. Er wandte sich an mich.

»Ich habe das Wort ›Instrument‹ erklärt«, sagte er. Thieu entgegnete etwas auf vietnamesisch. »Er sagt, das Internet ist voller Lügen. Es ist wie ein Strom, ein Fluß voller Lügen. Viele falsche Informationen über Vietnam. Er sagt, die Partei muß das Volk vor Lügen beschützen, genauso wie sie das Trinkwasser vor Verunreinigung schützen muß.«

»Nicht viel anders als das Fernsehen, finde ich«, sagte Lau, älter und ruhiger als sein Freund. »Entscheidend ist, was gesendet wird.«

»Das Fernsehen können wir überwachen«, sagte Thieu. »Internet sehr schwer zu überwachen.«

Ein, zwei Jahre zuvor hatte die vietnamesische Regierung sämtliche Internetcafés geschlossen und alle Computer beschlagnahmt. Ich diskutierte noch eine Weile mit Thieu, bis der Kellner kam und unsere Teller wegräumte. Mrs. Thieu wollte wissen, welche Geschenke ich meiner Frau und meiner Tochter mitbringen würde, und das Tischgespräch wandte sich einem anderen Thema zu. Der Rest des Abends war ruhig. Ich trank mehr Bier als beabsichtigt.

Nach dem Essen ging ich zu Fuß ins Hotel zurück. Es war kühler, aber kaum weniger schwül und nur ein bißchen ruhiger. Noch viele Fahrradfahrer waren unterwegs. Eine kleine Gruppe westlicher Rucksacktouristen umringte einen von ihnen, der sich am Straßenrand übergab. Ich roch den Alkohol, als ich an ihnen vorbeiging. Eine Prostituierte sprach mich auf putonghua an, ich lehnte höflich ab. Ich war ein wenig beschwipst.

Im Hotel rief ich meine E-Mail-Adresse auf. Ich fand eine Nachricht von meinem Partner. Sie bestand aus einem Wort.

»Und?«

Ich antwortete:

»Weiß noch nicht. Plan B.«

Am nächsten Morgen gingen Nguyen und ich gemeinsam zur Fabrik. Auf der anderen Straßenseite hatten die fliegenden Imbißverkäufer schon ihre Stände aufgebaut. Bei dem Geruch lief mir das Wasser im Mund zusammen. Nguyen und ich gingen Dokumente und Bestellungen durch und wurden von seiner Sekretärin immer wieder mit Tee versorgt.

»Gehen wir etwas essen?« fragte Nguyen um ein Uhr. Ich schob meinen Stuhl zurück und streckte mich.

»Ich bin nicht besonders hungrig«, sagte ich. »Ich bin noch ein bißchen müde vom Jetlag und dem Bier gestern abend. Ich glaube, ich mache lieber einen kleinen Spaziergang, dann krieg ich wieder einen klaren Kopf.«

»Also, ich laß ungern eine Mahlzeit aus, wenn es sich nicht vermeiden läßt«, sagte er und deutete mit beiden Händen eine Wampe an. Er hatte tatsächlich zugenommen, sah aber noch immer gut aus. Unterwegs zur Tür streckte ich mich noch einmal und gähnte.

Ich ging hinunter auf die Straße und nahm zwei Ecken weiter ein Fahrradtaxi.

»Zur Thien-Hau-Pagode, bitte«, sagte ich.

Der Fahrer war jung und fit, so daß wir bald ankamen. Vor dem Tempeleingang standen Pilger und Räucherstäbchenverkäufer. Ich ging hinein und schaute mich um. Dann sah ich ihn, einen etwa sechzigjährigen Chinesen mit dicker Brille, in der Hauptpagode neben einer der riesigen Urnen. Er nickte mir zu. Ich ging auf ihn zu, wir gaben uns die Hand und schlenderten im Innenhof auf und ab.

»Ah Fu«, sagte ich, »wie schön, Sie wiederzusehen!«

»Ich komme gern hierher, um Thien Hau zu danken«, sagte er. »Ich war mit meinem Bruder hier in der Nacht, bevor er wegging.«

Thien Hau ist die Göttin des Meeres. In Hongkong wird zu ihren Ehren ein großes Fest veranstaltet. Viele der Boatpeople beteten hier, bevor sie Vietnam verließen.

»Thien Hau hat ihn gut beschützt«, sagte ich. Fu wandte sich zu mir. Seine Augen hinter den dicken Gläsern waren sehr groß und gerötet.

»Ich hatte Angst, wegzugehen«, sagte er. »Ich hätte Angst davor haben sollen, hierzubleiben.«

Fus Bruder war nach dem Sieg des Nordens weggegangen. Er hatte gute Beziehungen zur südvietnamesischen Regierung gehabt. Deswegen und als Chinese war er in einer angreifbaren Position. Fu, der an der Universität unterrichtet hatte, war geblieben. Er hatte seine Stelle bald verloren und schlug sich seitdem als Arbeiter durch. Sein Bruder schaffte es nach Hongkong, wo er drei Jahre in einem Flüchtlingscamp verbrachte. Schließlich bekam er einen Job in einem Elektronikunternehmen und lernte schließlich den Vater meines Partners kennen. Sie spielten Mah-Jongg zusammen. Der Vater meines Partners sagt, daß er keinen besseren Mah-Jongg-Spieler kennt.

»Gehen wir nach draußen?« sagte Fu.

Draußen waren viele Menschen. Wir standen an der

Mauer. Fu holte ein Notizheft heraus, das mit wunderschönen, winzigen chinesischen Schriftzeichen gefüllt war, die Handschrift eines richtigen Gelehrten.

»Genaue Zahlen sind natürlich schwer zu ermitteln. Leute kommen und gehen zu unterschiedlichen Zwecken, Lieferanten und so weiter. Aber ich habe den Verkehr an normalen Werktagen mehr als zwei Wochen lang beobachtet. In dieser Zeit, und längere Abwesenheiten wegen Krankheit oder Urlaub sind natürlich nicht enthalten – in dieser Zeit dürften es zwischen fünfundsiebzig und fünfundachtzig gewesen sein, allerhöchstens neunzig. Also alle Arbeiter, auch die Aushilfskräfte, aber keine Lieferanten.«

Er bot mir das Notizbuch an, in dem seine Beobachtungen eingetragen waren. Ich gab ihm einen Umschlag aus meiner Jackentasche. Fünfhundert US-Dollar waren objektiv zuviel, aber er hatte das Geld verdient, und ich wußte, daß er es gebrauchen konnte. Er nahm das Geld, als wäre es eine Beleidigung.

»Vielen Dank, das ist sehr gut. Wie ...?« fragte ich.

Fu lächelte nicht, dafür war er zu stolz. »Nudelstand«, sagte er.

Ich rief ein Fahrradtaxi und ließ mich zur Fabrik zurückbringen.

Am Abend schrieb ich meinem Partner eine E-Mail:

»Es ist, wie befürchtet, nur schlimmer. Die tatsächliche Zahl der Arbeitskräfte liegt bei maximal 90, wahrscheinlich sind es 80. Laut Lohnliste sind es 135, wie du weißt. Wenn einer von uns hier ist, muß Nguyen auf Aushilfskräfte zurückgreifen. Seine regulären 80 müssen schwer ackern, um die tatsächliche Produktivität zu erreichen. Aber das ist nicht das Entscheidende. Wir haben hier ein Riesenproblem.«

Siebtes Kapitel

Am nächsten Tag flog ich zurück nach Chek Lap Kok und weiter nach Guangzhou. Der Flug war sehr unruhig. Nach der Ankunft nahm ich ein Taxi und ließ mich, wie so oft, zur Wohnung von Lai bringen, einem Cousin von Ah Wong. Es war sehr angenehm, seine Wohnung benutzen zu können, da er meistens außer Haus war. Ich schloß auf und trat ein. In der Diele hingen zwei Poster, eins von Bill Gates und eins von Mao Zedong.

Am Küchentisch saß ein Mädchen. Sie schien enttäuscht, daß ich es war.

»Ich bin Man, ich bin der Partner von Lais Cousin Wong.«

»Ich bin Jade«, sagte sie. »Ich bin seine Freundin.«

»Du bist bestimmt Model oder Schauspielerin. Das sehe ich sofort.«

Sie machte eine kleine zufriedene Schnute.

»Ich hab ein bißchen als Model gearbeitet.«

Wir guckten zusammen Fernsehen. Es lief gerade ein historischer Schinken über die Opiumkriege. Ich hatte Lai aus dem Duty Free Shop in Hongkong eine Flasche Chivas mitgebracht. Wir tranken davon. Um halb zwölf, als ich gerade ins Bett gehen wollte, kam Lai. Lai ist Ingenieur. Er hat für eines der großen Unternehmen gearbeitet, die Raubkopien von Microsoft-Programmen herstellen, speziell Windows NT und Windows 2000, die maßgeschneidert und inklusive Support für die Bedürfnisse einzelner Betriebe eingerichtet wurden. Eine brillante Idee.

Lai sagte oft, ihr Support sei besser als der von Microsoft. Das Unternehmen selbst gehörte der Volksbefreiungsarmee.

»Entschuldige, entschuldige«, sagte er zu Jade. »Große Krise auf der Arbeit. Ich hab versucht, dich anzurufen, aber dein Handy war nicht an. Ich wußte nicht, wie ich dich erreiche.« Er tat locker, aber ich sah, daß etwas nicht stimmte. Jade holte ihr Handy aus ihrem winzigen, teuer aussehenden Handtäschchen. Das Telefon war eingeschaltet und funktionierte. Ich sagte gute Nacht und zog mich sofort zurück. Noch eine halbe Stunde hörte ich die beiden streiten. Dann verließ sie unter lautem Türknallen die Wohnung.

In Guangzhou schlafe ich immer schlecht. Die Stadt ist zu hektisch. Ich wachte früh auf und hörte Lai irgendwo in der Wohnung. Er schläft nur am Wochenende. Ich versuchte, wieder einzuschlafen, aber es ging nicht, also stand ich auf. Lai aß Congee. Er war bedrückt.

»Hundert Yuan hab ich gestern abend ausgegeben. Parfüm. Abendessen, Nachtclub. Hundert Yuan, so eine Scheiße! Und? Läßt sie mich ran? Nee. Verliere ich die Braut, die ich schon habe? Ja. Scheiße. Was ist los mit mir? Verrat's mir, Raumfahrer!«

Das ist Lais Spitzname für mich. Hinter meinem Rükken verwenden ihn die anderen im Büro vermutlich auch.

»Vielleicht bist du zu häßlich.«

Er legte den Kopf schief und studierte im Fenster sein Spiegelbild. Gegenüber war ein neuer Wohnblock, aus vielen Fenstern hing Wäsche.

»Nein, daran kann's nicht liegen.«

»Zu arm?«

»Ganz bestimmt nicht.«

»Zu blöd?«

»Nein, und außerdem macht das den Frauen nichts aus.«

»Vielleicht ist sie die Geliebte eines reichen Geschäftsmanns in Hongkong und hat sich einfach geschämt, es dir zu sagen.«

Er schnipste mit den Fingern und drehte sich um.

»Ich wußte, du kommst auf die Lösung.«

Er setzte sich auf einen Küchenhocker und seufzte.

»Ach ja. Vielleicht kommt sie wieder zurück. Es ist alles so anstrengend. Vielleicht sollte ich heiraten. Wie geht's deiner Familie?«

»Bestens.«

»Wirst du Fat Fucking Fool besuchen?«

»Nein, ich bin zum Vergnügen in Guangzhou. Ich mag seine höflichen, ruhigen, gelassenen Bürger, mir gefällt das gemäßigte Klima, das gemächliche Tempo, die gesunde Lebensart.«

Wir gingen hinaus zur Arbeit. Lai nahm mich auf seinem Motorrad mit. Es ist eine BMW. Als Wong und ich AP Enterprises gründeten, wollten wir Lai überreden, bei uns zu arbeiten, aber er sagte, daß er in China zwar weniger verdient, in Guangzhou aber einen höheren Lebensstandard genießt. In unserem Büro hatten wir Windows NT in seiner Version. Wir zahlten ihm US-Dollar.

Chans Schwiegervater war der zweitmächtigste Parteifunktionär in Guangzhou. Unsere Firma wäre wohl schon am Ende ohne den Auftrag, den wir mit seiner Hilfe bekommen hatten. Wir sollten ein neues Bürogebäude, das für Parteifunktionäre und Mitglieder der Stadtverwaltung gebaut wurde, mit Klimaanlagen ausstatten. Der Deal war eine Million US-Dollar wert, und wir hatten etwa zweihunderttausend an Schmiergeldern gezahlt. Das war billig.

Wir brauchten Chans Schwiegervater. Dummerweise bedeutete das auch, daß wir Chan brauchten.

Ich verbrachte fast den ganzen Tag in der Fabrik. Der zweite Werkmeister begleitete mich, ein fünfzigjähriger Kantonese, der bei einem Arbeitsunfall den kleinen Finger der linken Hand verloren hatte. In der Fabrik lief alles gut, weil er und der erste Werkmeister alles im Griff hatten.

Ich aß den ganzen Tag nichts, weil ich wußte, daß es abends ein großes Essen geben würde. Ein Kontaktmann von Chan in der Partei oder Stadtverwaltung würde uns begleiten. Das war immer so. Weil es nicht sein Geld war, würde Chan viel zu viel bestellen. Was übrigblieb, ging an das Küchenpersonal, und er selbst bekam Sonderpreise für spätere Mahlzeiten. So lief das System.

Um sechs kam Chan händereibend in das kleine Büro, in dem ich saß und arbeitete. Aus einem Schrank holte er eine Flasche Cognac und zwei Gläser.

»Ausgezeichnet, ausgezeichnet«, sagte er. »Gute Arbeit. Zeit für eine kleine Erfrischung.«

Ich nahm das Glas, trank aber nicht davon. Chan trinkt mehr als die meisten Kantonesen. Es würde bestimmt eine lange Nacht. Ich sehnte mich nach zu Hause.

»Wan Guo hat einen neuen Mercedes«, sagte Chan. Ich hatte keine Ahnung, wen er meinte. »Ach ja! Sechzigtausend US-Dollar! Wahrscheinlich noch einmal dasselbe für Fracht und Importgenehmigung! Ein SL! CD-Spieler, Klimaanlage, mit allem Drum und Dran. Er sagt, das beste daran ist, daß seine Freundin viel aktiver im Bett ist, weil sie ihn nicht an eine andere verlieren will. Der Mann, der ihm den Wagen verkauft hat ...«

Chan redete und redete. Ich machte die Ohren zu, nickte aber hin und wieder und brummte und wiederholte das Satzende in Form einer Frage.

»Nach Schanghai gegangen?« fragte ich.

»Ja. Nahm zwei Huren und verlangte eine Suite im Hyatt. Der Mann am Empfang sagte ...«

Es war nicht ausgeschlossen, daß Chans Schwiegervater zum Essen kommen würde. In dem Fall würde sich der Abend lohnen. Ich konnte den Mann aushorchen, welche Chancen wir hatten, und mich nach möglichen größeren Aufträgen der Stadtverwaltung erkundigen. Falls er nicht kam, wäre es einfach Kontaktpflege.

»... und deshalb bin ich so gespannt. Ich glaube, er könnte sehr wichtig für uns sein«, sagte Chan. Er war wohl zu irgendeinem Schluß gekommen. Ich versuchte mich daran zu erinnern, was er gesagt hatte. Etwas von einem verwöhnten kleinen Kaiser, dem einzigen Sohn von irgendwem.

»Wer ist sein Vater gleich?«

Chan guckte ungläubig.

»Der Parteichef der Provinz Guangdong und der Sonderwirtschaftszone!«

Die Chance, über den Sohn dieses Mannes irgend etwas zu erreichen, tendierte gegen null. Die Leute haben die absurdesten Vorstellungen davon, wie in China Geschäfte abgewickelt werden. Es kommt darauf an, daß man Leute findet, die wirklich Macht haben, man muß direkt mit ihnen verhandeln und ganz klare Vorstellungen haben und bereit sein, die entsprechenden Schmiergelder zu zahlen.

Chan trank Cognac und redete und redete. Nach einer guten Stunde fuhren wir mit einem Taxi zu einem Restaurant. Er selbst hatte einen neuen Toyota-Jeep, den er ausführlich beschrieb und lobte. Dann erzählte er von dem Restaurant.

»Der Koch hat beim Koch von Deng Xiaoping gelernt.

Szechuanesisch! Sehr scharf! Aber sehr gut! Zutaten ganz frisch!«

Das Restaurant befand sich in einem neuen Hotel, das mit japanischem Kapital errichtet worden war, aber unter chinesischem Management stand. Wir hatten einen separaten Raum. An den Wänden waren Spiegel, und an der Decke drehte sich eine verspiegelte Glaskugel. Der Werkmeister war da, sauber und geschrubbt. Ich saß neben ihm. Freunde der Chans kamen dazu. Alles Prinzen und Prinzessinnen, Kinder von einflußreichen Leuten. Einer trug eine Sonnenbrille. Auch zwei, drei lokale Parteifunktionäre waren da. Einem von ihnen, Xiang, war ich schon mal begegnet. Er trug ein Parteiabzeichen an einem westlichen Sakko, das sehr teuer aussah. Über einer Augenbraue hatte er eine kleine Narbe.

Es gab reichlich zu essen. Gute Szechuan-Küche bekommt man nicht alle Tage, und das Essen war besser, als ich gedacht hatte. Die mit Hühnerblut angedickte Sauerscharf-Suppe war köstlich.

»Ich war mir bei eurem Tung nicht so sicher«, sagte einer der Parteifunktionäre. »Er hat kein intelligentes Gesicht. Aber es war klug, daß er alle Hühner töten ließ.«

1997, nach der Wiedervereinigung, drohte eine Hühnerpest auf die Bevölkerung überzugreifen. Auf Befehl der Regierung mußten alle Hühner geschlachtet werden, aber die Gefahr war beseitigt.

»Seitdem habe ich kein halbgares Hühnchen mehr gegessen«, sagte ich. Also Hühnchen, das noch halb blutig serviert wird.

»Aber es schmeckt!« sagte Chan und legte einen Knochen auf seiner Schale ab. Seine Lippen glänzten.

Es gab viele Gerichte. Als Zugeständnis an den kantonesischen Geschmack endete die Mahlzeit mit gedämpftem Fisch, einem Barsch. Gegessen wird nur die Oberseite, denn wenn man den Fisch umdreht, bedeutet das nach abergläubischer Vorstellung, daß ein Fischer ertrinkt. Traurig starrte Chan auf die Unterseite des Fisches, die unangerührt auf der Platte lag. Alle anderen waren so voll, daß sie kaum noch rauchen konnten.

Chan stand auf. Er rieb sich wieder die Hände.

»So, das war der ernste Teil des Abends«, sagte er. »Wer will sich noch ein bißchen amüsieren?«

Etwa die Hälfte der Anwesenden winkte ab. Ich verabschiedete mich von dem Werkmeister.

»Ich glaube, ich werde die ganze Woche nicht mehr essen«, sagte er. Er hatte einen Schluckauf.

Die meisten Parteifunktionäre gingen nach Hause, aber Xiang wollte noch mit in den Nachtclub, ebenso die meisten der jungen Leute. Taxis fuhren vor, wir stiegen ein. Der eine Mann hatte seine Sonnenbrille noch immer nicht abgesetzt.

Der Nachtclub hieß Shanghai Palace. Jiang Zemin, der Vorsitzende der Kommunistischen Partei, stammt aus Schanghai, daher ist alles, was mit Schanghai zu tun hat, in China sehr schick, selbst im Süden. Im Nachtclub gab es lauter bunte Lichter.

»Fiberoptik«, sagte Xiang. »Teuer.«

Jedesmal, wenn ich in Guangzhou bin, denke ich daran zurück, wie es war, als wir 1974 auf dem Weg nach Hongkong durch Guangzhou kamen. Damals war die Stadt so farblos. Heute ist es überall hell und bunt. Es gibt alles zu kaufen.

Wir saßen an einem Tisch. Girls brachten Getränke. Eine Band spielte so laut Canto-Pop, daß man sein eigenes Wort nicht verstand. Chan schwitzte mächtig, sah aber rosig und zufrieden aus. Xiang lächelte fein, es wirkte ein wenig spöttisch. Sein Jackett hatte er ausgezogen und über die Stuhllehne gehängt.

An einem Tisch hinter uns gerieten sich zwei Männer wegen irgendeiner Sache in die Haare. Ihre Frauen versuchten, sie zu besänftigen, aber das machte es nur noch schlimmer. Dann versetzte einer dem anderen einen heftigen Schlag auf die Schläfe. Der stürzte sich auf seinen Gegner. Das war unwissenschaftlich, aber wirkungsvoll, da er sehr viel schwerer war. Der Glastisch kippte um und zerbrach. Drei, vier Angestellte rissen die beiden Männer auseinander und warfen sie vor die Tür. Die Frauen folgten trotzig. Die Angestellten kamen wieder herein und räumten auf. Die Band spielte die ganze Zeit weiter. Am Ende des Songs war das ganze Chaos beseitigt.

»Gut, daß niemand vom Sicherheitsdienst da war«, sagte ich.

»Dieser Nachtclub gehört dem Sicherheitsdienst«, sagte Xiang mit seinem spöttischen Lächeln.

Nach zwei weiteren Songs legte die Band eine Pause ein. Mir dröhnten die Ohren. Ich beschloß, bald zu gehen. Die anderen unterhielten sich. Xiang wandte sich an Chan.

»Und dein Schwiegervater, gefällt ihm das Rentnerleben?« fragte er.

Ich erstarrte.

Chan nickte: »Klassische Literatur. Angeln. Gartenarbeit. Er genießt es.«

»Er ist ein kultivierter Mann«, sagte Xiang. Er sah mich an. Einzugestehen, daß mir davon nichts bekannt war, würde ein großer Gesichtsverlust sein, doch ich hatte keine andere Wahl. Ich fragte Chan:

»Dein Schwiegervater ist in Pension gegangen?«

Fat Fucking Fool sah an mir vorbei, in Richtung Bar.

»Hatte keine, ähm, Lust mehr. Politik, Diskussionen. Verbringt die meiste Zeit mit seinen Enkelkindern. Er ist viel glücklicher. Das ist schön.«

Xiang sagte zu mir:

»Hier in Guangzhou gab es ein paar Veränderungen in der Partei. Sie wissen ja, wie es ist. Modernisierung, andere Leute.«

Ich sagte: »Und besteht die Möglichkeit, diese Leute kennenzulernen?« Ich nahm nicht einmal zum Schein Rücksicht auf Chans Gefühle.

»Natürlich. Aber diese Leute haben viel zu tun. Sehr schwer, einen Termin zu bekommen. Sie wissen, wie es ist.«

Wir wechselten das Thema. Die Band spielte wieder ein paar Songs. Dann verabschiedete ich mich und ging, nicht ohne Xiang um seine Karte gebeten zu haben. Chan war betrunken und zufrieden.

»Gute Nacht!« rief er. Ein Mädchen saß auf seinem Schoß. Auch sie würde auf der Firmenrechnung erscheinen.

Es war nach Mitternacht, als ich Lais Wohnung betrat. Lai war noch nicht wieder da. Ich rief Wong auf meinem Handy an. Er war ebenfalls nicht da, also hinterließ ich eine Nachricht.

»Wong«, sagte ich, »es sieht nicht gut aus für uns.«

Lai war auch am nächsten Morgen nicht da. Entweder hatte er sich in die Arbeit gestürzt, oder aber er hatte ein Mädchen aufgegabelt.

Und Xiang bekam ich erst nach zwei Tagen ans Telefon.

»Entschuldigen Sie bitte, daß ich mich nicht gemeldet habe«, sagte er. »Mein Chef hat mich die ganze Zeit von einer Baustelle zur anderen geschickt. Hatte kaum Zeit, unter die Dusche zu gehen. Und nach einem so schönen Abend. Tut mir sehr leid.«

Weil Xiang perfekt Kantonesisch sprach, war es mir noch nicht aufgefallen, doch jetzt, am Telefon, hörte ich einen leichten Schanghaier Akzent heraus. Das erklärte seine guten Manieren. Es erklärte auch ein paar andere Dinge. Wir verabredeten uns für den nächsten Tag. Ich wollte ihn zum Essen einladen, aber er lehnte ab. Er war höflich.

Am Abend tauchte Lai auf. Ich hatte auf ihn gewartet.

»Chans Schwiegervater ist aus dem Spiel. Hab ich vorgestern rausgefunden. Eine Scheißblamage. Warum hast du mir nichts gesagt?«

Er legte seinen Laptop auf den Tisch. Er sah müde aus, eher von Arbeit als von Sex. Er sagte:

»Was?«

»Chans Schwiegervater. Unser Mann. Weg vom Fenster. In Pension gegangen. Ende. Aus. Wen interessiert's? Egal. Wir bezahlen Fat Fucking Fool einfach so, grundlos. Stehen ganz schön dumm da.«

Lai holte ein Tsingtao aus dem Kühlschrank, öffnete die Dose und trank.

»Das haben sie aber für sich behalten. Und? Wer ist jetzt dran? Wer sind die neuen Leute?«

»Keine Ahnung. Ich werd mich morgen mit einem Mann namens Xiang treffen. Kommt möglicherweise aus Schanghai.«

Lais Gesichtsausdruck besagte, daß das keine gute Nachricht war. Er sagte:

»Klingt teuer.«

»Ich hoffe, Sie nehmen es mir nicht übel, daß ich Ihre Einladung nicht angenommen habe«, sagte Xiang. »Aber so viele Dinge werden nach guter alter Manier bei einem ausführlichen teuren Essen geregelt. Das sorgt jedesmal für große Verzögerung. Und man verfettet. Es ist eine Verschwendung von Geld und Energie. Im neuen China müssen wir andere Wege gehen. Hoffentlich war es für Sie nicht allzu schwer, hierherzufinden?«

Wir hatten uns im Westen von Guangzhou getroffen, jenseits der Brücke am Liwan-Park. Hier wurde ein Stahlbetongebäude hochgezogen, dessen Bambuseinrüstung mit ihm in die Höhe wuchs. Es war ein grauer, nasser, schwüler Nachmittag. Diesmal sprachen wir Putonghua.

»Überhaupt nicht. Sie haben völlig recht, wir müssen China voranbringen. Dies ist das chinesische Jahrhundert, in dem sich neue Energien mit alter Stärke verbinden.«

Das alles bedeutete nichts anderes, als daß sich die Machtverhältnisse in Guangzhou gerade verschoben, und ich gab nur zu erkennen, daß mir das klar war. Viel wichtiger war, daß Xiang diese Baustelle als Treffpunkt vorgeschlagen hatte. Er wollte zeigen, daß er Macht besaß. Als ich eintraf, sprach er gerade mit dem Polier. Ich hatte nichts mitbekommen, aber die Haltung des Mannes war sehr respektvoll.

Wir gingen auf dem Baugrundstück herum. Eine Weile sprachen wir über lokale Parteifunktionäre, die wir kannten. Das war nicht sehr ermutigend. Viele Leute, die ich nannte, waren Xiang unbekannt oder hatten sich in der letzten Zeit zurückgezogen. Was da stattfand, wäre früher als Säuberung bezeichnet worden. Xiang machte das klar, ohne daß es für mich ein Gesichtsverlust gewesen wäre. Dann sprachen wir über die allgemeine Lage in Guangzhou und über die Atmosphäre in den Sonderwirtschaftszonen. Und schließlich kam er zur Sache.

»Es wird einen ungeheuren Wettlauf geben. Schanghai

will wieder die Nummer eins in China werden. Als Adoptivsohn des Südens sage ich in aller Entschiedenheit: wir werden uns auf den Kampf einlassen. Es wird hart, sehr hart. Wir hier in Guangzhou müssen rücksichtslos alle Kräfte mobilisieren.«

»Guangzhou wird die Führung in China übernehmen. Eine umgekehrte Übernahme«, sagte ich. Das war halb scherzhaft gemeint.

»Die alte Vorgehensweise hatte viele Vorteile. Solidität, Verläßlichkeit. Guanxi. Langsam, aber stetig. Ineffizient, aber verläßlich. ›Steine verwandeln sich nicht in Brot.‹ Hat Mao gesagt. Aber vielleicht ist es genau das, was China braucht. Wir müssen Steine in Brot verwandeln, wir müssen vorandrängen. Die Welt verändert sich sehr schnell. Eins Komma zwei Milliarden Menschen sind Chinesen. Langsame, schrittweise Veränderungen bringen nichts. Wir brauchen einen revolutionären Wandel in allen Bereichen.«

»Ja, natürlich.«

»Die Partei hier … Guangzhou ist wichtig für die Revolution. Entscheidende Dinge sind von hier ausgegangen. Vieles ist hier früher als anderswo passiert. Eine neue Welt wurde geschaffen. Ohne Guangzhou gäbe es vielleicht keine Revolution. Aber einiges ist festgefahren. Auch Leute. Wir brauchen Veränderungen. Frischen Wind. Einen neuen Weg. Neue Gesichter für eine neue Zeit. Verstehen Sie?«

»Völlig.«

»Und im Rahmen dieser Modernisierung müssen alle bestehenden Aufträge überprüft und notfalls neu vergeben werden. Ist alles Teil der neuen Politik, gegen Korruption, für mehr Effizienz. Ein neuer Anfang, alles auf den Tisch legen, ganz offen. Motorhaube hoch und sich den Motor anschauen. Alle kaputten Teile auswechseln. Bestehende Kontakte werden natürlich kritisch unter die Lupe genommen. Manche müssen neu geknüpft werden. Was fertig schien, könnte sich als unfertig erweisen. Das eine oder andere wird neu bewertet. Ein neuer Anfang, überall in der Stadt.«

Er ließ mir einen Moment Zeit. Ich erschrak. Von dem Auftrag, das neue Gebäude der Stadtverwaltung mit Klimaanlagen auszustatten, hing die Zukunft unserer Firma ab. Wenn der Auftrag neu vergeben würde, würden wir ihn wahrscheinlich verlieren. In China gibt es keine konkreten Verträge, nur Beziehungen, und die unseren waren jetzt wertlos.

»Das klingt wie ein Rezept für Chaos«, sagte ich.

Xiang lächelte.

»Ja, dazu könnte es leicht kommen. Ein Rückschritt. Eine Formel für Stillstand in Guangzhou. Die neue Stadtverwaltung ist allerdings bereit, einige ausgewählte, wichtige Aufträge von diesem Prozeß der Neubewertung auszunehmen. In all den Fällen, wo die Arbeit viel zu wichtig ist.«

»Das Gebäude der Stadtverwaltung gehört doch bestimmt dazu.«

»Das könnte ich mir gut vorstellen.«

»Und die erforderlichen Formalitäten, die …«

»Genau wie beim letztenmal.«

»Das letztemal war aufwendig und kostspielig.«

»Guangzhou ist seitdem viel wichtiger geworden. Mindestens doppelt so wichtig.«

Ich traute meinen Ohren nicht. Das Doppelte der Summe, die wir beim letztenmal bezahlt hatten.

»So wichtig, daß sich die hiesigen Aktivitäten bis nach Beijing herumgesprochen haben.«

Er zuckte mit den Schultern. Meine Drohung war kraftlos, und das wußte er.

»Die Berge sind hoch, der Kaiser ist weit weg«, sagte Xiang in seinem Kantonesisch mit Schanghaier Akzent.

Am nächsten Morgen war ich bedrückt. Ich verabschiedete mich von Lai, ging zur Fabrik und arbeitete. Dann nahm ich den Zug von Guangzhou nach Kowloon. Die Fahrt dauert drei Stunden. Alles zusammengerechnet – die Anfahrt zum Flughafen, die Wartezeit, die üblichen Verspätungen, die Formalitäten – ist man mit dem Flugzeug auch nicht schneller da. Die andere Hälfte meines Rückflugtickets konnte ich ein andermal verwenden.

Ab und zu nehme ich gern den Zug, weil es genau die Strecke ist, die ich damals als Achtjähriger mit meiner Mutter zurückgelegt habe. Als wir Mitte der achtziger Jahre zum erstenmal wieder zurückfuhren, entstand Shenzen gerade, genau dort, wo wir durch die Reisfelder gestapft waren. Meine Mutter hielt meine Hand, und ich sah Tränen in ihren Augen. Heute ist Shenzen eine große Stadt. Viele Wolkenkratzer dort sind höher als in Hongkong. Wenn etwas kaputtgeht oder einstürzt, machen sie die nachlässigen Arbeiter von jenseits der Grenze verantwortlich. Und viele Hongkonger Geschäftsleute haben in Shenzen eine Geliebte.

Es war dunkel, als die neue Stadt in Sichtweite kam. Schwer zu beschreiben, wie es ist, eine große Stadt an einem Ort zu sehen, wo vorher überhaupt nichts war.

Bis Hongkong dachte ich darüber nach, was passieren würde, wenn wir den Auftrag in Guangzhou verlieren. Für AP Enterprises wäre es das Ende. Wir müßten Konkurs anmelden. Ich würde das ganze Geld verlieren, das Großvater gespart hatte, und die Sicherheit meiner Familie gefährden. Es wäre so, als müßte ich wieder von vorn anfangen. Niemand würde mir einen Vorwurf machen, nicht einmal meine Frau. Aber das würde alles noch viel schlimmer machen.

Vom Bahnhof bis zu unserem Büro ist es eine Viertelstunde Fußweg. Für die Fähre nach Hause war es schon zu spät, und ich war ohnehin viel zu müde. Ich liebe Großvater, aber er freut sich immer so, wenn wir uns sehen, daß es auch bißchen anstrengend ist. Ich aß in der Xailung Noodle Bar einen Teller Nudeln und Trockenfleisch. Der Besitzer, Yun, überredete mich zu einem besonderen Tee.

»Sie sind zu müde«, sagte er. Er sah meine Reisetasche und die Laptop-Tasche auf dem Stuhl neben mir. »Dieser Tee reinigt und stärkt. Wird Ihnen guttun.«

Ich fühlte mich verfettet und ungesund. Auf Reisen habe ich oft dieses Gefühl. Ich müßte mich mehr bewegen und mehr Tee trinken. Nach den Nudeln kaufte ich mir drei Zeitungen. Eine der chinesischen gehörte dem Wo-Imperium. Wie alle anderen Zeitungen Wos vertrat auch diese, Mitte der neunziger Jahre noch probritisch, inzwischen einen prochinesischen Standpunkt. Die andere war der *Apple Daily*. Darin standen dieselben Nachrichten, nur aus einer völlig anderen Sicht. Außerdem kaufte ich die *Herald Tribune*. Ich wollte mich bettmüde lesen.

Auf der Treppe zu unserem Büro bemerkte ich, daß drinnen noch Licht war. Ich horchte an der Tür, hörte zunächst aber nichts. Dann war mir, als hörte ich leise Stimmen. Ich dachte sofort: Einbrecher, die unsere Computer stehlen wollen. Oder Industriespionage. Ich nahm mein Handy, tippte den Polizeinotruf 999 ein und legte den Finger auf den Sendeschalter. Dann stieß ich die Tür auf. Nur eine Lampe brannte, aber im hinteren Teil des Büros waren Geräusche zu hören. Ich ging ein paar Schritte weiter. Die

Stimmen eines Mannes und einer Frau in der Kammer, wo mein Bett stand. Ich riß die Tür auf. Min-Ho und Wilson lagen auf dem Bett. Sie paßten gerade mal hinein. Als sie mich sahen, ließen sie voneinander los. Min-Ho stieß einen Schrei aus und griff nach dem Laken, Wilson bedeckte sich mit den Händen.

»Sie sind doch in Guangzhou! Sie sind doch in Guangzhou!« rief Min-Ho.

»'tschuldigung, 'tschuldigung«, sagte Wilson.

Ich hielt die Arme in die Höhe.

»Das ist mir zuviel«, sagte ich. »Wir sehen uns morgen.«

In der Nähe von AP Enterprises gibt es ein Hotel. Dort habe ich mal übernachtet, als im Stockwerk über uns eine Wasserleitung geplatzt war. Der Mann am Empfang erkannte mich. Als ich ihm sagte, daß ich ein Zimmer brauche, weil ich zwei Angestellte in meinem Bett gefunden hatte, machte er mir einen Sonderpreis.

Achtes Kapitel

C. K. Leung ist Chef von Marler Enterprises. Ich lernte ihn bei der Beerdigung seiner Chefin kennen, einer Mrs. Marler, die eine gute Bekannte von Großvater gewesen war. Noch mit über Neunzig war sie jeden Tag zur Arbeit gegangen. Bei Großvater auf dem Kamin steht ein Foto von ihr. C. K. Leung war einer von »Beryls Jungs«, wie Großvater sie nennt. Ein junger Mann aus Mongkok, der Beryl aufgefallen war und dem sie Aufstiegschancen geboten hatte. Großvater spricht von ihm, als wäre er ein junger Mann, dabei ist er längst eine einflußreiche Figur und Chef eines großen Bauunternehmens. Für meinen Großvater ist er noch immer der hungrige, höfliche Fünfundzwanzigjährige, tatsächlich ist er ein korpulenter, schwieriger Mann Mitte Fünfzig. Großvater hat mich immer wieder ermuntert, diesen Mann um Rat und Protektion zu bitten, was meist etwas peinlich, aber immer nützlich war.

Wir vereinbarten, uns in der Captain's Bar des Hotels Mandarin zu treffen. Leung ist ein kultivierter, gepflegter Mann, der teure Anzüge und eine Rolex trägt und gern zeigt, daß er sich in exquisiter Atmosphäre bewegen kann. So kann er zeigen, wie weit er es gebracht hat. Ich glaube, besonders gern macht er das bei mir – weil ich Großvaters Enkel bin.

Ich war pünktlich und wartete etwa dreißig Minuten bei einem Glas Wasser. Leung kam gemächlich herein und wechselte ein paar Worte mit dem Besitzer der Bar.

»Die Arbeit!« sagte er, »entschuldigen Sie.« Unaufgefordert brachte der Kellner einen Drink, der wie Whisky aussah, und eine kleine Flasche Perrier, die er zur Hälfte in das Glas goß. Leung sah sich um, wer noch anwesend war, und nickte einem Mann mit randloser Brille zu, der in der Ecke die *Financial Times* las.

»Wie geht's Ihrem Großvater?« fragte er.

»Sehr gut. Er hat mich gebeten, Grüße an Sie und Ihre Frau und Familie zu bestellen. Ich hoffe, es geht allen gut.«

Leung hatte drei Töchter, aber keine Söhne – diesbezüglich wurde ihm eine gewisse Bitterkeit nachgesagt. Er machte Small talk. Schließlich sagte er:

»Also, womit kann ich Ihnen helfen?«

Ich merkte, daß es interessant wurde für ihn. Er liebte die Macht. Mir war es egal. Ich berichtete ihm von der Situation in Guangzhou. Er hörte aufmerksam zu, ohne Fragen zu stellen, leerte sein Glas und bestellte mit einem Handzeichen noch einen zweiten Drink. Diesmal für mich mit. Er ging automatisch davon aus, daß mir das schmeicheln würde.

»Sehr schwierig«, sagte. »Mir sind die Veränderungen in Guangzhou zu Ohren gekommen. Ich wußte nicht, daß Sie dort geschäftlich engagiert sind. Dieser Xiang, ist er der Mann an der Spitze oder nur ein Kontakt?«

»Ein Kontakt. Er erledigt die praktischen Dinge und übermittelt Botschaften. Ein geschickter Typ, raffiniert, höflich. Aber nicht die wahre Macht, noch nicht. Er ist so alt wie ich, vielleicht etwas jünger. Die wahren Machthaber sind vorsichtig. Hat alles mit der Antikorruptionskampagne zu tun.«

»Diese Bastarde aus Schanghai, da kennen die nichts«, sagte er. Ein Ausdruck zögernder Bewunderung trat auf sein Gesicht. »Sie müssen zugeben, daß man jemanden im

Rahmen einer Antikorruptionskampagne schmieren soll, ist selbst für chinesische Verhältnisse stark.«

»Wenn es einem anderen passiert wäre, würde ich Ihnen vermutlich recht geben.«

»Wissen Sie, wieviel unser Unternehmen letztes Jahr in China verloren hat?«

Marler Enterprises hatte nur zögernd auf dem Festland investiert und war nun in Schanghai und in der Sonderwirtschaftszone präsent. Ich schüttelte den Kopf.

»Hundert Millionen HK-Dollar. Kein Problem, Geld ins Land zu bringen, groß damit herauszukommen und das Gefühl zu haben, daß man wichtig ist. Aber das Geld wieder herausholen – das steht auf einem anderen Blatt. Mein Rat: Schmieren Sie ihn. Langfristig ist das billiger.«

»In der Größenordnung können wir das nicht.«

Leung leerte das Glas.

»Bedaure, dann haben Sie Pech gehabt«, sagte er. »Bestellen Sie Ihrem Großvater einen schönen Gruß.«

Für den Flug nach London hatte ich genügend Meilen für ein Upgrade gesammelt. Min-Ho teilte mir das mit, ohne mich dabei anzusehen. Wilson verhielt sich so manierlich, wie er nur konnte. Es war eine Wendung zum Besseren. Niemand verlor ein Wort über das, was passiert war.

Langstreckenflüge sind mir lieber als kurze Strecken. Es ist die einzige Gelegenheit für mich, einen Film zu sehen oder ein Buch zu lesen. Manchmal, wenn niemand neben mir sitzt oder wenn der Betreffende schläft, spiele ich Computerspiele auf meinem Laptop. Ich mag Donkey Kong, weil es mich an Mei-Lin erinnert. Oder ich nehme den Flugsimulator und tue so, als wäre ich der Pilot unserer Maschine. Bei diesem Flug, der planmäßig um 0.30 Uhr starten sollte, saß zum Glück niemand neben mir. Wir mußten eine Stunde warten, bis es endlich losging, weil die Flugzeit kürzer war als sonst und es in Heathrow so früh am Morgen keine Slots gab.

Wenn ich in Heathrow lande, bin ich jedesmal für den britischen Paß dankbar, den ich durch Großvater besitze. Am Schalter für Inhaber nichtbritischer Pässe warten gewöhnlich viele Leute, die oft einer demütigenden Befragung unterzogen werden. Diesmal kam ich rasch durch und erwischte gerade noch die abfahrbereite U-Bahn. Die Fahrt nach Golders Green dauerte anderthalb Stunden. Ich freue mich immer, in einer unserer drei Höhlen anzukommen, der einzigen, die ausschließlich ich benutze. Leider habe ich das Apartment 1998 als Banksicherheit verpfändet, so daß es zu den Dingen zählt, die wir bei einer Insolvenz meines Unternehmens verlieren würden.

Ich duschte und zog mir frische Sachen an, von denen ich dort einen Vorrat habe. Es roch muffig in der Wohnung. Der Hausverwalter soll zwar einmal die Woche lüften, aber ich vermute, daß er das nicht so genau nimmt. Ich öffnete ein Fenster und atmete die Mischung aus frischem Grün und Diesel ein. Dann rief ich meine Frau an. Es war neun Uhr morgens in London, sieben Uhr abends in Sydney.

»Wei?«

Das war mein Schwiegervater. Die Verbindung war völlig klar. Hall oder Verzögerungen finde ich immer gräßlich.

»Wie geht es dem verehrten Tai-Chi-Meister?«

»Schwiegersohn! Was macht London?«

»Woher weißt du, daß ich in London bin?«

»Die Mädels pinnen deine Reisetermine neben dem Telefon an.«

Das hatte ich nicht gewußt. Ich war gerührt. Meine Tochter ging ran.

»Hallo, Papa, heute haben wir Korbball gespielt, ich war die Beste, obwohl ein paar Mädchen viel größer sind. Und ich hab das beste Ergebnis in meinem Pokémon, als einzige von der ganzen Schule. Und ich hab eine Eins in Mathe. Ich hab einen Riesenkoala gesehen, den wünsch ich mir zu Weihnachten. Tracey will ihre ganzen Ricky-Martin-Poster tauschen, aber ich hab nein gesagt. Bringst du mir eine Minidisc mit? Wann bist du wieder hier?«

»Bald.« Ich schrieb »Minidisc« auf den Notizblock neben dem Telefon. »Was machen deine Geigenstunden?«

»Mrs. Howard sagt, ich mache Geräusche wie eine jaulende Katze.«

Meine Frau kam dran. »Du mußt müde sein.«

»Schon okay. Ich fahr gleich zur Fabrik raus. Ein bißchen Feilschen.«

»Fordere zwei Pennys, nimm einen«, sagte meine Frau, was ein Zitat meines Großvaters war. Sie fand seine englischen Sprüche sehr komisch. Wir unterhielten uns noch ein bißchen und legten dann auf. Am Telefon ist das Gefühl der Entfernung manchmal sehr stark.

Um 9 Uhr kam das Taxi, das mich nach Hertfordshire bringen sollte. Die Weigen AG ist etwas kompliziert aufgebaut. Der Firmensitz befindet sich in der Nähe von Düsseldorf, die Auslandsabteilung aber in England, weil Arbeitskräfte dort relativ billig und Arbeitsverträge leicht zu kündigen sind und Englisch eine nützliche Geschäftssprache ist. Das Head Office ist in Hertfordshire. Viele Mitarbeiter dort, vor allem die höheren Angestellten, sind Deutsche. Die Mitarbeiter des Sicherheitsdienstes kommen aus der Karibik, die Sekretärinnen sind Engländerinnen. Der Taxifahrer war ein Pakistani, dessen starken Akzent ich kaum verstand. Der Aufkleber auf der Sonnenblende des Beifahrers verkündete »Freies Kaschmir«.

Die Fahrt dauerte etwas über eine Stunde. Überall war es so grün. Wir kamen zum Industriegebiet und stießen fast mit einem Laster zusammen, der in weitem Bogen auf die Straße einbog. Mein Chauffeur kurbelte das Fenster runter und brüllte den Lastwagenfahrer auf urdu an.

»Arschloch!« rief er zum Schluß auf englisch. Ich bezahlte ihn und ging hinein. Die Rezeptionistin las in einer Zeitschrift, während sie in ein Telefonmikrofon sprach, das durch einen Bügel mit dem Kopfhörer verbunden war. Es ist immer dieselbe Frau. Ich erkenne sie, sie mich nicht.

»Mein Name ist Ho, ich bin mit Mr. Vogel verabredet«, sagte ich. Sie drückte auf drei Knöpfe und sprach in ihr Mikro. »Mr. Vogels Sekretärin kommt sofort«, sagte sie.

Ich wartete ein Weilchen. Neben dem Stahlrohrsessel lag ein Stapel englischer Zeitschriften über die Eheprobleme prominenter Leute. Wenn ich ganz still saß, spürte ich die Bewegung des Flugzeugs, in dem ich zwölf Stunden gesessen hatte.

»Mr. Ho!« rief Mr. Vogels Sekretärin. Sie ist ebenfalls Engländerin. Sie hat enorme Brüste. Sehr schwer, nicht hinzugucken. Mr. Vogel macht Witze darüber, wenn er betrunken ist. Wir gingen durch eine Sicherheitstür und betraten einen Lift.

»Sind Sie lange hier?« fragte sie.

»Nur ein paar Tage.«

»Die Familie fehlt Ihnen bestimmt.«

Heute trug sie einen Stift an einem ledernen Halsband, der zwischen ihren Brüsten baumelte. Vogel erwartete mich vor dem Lift.

»Matthew, mein Lieber! Sie sehen großartig aus!«

Er trug ein rotes Jackett. Die deutschen Manager sind an ihrer Kleidung leicht von den englischen zu unterscheiden. Er schüttelte mir kräftig die Hand. Er ist stolz auf sein Englisch.

»Helena, bringen Sie uns doch bitte Kaffee, stark, wie Mr. Ho ihn mag.«

Ich mag Vogel. Er ist intelligent und offen heraus. Er arbeitet schon sein ganzes Leben für Weigen. Seine Frau fühlt sich nicht wohl in England und fragt ständig, wann sie nach Deutschland zurückkehren. Manchmal fährt sie für ein, zwei Monate weg, und dann, sagt er, ist er einsamer, aber auch glücklicher. Kinder haben sie keine. Wenn ich nach England komme, stellt er mich immer allen Leuten vor. Auch diesmal. Manche erinnerten sich an mich, und wir plauderten ein wenig. Dann kamen wir zum Geschäftlichen.

»Tommy Cheung ist zufällig auch im Haus. Er ist gerade in einer anderen Abteilung. Er wird später vorbeischauen und guten Tag sagen. Sie kennen ihn doch, nicht wahr?«

Tommy Cheung hat die Südostasien-Franchise von Weigen, alles, was nicht mit Klimaanlagen zu tun hat. Sein Hauptquartier ist in Singapur. Er ist Chinesischamerikaner der dritten Generation, hat in Stanford studiert. Er trägt teure Klamotten. Wir hatten ein freundliches, aber distanziertes Verhältnis.

Ich erläuterte Vogel, warum wir einen Preisnachlaß haben wollten. Eine Weile ging es hin und her. Tatsächlich würde es sie nicht sonderlich treffen, wenn wir pleite gingen, da die Franchise selbst weiterhin einen Wert darstellte. Aber das Geschäft würde vielleicht einen gewissen Rückschlag erleiden. Außerdem wäre es ein Gesichtsverlust. Weigen legte großen Wert auf die Pflege der persönlichen Beziehungen. Schließlich redeten wir über Zahlen.

»Fünf Prozent«, sagte Vogel.

»Wir brauchen mindestens zehn.«

»Ich kann maximal fünf bieten. Für mehr brauche ich das Okay von Düsseldorf.«

»In sechs Monaten gibt es uns vielleicht nicht mehr.«

»Fünf Prozent rückwirkend auf alle offenen Rechnungen.«

»Okay, vielen Dank.«

Wir gaben uns die Hand. Ich fragte mich, was das tatsächliche Maximum war und ob nicht siebeneinhalb drin gewesen wären. Vogel brachte mich hinaus, und in dem Moment näherte sich Tommy Cheung von links. Er schien erstaunt, mich hier zu sehen. Wir begrüßten uns und machten ein wenig Small talk.

»Matthew, ist Ihr Taxi schon bestellt? Vielleicht können Sie ja auch zusammen reinfahren«, sagte Vogel. Ich sah Cheung einen Moment zögern, doch er sagte:

»Klar, ich habe einen Chauffeur. Ich kann Sie irgendwo absetzen.«

»Ich muß nach Golders Green. An der A41 Richtung Innenstadt.«

»Kein Problem.«

Zu dritt fuhren wir im Aufzug hinunter. Cheung und ich verabschiedeten uns von Vogel, der mir wieder, viel zu kräftig, die Hand schüttelte. Draußen öffnete ein Engländer mit Krawatte die Tür eines Mercedes. Ich stieg zuerst ein, dann Cheung.

»Fahren Sie doch bitte über ...« Cheung wandte sich an mich.

»Golders Green.«

»Alles klar, Sir.«

Der Wagen setzte sich in Bewegung. Cheung holte einen Palm Vx heraus, notierte etwas und steckte ihn wieder ein. Dann gähnte er. Er öffnete den obersten Hemdknopf und lehnte sich zurück.

»Wann sind Sie denn angekommen?« fragte er.

»Heute morgen.«

»Ich am Montag. Der dritte Tag ist oft am schlimmsten, stimmt's? Ich nehme Melatonin, aber es funktioniert bei mir irgendwie nicht.«

»Meine Frau hat mir das Zeug verboten. Sie ist Zahnärztin. Sie sagt, es beeinflußt zu viele wichtige chemische Prozesse im Gehirn.«

Cheung guckte interessiert.

»Mein Vater findet, gegen Jetlag hilft nur Tigerpeniswein«, sagte er. »Meine Tochter hat ihn gefragt, ob er weiß, wie der hergestellt wird. Sie ist neun. Er sagt natürlich, man erlegt einen Tiger und schneidet den Penis ab. Sie sagt, das ist ekelhaft, du bist ekelhaft, jemand sollte dir den Penis abschneiden, knallt die Tür zu und verschwindet. Neun! In den Staaten wird ihnen ja dieses ganze Ökozeugs eingetrichtert. Wie eine Religion. Der alte Herr tat unbeeindruckt, aber in Wahrheit war er sehr getroffen. Kann man nichts machen.«

»Meine Tochter ist sechs. Ich hoffe, sie weiß noch nicht, was ein Penis ist.«

Ich konnte mir Cheung nur schwer als Vater vorstellen. Er schien mir zu jung und zu glatt. Aber er machte einen glücklichen Eindruck. Er zeigte mir das Foto eines jungen Mädchens mit Zahnspange, Zöpfen und Brille.

»Sehr hübsch«, sagte ich. »Charaktervolles Gesicht. Schöne Augenbrauen.«

»Sie ist ganz verrückt nach Kontaktlinsen. Wir sagen, erst in ein paar Jahren. Erst wenn der Augenarzt sagt, es ist okay. Dann kriegt sie jedesmal einen Wutanfall. ›Ihr seid die schlimmsten Eltern auf der Welt. Irgendwann lauf ich weg und verstecke mich im Wald und werde von einem Bär aufgefressen, dann wissen alle, wie schrecklich ihr zu mir seid!‹ Mein Vater ist Chinese, ich bin halber Amerikaner, meine Tochter ist schon fast Amerikanerin. So sieht's aus. Was soll man machen?«

Wir redeten die ganze Zeit über unsere Familien. Als wir den U-Bahnhof schon passiert hatten, sagte Cheung:

»Moment, hier gibt's ein tolles japanisches Restaurant. Wollen wir was essen?«

Ich hatte mir für den Rest des Tages nichts vorgenommen. Ich fühlte mich geschmeichelt. Ich sagte ja. Der Fahrer hielt an und ließ uns aussteigen.

»Ich melde mich«, sagte Cheung zum Fahrer. »In anderthalb Stunden etwa.«

Wir gingen in das Restaurant. Zwei Köche begrüßten uns laut auf japanisch. Es war eng und voll wie in einer Imbißbude, aber es gab noch einen Tisch.

»In London kann man ganz anständig essen, aber wirklich gutes Sushi bekommt man nicht so leicht. Sind Sie oft in Japan? Dort gibt es unglaubliches Sushi. In Kyoto winken sie gleich ab, wenn man Sushi haben will, zu weit weg von der Küste, sagen sie. Vierzig Kilometer!«

Ich begriff, daß Cheung überhaupt nicht reserviert war. Er war schüchtern. Wenn er einmal in Fahrt kam, hörte er nicht mehr auf.

»Bei rohen Speisen ist mir immer etwas komisch zumute«, sagte ich.

»Sie sind halt mehr Chinese als ich. Ich kann nicht genug davon kriegen.«

»Bitte bestellen Sie für mich mit.«

Er gefiel sich in dieser Rolle. Mit der Kellnerin sprach er

Japanisch. Wenn ein Mann mit einer Frau Japanisch spricht, klingt das immer, als würde er ihr Befehle erteilen.

»Ich bin beeindruckt«, sagte ich. Er zuckte nur mit den Schultern.

»Nach Stanford war ich zwei Jahre in Tokio. Ich spreche ganz passabel Japanisch. Mein Chinesisch ist völlig eingerostet. Selbst meine Tochter spricht es besser als ich. Sie unterhält sich mit ihrem Großvater auf putonghua. In der Schule wird die ethnische Herkunft ja richtig gepflegt.«

Die Kellnerin brachte uns zwei Bier und einen Teller rohe Sojabohnen. Ich war überrascht. Cheung machte nicht den Eindruck, als würde er trinken. Er erhob sein Glas.

»Auf unseren freien Nachmittag!«

»*Yum cha*«, sagte ich.

»Wenn ich auf Reisen bin, sehe ich zu, daß ich mindestens einen Vormittag oder Nachmittag für mich habe. Das klappt nicht immer, aber ich fühle mich besser, wenn es mir gelingt. Schlaf nachholen, ein paar Sachen einkaufen, mit der Familie telefonieren, E-Mails schreiben. Sonst wird es eng. Dann frißt mich alles auf.«

Die Kellnerin brachte das Essen. Cheung hatte bestellt: Seespinnenrollen, Maguro Sushi, Aal teriyaki, gebratenes Schweinefleisch mit japanischem Babyspargel, fritierten Tofu gefüllt mit Sushireis. Wir gingen von Bier zu kaltem Sake über. Cheungs Gesicht war leicht gerötet. Wir sprachen über Geschäftliches. Seine Firma stand im Moment eindeutig besser da als meine.

»Aber ich glaube, daß wir in China baden gehen«, sagte er. »Das Geschäft floriert und floriert, und trotzdem verdienen wir kein Geld. Außerdem weiß man nie, wann sie neue Regeln einführen. Es ist, als läuft man in Basketballsachen aufs Spielfeld und erwartet ein Basketballspiel, und die anderen kommen in Baseballsachen heraus, man denkt also, okay, Baseball, und dann kommt einer von ihnen mit dem Schläger und haut einem eins über den Kopf.« Cheung kicherte.

»Wir haben das gleiche Problem«, sagte ich. »In Vietnam auch. Gute Fabrik, gute Aussichten, wachsende Wirtschaft. Alles sieht toll aus. Das Problem ist nur, daß wir permanent beschissen werden und nichts dagegen unternehmen können.«

»Man kann immer etwas unternehmen«, sagte Cheung und hob die Sektflasche in Richtung Kellnerin. Wir waren die letzten Gäste.

»Im Prinzip haben Sie recht. Aber ...« Ich erklärte ihm unsere Situation. Cheung nickte.

»Kein Problem. Verkaufen Sie uns die Fabrik.«

»Klasse Witz.«

»Überhaupt nicht. Wir expandieren so schnell in Vietnam, daß wir fast nicht mehr hinterherkommen. Wir suchen ohnehin eine neue Fabrik. Cholon ist genau das richtige. Wir müssen nur neue Maschinen installieren. Weigen wird uns bestimmt unter die Arme greifen. Haben wir schon mal in Singapur so gemacht. Wir kaufen Ihnen Ihren Anteil zu einem fairen Preis ab, Ihre betrügerischen Partner kriegen nicht einen Cent. Wir werden ihnen damit drohen, daß wir die Sache auffliegen lassen. Werden ihnen eine Knarre an den Kopf halten. Perfekt. Jeder gewinnt.«

»Wenn es so einfach wäre, diese Leute bloßzustellen, würden wir es selber machen.«

Cheung, erhitzt und betrunken, riß sich zusammen.

»Schauen Sie, die Amerikaner haben diese Storys. ›Wie redet man einen Neunhundert-Pfund-Gorilla mit Maschinengewehr an?‹ ›Sir.‹ Solche Witze. Na, genauso ist es. Wie gewinnt man die Aufmerksamkeit eines Neunhundert-Pfund-Gorillas? Man taucht mit einem Zwölfhundert-Pfund-Gorilla auf.«

»Ich glaube nicht, daß es so schwere Gorillas gibt.«

»In Vietnam schon. Wir haben einen. Unser vietnamesischer Partner gehört zur Familie des Präsidenten.«

»Verstehe.«

»Gute Geschäftsempfehlung für Asien. Im Zweifelsfall mit einem größeren Gorilla ankommen.«

Wir tauschten unsere Karten aus. Ich bezahlte.

Neuntes Kapitel

Mein Großvater will in seinem Haus keine Presseerzeugnisse des Wo-Imperiums sehen. Ich bewahre den Zeitungsausschnitt also in einem Plastikordner im Büro auf. Als ich wieder in Hongkong war, nahm ich ihn heraus.

Astronauten von Dawn Stone

Überall in Asien sieht man sie an Bord von Flugzeugen. Fliegen ist für sie nichts anderes als eine Busfahrt, und es hat den gleichen Fehler: Es dauert zu lange. Sie verbringen so viel Zeit in der Luft, daß das Reisen mit neunhundert Stundenkilometern in einer druckfesten Metallröhre ihnen keinerlei Gefühlsregungen mehr entlockt. Sie hängen bis zum allerletzten Moment an ihren Handys. Sie schauen nie hin, wenn das Kabinenpersonal Informationen zur Sicherheit gibt. Sie sind überhaupt viel länger in der Luft als das Kabinenpersonal. Sie verbringen so viel Zeit am Himmel, daß die Chinesen einen neuen Spitznamen für sie haben: Astronauten.

Ob sie Angestellte sind oder ihre eigene Firma haben, kann man leicht erkennen: Wenn sie ihre Reise aus der eigenen Tasche bezahlen müssen, sitzen sie im hinteren Teil des Fliegers, in der Economy.

Einer dieser Astronauten ist Matthew Ho, ein junger Geschäftsmann, der sich vorgenommen hat, mit Industriemaschinen ein Megavermögen zu machen …

Es ging dann weiter über das Astronautensyndrom, wobei ich und eine Reihe anderer junger chinesischer Geschäftsleute als Beispiel dienten. Ich war Miss Stone an Bord eines Flugzeugs begegnet, und vermutlich deshalb hatte sie mich als möglichen Interviewpartner ausersehen. Dank meines Upgrade war ich Business Class geflogen. Aber es gab noch andere Unstimmigkeiten in ihrem Artikel. Als er in der Zeitschrift *Asia* erschien, erkannte ich mich in keinem einzigen Zitat wieder.

Mein Partner war wütend, als er den Artikel sah.

»Industriemaschinen?« sagte er. »Was soll das denn? Spinnt die? Als Werbung für unsere Firma können wir uns das abschminken. Zeitvergeudung! Du solltest ihr eine Rechnung für die vergeudete Zeit schicken. Tausend Dollar die Stunde Minimum!«

Vielleicht weil er so wütend war, sagte ihm der Name Dawn Stone nichts. Aber ich erinnerte mich. Im Wirtschaftsteil der Zeitungen war oft von ihr zu lesen, nachdem sie vom Journalismus in das Management der Wo-Medien übergewechselt war. Zur Zeit der Übergabe wurde viel über sie geredet. Ihr wurde ein Verhältnis mit ihrem Chef nachgesagt, einem Engländer namens Oss. Nach der Übergabe wurde Oss zum Chef der gesamten Auslandsoperationen des Wo-Imperiums berufen, und kurz darauf wurde Miss Stone zur Chefin des Medienzweigs ernannt. Wo selbst leitete das Asien-Geschäft, und auch das Engagement in China lag in seiner Hand.

Den Kontakt zu Miss Stone hatte ich durch den Austausch von Weihnachtsgrüßen aufrechterhalten, was im Westen eine beliebte Form der Pflege von *guangxi* ist. Und ich hatte ihr, als sie noch Journalistin war, gelegentlich mit Informationen aushelfen können und einmal, indem ich sie mit Leuten in Guangzhou bekanntmachte. Wir hatten ein freundliches Verhältnis, auch wenn ich mit Miss Stone persönlich nur dreimal zusammengekommen war. Das erstemal im Flieger von Heathrow nach Hongkong. Sie war noch nie in Hongkong gewesen. Sie war jung und interessiert und wollte unter keinen Umständen unerfahren wirken. Zugleich stellte sie viele Fragen. Und sie hörte mir zu. Mir gefiel, daß sie kein typischer Expat war. Sie war gut, aber nicht exquisit gekleidet. Ich sah ihr an, daß sie nervös war. Ich sprach über meine Firma. Zu Weihnachten schickten wir uns eine Karte.

Dann, ein halbes Jahr später, sahen wir uns zu dem Interview. Sie war sehr viel selbstsicherer. Sie hatte viele Ansichten. Ihre Sachen waren teurer. Der Ausdruck in ihren Augen hatte sich verändert. Sie verhielt sich wie jemand Wichtiges. Sie war sehr viel statusbewußter. Aber ich bekam noch immer jedes Jahr zu Weihnachten eine Karte.

Das nächstemal traf ich sie 1998 bei einer Party, die sie anläßlich ihrer Ernennung zur Chefin der Mediengruppe gab. Die Feier fand im »Felix« statt, dem Restaurant ganz oben im Peninsula. Die Tatsache, daß sie das Restaurant den ganzen Abend für sich in Beschlag nehmen konnte, war ein deutlicher Beweis ihres Status. Es war nicht zu übersehen, daß sie Managerin eines großen, einflußreichen Unternehmens war. Sie trug ein rotes Kostüm. Ihre Frisur sah teuer aus. Nach außen hin war sie noch immer freundlich, aber alles an ihr verriet einen starken Machtwillen.

»Matthew!« rief sie, als sie mich sah. »Bevor Sie gehen, müssen Sie unbedingt hier pinkeln gehen. Offenbar stehen Sie dort auf einer Glasscheibe und schauen herunter, ganz Hongkong liegt unter Ihnen. Wer sich dort nicht als Herr der Schöpfung fühlt, sollte seine Serotoninwerte checken lassen.«

Sie wandte sich wieder jemand anderem zu. Ich kannte keinen der Gäste, blieb also nicht sehr lange.

Morgens um acht landete ich in Sydney. Am Zoll hielten die Spürhunde eine alte Chinesin an, eine Großmutter, die ein paar Würste und Schinken, mehrfach in Plastiktüten gewickelt, einführen wollte. Sie stritt sich mit den Zollbeamten. Sie würde den kürzeren ziehen.

Am Taxistand war nicht die übliche Warteschlange. Es war ein schöner Tag. Ich setzte mich vorn auf den Beifahrersitz.

»Langen Flug gehabt?« fragte der Fahrer.

»Hongkong.«

»Tourist?«

»Ich wohne hier.«

»Schon mal auf dem Fischmarkt bei einer Sashimi-Auktion gewesen?«

»Nein.«

»Würde Ihnen gefallen.«

Der Fahrer setzte mich am Circular Quay ab. Für das letzte Stück nach Hause nehme ich gern die Fähre.

Die Leute strömten an mir vorbei zur Arbeit. Die Tatsache, daß für sie der Tag erst begann, machte mir klar, wie müde ich war. Ich kaufte ein Ticket nach Mosman und stellte mich an die Reling. Der Hafen riecht anders als in Hongkong. Es gab Linienfähren, Containerschiffe, Privatjachten. Die Überfahrt dauerte nicht lange, wir legten an. Einige Australier stiegen mit mir aus und gingen in dieselbe Richtung wie ich.

In dem kleinen Supermarkt am Kai besorgte ich mir eine Flasche Mineralwasser. Das ist eine teure Art, Wasser zu trinken, aber ich mußte einfach Flüssigkeit zu mir nehmen. Ich ging bergan. Zum Glück hatte ich nur

Handgepäck dabei. Zwei Australier liefen an mir vorbei.

»... bei dem Lehrer darf man nicht zu spät kommen«, rief der eine.

Dann bog ich um die Ecke und sah unser Haus. Auf dem Rasen standen dreißig oder vierzig Leute, alle mit erhobenen Armen, vor ihnen Schwiegervater, ebenfalls mit erhobenen Armen. Sie machten Tai Chi. Ich ging die Auffahrt hinauf. Schwiegervater lächelte und nickte mir zu, ohne sich ablenken zu lassen.

»Und jetzt, drücken! Langsam! Drücken! Der Affe weicht zurück!«

Ich öffnete die Haustür. Meine Frau kam mir aus der Küche entgegen und umarmte mich.

Ich sagte: »Draußen im Garten stehen viele Australier, die unter Anleitung deines Vaters Tai Chi machen.«

»Ja, das wollte ich dir schon erzählen. Sie haben ihn bei seinen Übungen beobachtet und wurden neugierig. Dann haben sie gefragt, ob er ihnen nicht Unterricht erteilen kann. So hat es angefangen. Die Australier sind gern draußen und machen ihren Sport.«

Ich trank Mineralwasser. Wir gingen in die Küche, ich sah meiner Frau bei ein paar Erledigungen zu. Mei-Lin war in der Schule. Unsere Mütter waren gemeinsam Shopping gefahren. Durch das offene Fenster konnte ich Schwiegervater hören.

»Kleines Baby – gebt ihm den Finger. Und wieder wegnehmen. Ganz schwierig! Baby ganz stark! Baby hat gutes *chi*! Keine Blockaden! Erwachsene viele Blockaden! Schwach! Schlechtes *chi*! Kleines Baby viel besser! Gutes *chi*! Stark!«

Nach einem langen Flug versuche ich immer, tagsüber wach zu bleiben, die innere Uhr stellt sich dann leichter um. Aber ich wollte nicht zu müde sein, wenn Mei-Lin aus der Schule kam, daher legte ich mich nach dem Mittagessen für eine Stunde hin. Als meine Frau mich weckte, hatte ich das Gefühl, wie aus einer großen Tiefe heraufzusteigen. Die Australier draußen waren verschwunden. Ich ging los, um Mei-Lin abzuholen, und kam gerade rechtzeitig. Viele kleine Mädchen strömten durch das Tor und wurden von ihren Eltern in Empfang genommen.

»Dad!« rief sie und lief mir entgegen und umarmte mich.

»Du bist groß geworden.«

»Ich weiß.« Sie machte einen komischen Knicks. Ein blondes Mädchen, das einen Kassettenrecorder trug und die Hand ihrer Mutter hielt, ging an uns vorbei. Die Mutter lächelte mir zu. Sie war sehr elegant.

Das Mädchen sagte: »Wiedersehen, Mi.«

»Auf Wiedersehen, Ali. Sag Deb, es tut mir leid, daß es ihr nicht so gut geht.«

Eine mürrische Chinesin ging, ohne aufzusehen, mit ihrer Tochter vorbei. Beide trugen Sonnenbrille. Sie stiegen in einen Mercedes. Mei-Lin zog eine Grimasse hinter dem Mädchen.

»Wer ist das?« fragte ich.

»Michelle. Sie ist neidisch.«

»Weil du hübscher bist?«

»Und weil ich besser schwimmen kann.«

Wir gingen nach Hause. Abends kochte meine Frau etwas Besonderes. Mei-Lin blieb noch lange bei uns und den Großeltern. Nach dem Essen sprach ich mit meiner Frau über meine geschäftlichen Probleme und was das möglicherweise bedeutete.

»Die Konsequenz ist also«, sagte ich, »daß wir am Ende sind, wenn uns der Auftrag in Guangzhou flötengeht.«

»Das würde bedeuten, daß wir unser ganzes Geld verlieren und das Haus und das Apartment in London, und wahrscheinlich steht auch unserer Einwandererstatus in Australien auf dem Spiel, weil sie glauben, daß wir falsche Angaben über unsere finanziellen Verhältnisse gemacht haben.«

»Wir würden alles verlieren.«

Meine Frau schüttelte den Kopf.

»Und du weißt nicht, was hinter dieser Sache mit Wo steckt?«

»Er schweigt darüber. Er sagt einfach: die Zukunft ist wichtiger als die Vergangenheit.«

Sie schüttelte wieder den Kopf. »Dann solltest du mit Miss Stone sprechen.«

Zehntes Kapitel

Ich wandte mich an Miss Stones Sekretärin und bat um einen Termin. Ich schrieb einen Brief und rief dann zweimal an. Ich spürte deutlich, wie wichtig sie geworden war. Schließlich war ein Termin vereinbart.

Als es soweit war, machte ich mich auf den Weg. Ihr Büro war im Admiralty Centre, einem neuen Bürohaus direkt am Hafen, Wos jüngstem Bauprojekt. Die untersten fünf Geschosse waren Einkaufspassagen. Auch ein Hotel war darin untergebracht. Der verglaste Swimmingpool nahm ein ganzes Stockwerk ein. Das Büro von Miss Stone Office war im sechsundfünfzigsten Stockwerk. Der Aufzug fuhr so schnell, daß sich im Moment des Abbremsens ein Gefühl von Schwerelosigkeit einstellte.

Vor dem Lift saß eine Sekretärin an einem großen Schreibtisch. Rechts und links hinter Glaswänden lagen Büros, in denen gearbeitet wurde. Der Blick durch die Fenster ging nach Osten und Westen. Ich nannte meinen Namen. Die Sekretärin bat mich zu warten. Ich setzte mich auf ein rotes Sofa und guckte mir die Magazine und Zeitungen an. Es waren viele ausländische darunter, doch bald wurde mir klar, daß das alles Erzeugnisse des Wo-Imperiums waren. Auf zwei Bildschirmen liefen Filme, ohne Ton, aber ich erkannte, daß es Ausschnitte aus einem Film waren, der kürzlich in den Wo-Studios gedreht worden war. Man sah eine Autoverfolgungsjagd und Explosionen.

Ich wartete etwa eine halbe Stunde. Eine zweite Sekretärin kam aus einem der hinteren Büros und sagte:

»Miss Stone läßt bitten.«

Ich folgte ihr. Das erste, was ich sah, war der Blick über den Hafen. Kowloon schien ganz nahe zu liegen, als müßte man nur einen großen Schritt über das Wasser machen. Dann sah ich Miss Stone. Sie telefonierte. Die Sekretärin führte mich zu einem Ledersessel vor dem Schreibtisch. An der Wand waren Schwarzweißfotografien von Leuten, die schlechte Zähne hatten und wie Zirkusartisten aussahen. Auf dem Schreibtisch stand nicht, wie sonst üblich, ein Foto von ihrer Familie, sondern von einem Auto. Es war ein silberner Mercedes SLK.

»Also, ich glaube nicht, daß das funktioniert. Ja, ich auch. Bis dann.«

Sie legte auf und hielt mir die Hand entgegen.

»Matthew, entschuldigen Sie. Jetzt glauben Sie bestimmt, ich bin das Killergirl vom Planeten Zorgon, aber dieser Anruf wurde durchgestellt, als Janice Sie abholen ging, ich mußte abnehmen. Schön, Sie zu sehen, Sie schauen gut aus. Hat man Ihnen schon etwas angeboten? Aber trinken Sie bloß keinen Kaffee, ich schwöre, der wird hier mit Hafenwasser gemacht. Wie geht's der Familie? Janice, bringen Sie doch bitte ein Perrier.«

»Diese Fotos gefallen mir«, sagte ich.

»Arbus. Weegee. Ziemlich ausgeflippt. Das Entscheidende aus Hongkonger Sicht ist natürlich, daß sie gigantisch teuer sind.«

»Die Sessel sind auch nicht schlecht.«

»Sind aus dem Conran Shop in London. Genauer gesagt, einer davon. Sonderangebot. Habe zu Hause noch ein paar rumstehen. Also – ich habe Ihren Geschäftsplan gelesen. Sieht okay aus. Was kann ich für Sie tun?«

Ich atmete langsam ein und aus. Ich hörte meinen Schwiegervater im Garten seinen Tai-Chi-Schülern zurufen: »Guter Atem, gutes *chi*! Schlechter Atem, schlechtes *chi*! Bald sterben.«

»Wir wollen in China expandieren.«

»Sicher, das steht ja in Ihrem Plan.«

»Es gibt ein paar Schwierigkeiten, die nicht darin erwähnt werden.«

Ich erklärte ihr unsere Lage.

»Die Zahlen in unserem Plan dürften außerordentlich vorsichtige Schätzungen sein. Es könnte ein Riesengeschäft werden. Aber wir haben kurzfristige Probleme. Genauer gesagt, ein wichtiger Auftrag, der die Existenz unserer Firma sichert, ist uns in Guangzhou durch die Lappen gegangen, weil sich die Machtverhältnisse vor Ort verschoben haben. Sie sind mit diesem Phänomen bestimmt vertraut. Wir brauchen Rat, Unterstützung und weitere Geldmittel, um eine Lösung zu finden. Wir brauchen Freunde in Guangzhou, Beijing und« – ich räusperte mich – »in Schanghai. Kurzum, wir brauchen einen neuen Partner.«

Miss Stone hörte mir anders zu als damals, als sie noch Journalistin war. Aggressiver. Als ich fertig war, preßte sie die Finger aufeinander.

»Sie brauchen also einen großen Bruder in China. Jemand, der Ihnen Türen öffnet, Störungen aus dem Weg räumt. Jemand, der mehr Einfluß hat als die Leute, die Ihnen Schwierigkeiten machen.«

»Einen Partner und Verbündeten.«

»Einen größeren Gorilla.«

Ich zuckte zusammen. Sie lächelte. »Ist so ein Ausdruck, den die Leute verwenden. Und was bieten Sie?«

»Eine Beteiligung. Es wird ein großes Geschäft, ein gigantisches Geschäft sogar. Selbst für Mr. Wos Begriffe. Ich bin da ganz sicher.«

Zum erstenmal war zwischen uns sein Name gefallen. Ich erhöhte den Einsatz.

»Sie wissen, daß ich nicht direkt für Mr. Wo arbeite. Mein Boss ist Philip Oss.«

»Sie haben *guangxi*. Das weiß ich. Sie sind eine wichtige Person in der Organisation. Ich weiß, daß Sie Zugang zu Mr. Wo haben.«

Sie rutschte hin und her. Dann sagte sie:

»Okay. Wie gesagt, ich habe mir Ihre Zahlen angeschaut, sie sehen ja ganz vernünftig aus. Es gibt allerdings ein kleines Terminproblem. Wo fliegt morgen abend nach London, um dort eine Telefongesellschaft zu kaufen. Das bleibt natürlich unter uns. Und für die nächsten Wochen ist er nicht zu erreichen. Also, entweder heute nachmittag oder nie. Ich habe mit seiner Sekretärin gesprochen und einen Termin für drei Uhr arrangiert. Das ist in« – sie sah auf ihre Uhr – »oh, nicht einmal einer halben Stunde. In seinem Büro. Sie wissen, wo es ist?«

Jeder in Hongkong wußte das. Es befand sich im obersten Geschoß dieses Gebäudes. Ich wußte nicht, was ich sagen sollte.

»Wie lange wird es dauern?«

»Wenn es gutgeht, wer weiß. Andernfalls sind Sie in zwei Minuten wieder auf der Straße. Und ich sag Ihnen gleich, ich werde nicht dabeisein. Das müssen Sie allein durchziehen. Viel Glück.«

»Danke. Wie gesagt, ich ...«

»Noch etwas. Aber das bleibt wirklich unter uns. Einer der Redakteure, für die ich in England gearbeitet habe, fuhr total auf elektronische Geräte ab. Wir haben immer gesagt: ›Was er nicht ficken oder in die Steckdose schieben kann, interessiert ihn nicht.‹ Lassen Sie den Sex weg und ersetzen Sie Steckdose durch Modem, dann haben Sie Mr.

Wo. Für ihn dreht sich alles um die New Economy. Also, lassen Sie sich was einfallen.«

Ich ging nach unten und lief fünfzehn Minuten auf und ab, um mich zu beruhigen. Ich rief meinen Partner an, doch sein Handy war auf Anrufbeantworter geschaltet. Dann ging ich zu dem Lift, der nonstop in den zweiundsechzigsten Stock fuhr. Ich mußte ein Weilchen warten, während ein Sicherheitsmensch meine Angaben telefonisch überprüfte.

Ich rechnete mit dem atemberaubendsten Blick auf den Hafen. Doch als ich aus dem Lift trat, war ich enttäuscht. Nirgendwo ein Fenster. Es war ein wenig irritierend. Ich hätte sonstwo sein können.

Eine erste Sekretärin nahm mich in Empfang, führte mich zu einer zweiten Sekretärin und bat mich zu warten. Wieder lag eine Kollektion von Presseerzeugnissen des Wo-Imperiums neben mir. An einer Wand hingen zwei große gerahmte Fotografien von Öltankern, an einer anderen Wand war eine elektronische Weltkarte, auf der die Länder, in denen die Wos investiert hatten, rot verzeichnet waren. Fast die gesamte Welt war rot. Es war reizvoll, sich vorzustellen, worin diese Investitionen bestanden. Ich dachte sofort an Immobilien, Reedereien, Medien. Aber warum war fast ganz Südamerika rot? Dann fiel mir ein, daß Wo kürzlich einen großen Anteil am größten spanischsprachigen Internet-Portal erworben hatte.

Ich rechnete mit einer längeren Wartezeit. Je wichtiger jemand ist, sagte mir meine Erfahrung, desto unpünktlicher ist er. Doch um Punkt drei ging die Tür auf, und ein junger Chinese trat heraus.

»Guten Tag, Mr. Ho. Ich bin Quentin Hong, Mr. Wos Sekretär. Würden Sie mir bitte folgen?«

Ich betrat das Büro. Auch hier kein Blick nach draußen. Die Fenster waren verhängt. Ganz hinten im Zimmer erhob sich ein Mann aus einem Sessel. Das war Wo. Er sah viel kleiner und schmaler aus als auf den Fotos. Er zeigte auf einen zweiten Sessel. Er trug eine Brille mit dicken getönten Gläsern.

»Mr. Ho, hat man Ihnen schon etwas zu trinken angeboten?«

»Vielen Dank, das ist nicht notwendig.«

Sein Sekretär saß schräg hinter ihm. Er nahm Notizblock und Kugelschreiber zur Hand. Wo setzte seine Brille ab und rieb sich die Augen. Dann schaute er auf das Papier, das in seinem Schoß lag. Es war der Begleitbrief zu meinem Projekt. Ich konnte mich derweil im Büro umsehen. An einer Wand hing ein wunderschöner Kimono und darüber eine Vitrine mit zwei japanischen Schwertern. In der Nähe der Tür war ein Go-Spiel aufgebaut. Die Dekkenbeleuchtung und zwei Schreibtischlampen, eine gleich neben Wos Sessel, gaben ein warmes Licht. Wo bemerkte, wie ich mich umsah.

»Ich habe Probleme mit den Augen«, sagte er. »Tageslicht strengt mich an. Deswegen sieht es hier so aus.«

Er wandte sich wieder dem Papier zu. Ich hatte ihn mir energischer, kraftvoller vorgestellt, doch er wirkte sanft. Wenn er Leidenschaften besaß, dann waren sie verborgen. Er benahm sich nicht wie ein Magnat oder Multimilliardär. Vermutlich, weil er es nicht nötig hatte, dachte ich.

Er legte den Brief hin. »Miss Stone hat mir schon davon berichtet. Anständige Zahlen«, sagte er. »Kann ich Ihnen glauben?«

»Ich denke ja. China ist für unsere Firma ein Markt mit einem enormen Potential. Wie Sie wissen, ist es im Sommer überall sehr heiß. Klimaanlagen sind selten. Ihre Einführung dort könnte genauso revolutionär sein wie etwa im Süden der Vereinigten Staaten.« Ich hatte dieses Argument schon früher verwendet. Es machte immer Eindruck. »Wir stellen die besten Großklimaanlagen der Welt her. Und sollte sich das Wachstum der chinesischen Wirtschaft in diesem Tempo fortsetzen, wird sich der Reichtum des Landes alle sechs, sieben Jahre verdoppeln. Das heißt, in zwölf Jahren wird der durchschnittliche Chinese viermal mehr Geld in der Tasche haben als heute. Heute gibt es 1,2 Milliarden Chinesen. Wenn man all diese Fakten zusammennimmt, ist klar, daß dies die größte Geschäftschance in der Menschheitsgeschichte ist. Mittelfristig werden wir eine nahezu unvorstellbar große Zahl von Klimaanlagen verkaufen können.«

»Wenn Sie den Auftrag in Guangzhou aber nicht bekommen …«

»Dann natürlich nicht. Unsere Firma würde das nicht überleben.«

Er nickte. »Vielleicht sollte ich also lieber in die Firma investieren, die an Ihrer Stelle den Auftrag bekommt.«

»Wer Ihre Unterstützung hat, kann nur Erfolg haben«, sagte ich.

»Das Leben wäre in der Tat einfacher, wenn das immer so wäre«, sagte und wandte sich seinem lächelnden Sekretär zu.

»Aber vielleicht weniger interessant«, sagte ich.

Wo sah mich wieder an. »Woher kommen Sie?«

»Ich bin in Mongkok aufgewachsen. Aber meine Mutter, meine Frau und Tochter …«

»Ich meine davor. Sie haben einen Akzent.«

»Geboren wurde ich in Fujian. Ich kam 1974 hierher, da war ich acht.«

»Das war bestimmt nicht sehr einfach«, sagte er auf

fujianesisch. Ich hatte die Sprache seit fünfundzwanzig Jahren nicht mehr gesprochen. Ich sagte:

»Nein, nicht sehr einfach.«

Wo lächelte.

»Soso, aus Fujian sind Sie also. Mein Vater kommt auch dorther. Er sagte, dort gibt es die besten Piraten und die besten Geschäftsleute, aber in Kanton gibt es die besten Huren, die besten Köche und die schlimmsten Schwiegermütter.«

»Meine Schwiegermutter lebt in Australien.«

»Das klingt, als hätten Sie alles gut organisiert. Trinken Sie noch viel Oolong-Tee?«

»Ja, ich bringe aus China immer welchen mit.«

»Zu stark für mich. Muß dann die ganze Zeit pinkeln. Mein Vater hat darauf geschworen. Man bleibt dünn, hat er gesagt. Sie selbst sind ja auch so ein drahtiger Kerl.«

»Das macht der Tee, aber auch die Sorge ums Geschäft.«

»Ah ja, das Geschäft«, sagte Wo. Er tippte zweimal auf den Entwurf, der in einer Plastikhülle auf seinen Knien lag. »Sie wissen ja, dieses ganze Gerede über die Zukunft. China hier, China dort. Beim Internet genau dasselbe. Ich selbst bin in vielen Bereichen engagiert, aber mich interessiert vor allem die Zukunft, verstehen Sie? Andere beschäftigen sich mit der Vergangenheit. Ich konzentriere mich auf die Zukunft. Das hier ist auf dem Papier ein gutes Geschäft, aber ich sehe viele gute Geschäftsideen. Diejenigen, die mich interessieren, haben mit der Zukunft zu tun. Mit einer anderen Welt. Also, erzählen Sie, wie Ihr Vorschlag da hineinpaßt.«

Wilson hatte eine Argumentation entwickelt, die ich beim Beantragen von Bankkrediten verwendet hatte.

»New Economy, das bedeutet eine Unmenge von Großcomputern, Zentralrechnern. Vor allem in China, wo es so wenige gibt. Internetanschlüsse, Netzwerklösungen. All diese Geräte produzieren Hitze, große Hitze. In einem solchen Maß, daß Klimaanlagen notwendig werden. Wenn die New Economy nach China kommt, wird das Land viele Klimaanlagen brauchen. Warum gibt es denn in Kalifornien immer wieder Stromengpässe?«

Es war bemerkenswert: ich hatte Wo zwar für mein Projekt interessiert, aber nun schien er überhaupt nicht mehr zu reagieren.

»... Internetwirtschaft bedeutet also eine große Zahl von Klimaanlagen. Irgend jemand muß diese Klimaanlagen herstellen. Wenn nicht wir, dann jemand anders. Aber natürlich wäre es schön, wenn wir es sind.«

Wo hielt den Blick gesenkt. Er zeigte keine Reaktion. Es kostete mich einige Mühe, nicht gegen das Schweigen anzureden. Wo dachte eine Weile nach, dann sagte er:

»Ich werde mich bei meinen Freunden in Guangzhou für Ihren Plan verbürgen. Wenn alles klappt, sind wir Partner.«

Sein Sekretär stand auf. Ich stand ebenfalls auf. Wo blieb diesmal sitzen.

»Aus Fujian, was?« sagte er. »Gut für Sie!«

Der Sekretär begleitete mich hinaus. »Gratuliere!« sagte er. »Das ist seit einem Jahr das erste Projekt, dem er zustimmt.«

Ich sagte: »Meine Knie sind ganz weich.«

Die Fahrt im Aufzug war wie ein freier Fall. Ich trat hinaus auf die Straße und wäre fast von einem Taxi überfahren worden. Ich ging auf dem Überweg nach Central. Ich hatte das Handy dabei, wollte aber niemanden anrufen. Erst später. Ich hatte genug geredet.

Es war ein sonniger, nicht zu feuchter Tag. Ich zog mein

Jackett aus. Ich lief an den alten Regierungsgebäuden vorbei, überquerte die Straße und ging durch den Park, wo früher der Cricketplatz war. Viele Leute saßen da und unterhielten sich und hörten Musik. Ich ging am Legco vorbei über den Statue Square und betrat das Prince's Building, um dort ein Café zu suchen. Ich geriet langsam in Panik, was ich Großvater sagen sollte. Ich kaufte in einer Weinhandlung ein Geschenk für ihn und ging dann hinunter zum Fähranleger und kaufte ein Ticket nach Cheung Chau.

Von der Fähre aus rief ich im Büro an. Ah Wong meldete sich.

»Wei?«

»Er macht mit.«

Wong jubelte. Ich hörte, wie er es den anderen zurief. Ich hörte Jubelrufe. »Du bist ein Supermann. Und wie geht's weiter?«

Mir wurde klar, daß ich das nicht wußte. »Seine Leute kümmern sich darum. Sie werden sich melden. Hör zu, ich komme heute nicht ins Büro. Wir sehen uns morgen.«

»Vergiß nicht«, sagte Wong, »hundert Millionen Dollar.«

»Ich dachte, du hast es vergessen.«

»Von wegen.«

Dann rief ich meine Frau an.

»Hallo?«

»Er hat zugesagt.«

Sie stieß einen tiefen Seufzer aus. Als hätte sie seit unserem letzten Gespräch den Atem angehalten. »Und wann kommst du nach Hause?«

»So bald wie möglich. Zuerst ...«

»Mußt du Großvater Bescheid sagen.«

»Ja. Ich bin nervös.«

Sie stieß wieder einen fast ebenso tiefen Seufzer aus. »Viel Glück!«

Um diese Tageszeit waren andere Leute an Bord der Fähre. Das war mir schon früher aufgefallen. Morgens und nach Feierabend sind es nur Berufstätige. Aber diese Fähre war voll von Touristen und Leuten, die Jobs mit unregelmäßigen Arbeitszeiten hatten.

Das Wasser war ziemlich aufgewühlt, und ein paar Leute sahen aus, als würde ihnen schlecht. Ich blieb eine ganze Weile draußen an der frischen Luft, atmete tief durch und ging dann hinein. In der Kabine drängten sich drei Jungen um einen tragbaren DVD-Player und schauten *The Matrix*. Alle drei trugen Nike-Kappen.

Wir kamen an den Fischzuchtfarmen vorbei. Die Restaurants am kleinen Hafen lagen ruhig da. Die Fischer der Nachtschicht waren noch nicht ausgelaufen, die anderen noch nicht zurückgekehrt. Ich kaufte mir eine *South China Morning Post* und ging den Berg hinauf.

Ich wußte, daß Großvater sich furchtbar aufregen würde. Aber ich würde ihm sagen, daß ich es getan habe, weil ich ein Flüchtling bin. Daß ich es tun mußte. Die Zukunft ist wichtiger als die Vergangenheit. Ich habe es getan, weil ich ein Flüchtling bin.

Inhalt

Michael Ondaatje im dtv

»Das kann Ondaatje wie nur wenige andere:
den Dingen ihre Melodie entlocken.«
Michael Althen in der ›Süddeutschen Zeitung‹

In der Haut eines Löwen
Roman
Übers. v. Peter Torberg
ISBN 3-423-**11742**-7

Kanada in den zwanziger und dreißiger Jahren. Ein Land im Aufbruch. »Ebenso spannend wie kompliziert, wunderbar leicht und höchst erotisch.« (Wolfgang Höbel in der ›Süddeutschen Zeitung‹)

Der englische Patient
Roman
Übers. v. Adelheid Dormagen
ISBN 3-423-**12131**-9

1945. Vier Menschen finden in einer toskanischen Villa Zuflucht. Im Zentrum steht der geheimnisvolle »englische Patient«, ein Flieger, der in Nordafrika abgeschossen wurde … »Ich kenne kein Buch von ähnlicher Eleganz.« (Richard Ford)

Buddy Boldens Blues
Roman
Übers. v. Adelheid Dormagen
ISBN 3-423-**12333**-8

Er war der beste, lauteste und meistgeliebte Jazzmusiker seiner Zeit: Buddy Bolden.

Es liegt in der Familie
Übers. v. Peter Torberg
ISBN 3-423-**12425**-3

Die Roaring Twenties auf Ceylon. Erinnerungen an das exzentrische Leben, dem sich die Mitglieder der Großfamilie Ondaatje hingaben, eine trinkfreudige, lebenslustige Gesellschaft …

Die gesammelten Werke von Billy the Kid
Übers. v. Werner Herzog
ISBN 3-423-**12662**-0

Die größte Legende des Wilden Westens – Liebhaber und Killer, ein halbes Kind noch und stets dem Tode nah.

Anils Geist
Roman
Übers. v. Melanie Walz
ISBN 3-423-**12928**-X

Im Auftrag einer Menschenrechtskommission kehrt die junge Anil in ihre Heimat Sri Lanka zurück und begibt sich in größte Gefahr.

Antonio Tabucchi im dtv

»Tabucchi webt ein Gespinst von ›suspense‹, in dem man sich beim Lesen gerne verfängt.«
Barbara von Becker in der ›Zeit‹

Indisches Nachtstück
ISBN 3-423-11952-7
Auf den Spuren eines Mannes, der auf geheimnisvolle Weise in Indien verschollen ist. Forscht der Autor nach seinem eigenen Ich oder nach einer wirklichen Person?

Der Rand des Horizonts
Roman
ISBN 3-423-12302-8
In der Leichenhalle wird ein junger Mann eingeliefert, der bei einer Hausdurchsuchung erschossen wurde. Amateurdetektiv Spino will herausfinden, wer der Tote war ...

Erklärt Pereira
Eine Zeugenaussage
ISBN 3-423-12424-5
Pereira, ein in die Jahre gekommener, politisch uninteressierter Lokalreporter, gerät unversehens auf die Seite des Widerstandes gegen Salazar ...

Kleine Mißverständnisse ohne Bedeutung
Erzählungen
ISBN 3-423-12502-0

Lissabonner Requiem
Eine Halluzination
ISBN 3-423-12614-0
Eine hinreißende Liebeserklärung an Lissabon.

Der verschwundene Kopf des Damasceno Monteiro
Roman
ISBN 3-423-12671-X
Im Park liegt eine Leiche ohne Kopf! Reporter Firmino wird nach Porto geschickt, um das Verbrechen aufzuklären ...

Träume von Träumen
Erzählungen
ISBN 3-423-13422-4

Das Umkehrspiel
Erzählungen
ISBN 3-423-12851-8

Der schwarze Engel
Erzählungen
ISBN 3-423-12903-4

Es wird immer später
Roman in Briefform
ISBN 3-423-13206-X

Alle Titel wurden übersetzt von Karin Fleischanderl

Redmond O'Hanlon im dtv

»Die besten, witzigsten und unterhaltsamsten Abenteuerbücher, die je geschrieben wurden.«
Männer-Vogue

Ins Innere von Borneo
Roman
Übersetzt von Meinhard Büning
ISBN 3-423-20220-3

Zwei Briten im Dschungel – die Strapazen dort sind nur unter Aufbringung besten englischen Humors auszuhalten ...

Kongofieber
Roman
Übersetzt von Chris Hirte
ISBN 3-423-20324-2

Zwei Forscher auf der Suche nach Mokélé-mbembé, dem Kongo-Dinosaurier. Magisch, exotisch, spannend.

Redmonds Dschungelbuch
Roman
Übersetzt von Meinhard Büning
ISBN 3-423-20456-7

Im Kanu, zu Fuß, kletternd, watend bahnt sich ein Engländer einen Weg durch den Dschungel, auf der Suche nach den gefürchteten Yanomami. Ein unvergleichlicher Reisebericht: vogelwild, witzig und sehr britisch.

T. C. Boyle im dtv

»Aus dem Leben gegriffen und trotzdem unglaublich.«
Barbara Sichtermann

World's End
Roman
Übers. v. Werner Richter
ISBN 3-423-11666-8

Greasy Lake und andere Geschichten
Übers. v. Giovanni Bandini u. Ditte König
ISBN 3-423-11771-0

Grün ist die Hoffnung
Roman
Übers. v. Werner Richter
ISBN 3-423-11826-1 und
ISBN 3-423-20774-4

Wenn der Fluß voll Whisky wär
Erzählungen
Übers. v. Werner Richter
ISBN 3-423-11903-9

Willkommen in Wellville
Roman
Übers. v. Anette Grube
ISBN 3-423-11998-5

Der Samurai von Savannah
Roman
Übers. v. Werner Richter
ISBN 3-423-12009-6

Tod durch Ertrinken
Erzählungen
Übers. v. Anette Grube
ISBN 3-423-12329-X

América
Roman
Übers. v. Werner Richter
ISBN 3-423-12519-5

Riven Rock
Roman
Übers. v. Werner Richter
ISBN 3-423-12784-8

Fleischeslust
Erzählungen
Übers. v. Werner Richter
ISBN 3-423-12910-7

Ein Freund der Erde
Roman
Übers. v. Werner Richter
ISBN 3-423-13053-9

Schluß mit cool
Erzählungen
Übers. v. Werner Richter
ISBN 3-423-13158-6

Drop City
Roman
Übers. v. Werner Richter
ISBN 3-423-13364-3

Uwe Timm im dtv

»Als Stilist und Erzähler sucht Uwe Timm in Deutschland seinesgleichen.«
Christian Kracht in ›Tempo‹

Heißer Sommer
Roman
ISBN 3-423-**12547**-0

Johannisnacht
Roman
ISBN 3-423-**12592**-6
»Ein witzig-liebevoller Roman über das Chaos nach dem Fall der Mauer.« (Wolfgang Seibel)

Der Schlangenbaum
Roman
ISBN 3-423-**12643**-4

Morenga
Roman
ISBN 3-423-**12725**-2

Kerbels Flucht
Roman
ISBN 3-423-**12765**-1

Römische Aufzeichnungen
ISBN 3-423-**12766**-X

Die Entdeckung der Currywurst · Novelle
ISBN 3-423-**12839**-9
und dtv großdruck
ISBN 3-423-**25227**-8
»Eine ebenso groteske wie rührende Liebesgeschichte ...« (Detlef Grumbach)

Nicht morgen, nicht gestern
Erzählungen
ISBN 3-423-**12891**-7

Kopfjäger
Roman
ISBN 3-423-**12937**-9

Der Mann auf dem Hochrad
Roman
ISBN 3-423-**12965**-4

Rot
Roman
ISBN 3-423-**13125**-X
»Einer der schönsten, spannendsten und ernsthaftesten Romane der vergangenen Jahre.« (Matthias Altenburg)

Am Beispiel meines Bruders
ISBN 3-423-**13316**-3
Eine typische deutsche Familiengeschichte.

Uwe Timm Lesebuch
Die Stimme beim Schreiben
Hg. v. Martin Hielscher
ISBN 3-423-**13317**-1

Martin Hielscher
Uwe Timm
dtv portrait
ISBN 3-423-**31081**-2

Ilija Trojanow im dtv

»Urplötzlich wechselt er ins Phantastische oder Groteske. Er verwebt Orientalisches mit Westlich-Technischem, tobt sich im Detail aus, um dann zum kühnen Zeitensprung anzusetzen. Kurz: Er überrascht, wo er nur kann.«
Der Spiegel

Die Welt ist groß und Rettung lauert überall
Roman
ISBN 3-423-**12654**-X

Alex' Eltern ertragen den Alltag unter der Diktatur in ihrem Heimatland nicht länger, und hinter dem Horizont lockt das gelobte Land. Doch schon bald nach der Flucht zeigt sich, daß sie nicht nur einen Gobelin und die Großeltern zurückgelassen haben. Denn zwischen Traum und Wirklichkeit liegen Welten. Jahre später geht Alex an der Hoffnungslosigkeit des Exils beinahe zugrunde, aber da trifft er seinen Taufpaten vom Balkan wieder …

Autopol
in Zusammenarbeit mit Rudolf Spindler
ISBN 3-423-**24114**-4

Sten Rasin mag das schöne neue Europa des 21. Jahrhunderts nicht. Doch bei der jüngsten Aktion seiner Widerstandsgruppe wird er geschnappt. Einmal zu oft. Er wird »ausgeschafft«, dorthin, von wo es kein Zurück gibt – nach Autopol, zu den anderen, die man draußen nicht will, vor denen man Angst hat. Aber Rasin ist kein gewöhnlicher Krimineller. Er ist Idealist, ein Kämpfer, und er will zurück in die Freiheit. Schnell schafft er sich auch in Autopol Verbündete … ›Autopol‹ entstand als novel in progress im Internet, zusammen mit der ›aspekte‹-Online-Redaktion. Aus dem literarischen Experiment ist eine spannende Science-fiction-Story geworden, ein Buch mit neuen Dimensionen.